생각 읽기가 독해다!

이 책을 쓰신 분들

김보라 영동일고등학교
김보미 고척고등학교
나태영 국어전문저자
박성희 국사봉중학교
박석재 중앙대학교 사범대학 부속고등학교
박정준 오산고등학교
서경원 창현고등학교
유한아 국어전문저자
윤구희 효문중학교
윤치명 보성여자고등학교
이경호 중동고등학교
이민규 오산고등학교
정송희 고려대학교 사범대학 부속중학교
채재준 채재준 국어전문학원
홍성구 덕원여자고등학교

디딤돌 생각독해 [중등 국어] Ⅲ

펴낸날 [초판 1쇄] 2020년 8월 15일 [초판 3쇄] 2024년 4월 25일
펴낸이 이기열
펴낸곳 (주)디딤돌 교육
주소 (03972) 서울특별시 마포구 월드컵북로 122 청원선와이즈타워
대표전화 02-3142-9000
구입문의 02-322-8451
내용문의 02-325-6800
팩시밀리 02-338-3231
홈페이지 www.didimdol.co.kr
등록번호 제10-718호

생각독해,
어떻게 해야 할까?

시작

기본

심화

똑같은 장면을 보고 왜 다른 생각을 하는 걸까?

생각독해는 '왜'라는 질문에서 시작해 '무엇을', '어떻게'에 관해 생각해 볼 수 있도록

다양한 영역을 관통하는 '빅 아이디어'를 선정해

단순히 글을 읽는 것을 넘어 생각하는 힘을 기를 수 있도록 도와줍니다.

독해, 이제 생각독해로 제대로 시작해 볼까요?

생각독해,
무엇일까?

글에 담긴 생각읽기

독해는 글을 읽고 그 뜻을 이해하는 능력을 말합니다. 독해력의 기본은 글쓴이의 생각에 따라 짜여진 정보들, 즉 글의 내용을 얼마나 정확하게 파악할 수 있느냐에 달려 있습니다.

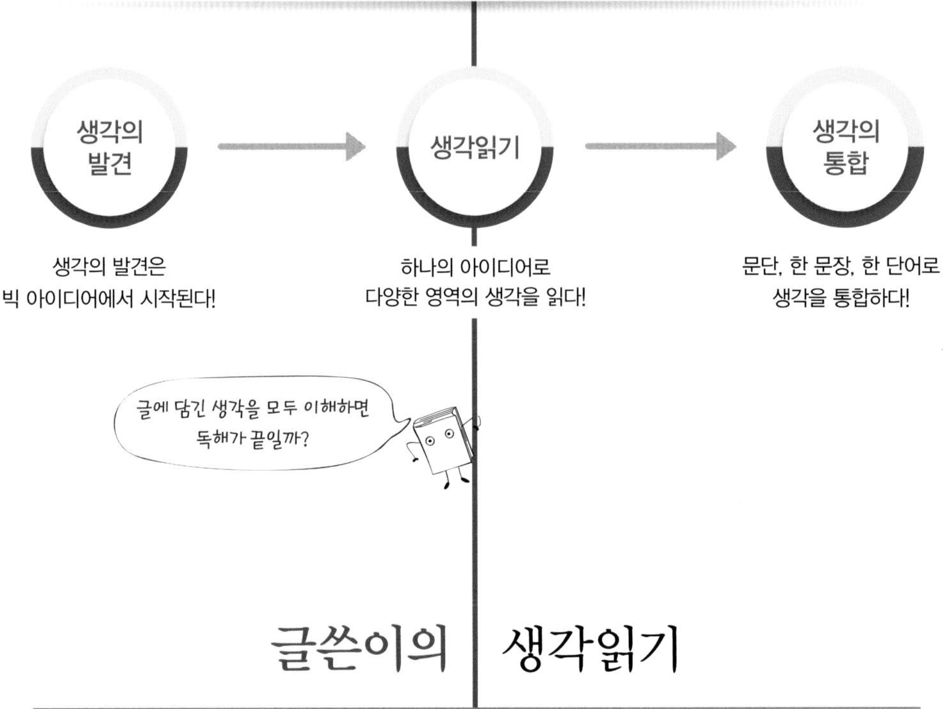

글쓴이의 생각읽기

어떤 글이든 글쓴이의 생각이 담겨 있지 않은 글은 없습니다. 그런데 글쓴이는 자신의 생각을 바로 말하지 않고 글 속에 꽁꽁 숨기곤 합니다. 독해력을 기르는 최고의 전략은 글의 내용을 읽어 내는 것뿐 아니라 **글쓴이의 입장이 되어** 글쓴이의 생각을 읽어 내는 것입니다.

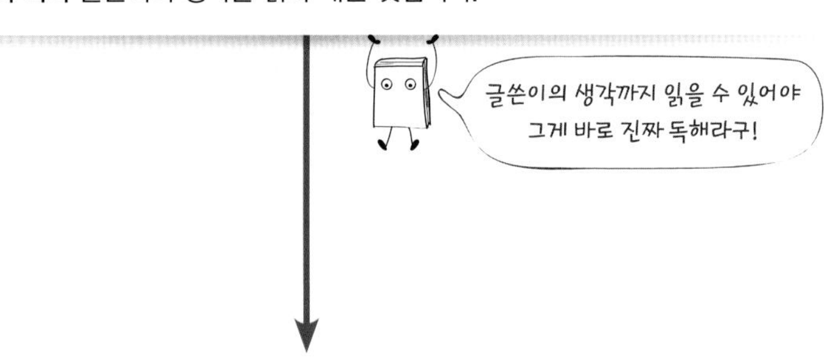

생각읽기가 독해다!

생각독해, 왜 해야 할까?

1 생각독해는 **'독서'와 '독해'**를 모두 할 수 있습니다.

짧게는 초등 6년, 길게는 중등 3년의 시간이 '독서'의 전부입니다. 읽어야 할 책은 많고 그 범위는 넓은데, 시간은 늘 부족하기만 합니다. '독서'와 '독해'를 모두 할 수 있도록 생각독해를 구성한 이유가 바로 여기에 있습니다.

2 생각독해는 **글쓴이의 입장이 되어 글을 읽는 것**입니다.

글쓴이의 입장이 되어 제대로 사고하는 과정을 배우는 것이 독해의 핵심입니다. '독해력'은 지식을 암기해서 얻을 수 있는 것이 아니라, 복잡한 글에서 얼마나 빠르고 정확하게 글쓴이의 생각을 이해하고 논리적으로 사고할 수 있느냐에 달려 있습니다.

3 생각독해는 **서로 다른 영역의 통찰을 주고받는 것**입니다.

국어, 수학, 과학, 역사, 음악 등 과목을 나누는 것처럼 독해를 할 때에도 이렇게 독립적으로 생각하는 것은 '생각읽기'의 본질을 절반만 이해하는 것입니다. 생각은 서로 다른 영역의 통찰을 주고받을 수 있을 때 비로소 완성됩니다.

4 생각독해로 **수능에 맞춰 생각하는 힘**을 기를 수 있습니다.

중학생부터는 다양한 영역을 접해 생각을 넓히는 훈련에 익숙해져야 합니다. 각 영역에 속하는 지식을 깊게 학습하는 건 대학에 가서 해도 늦지 않습니다. 지금은 여러 영역의 생각들을 넓게 접하는 것이 어떤 지문이 나올지 예측할 수 없는 수능에 대비하는 가장 효과적인 방법입니다.

Why를 생각하다

생각은 **'왜'**라는 질문에서 시작한다.

생각의 문을 여는 모든 지식은 대부분 '왜'라는 질문에서 시작합니다.
인간 존재, 우리를 둘러싼 사회와 문화, 우주와 자연 등,
생각독해 1권에서는 진지한 물음을 던지고 답하는 과정에서 독해에 필요한
생각하는 힘을 깨울 수 있습니다.

What을 생각하다

'왜'라는 생각에서 **'무엇'**을 생각하는가로

'세상은 무엇으로 이루어져 있는가'와 '그 속에서 우리는 어떻게 살아가야 하는가'라는
문제는 꼭 철학자가 아니더라도 여전히 수많은 사람들이 질문하고 있습니다.
생각독해 2, 3권에서는 '무엇'과 관련된 물음에 대한 답을 찾는 과정에서
다양한 생각들을 만날 수 있습니다.

How를 생각하다

'무엇'을 생각하는가에서 **'어떻게'** 생각하는가로

어느 한 분야에서 달인이 되고자 한다면 필요한 도구의 용법을 익히고, 실력을 키워
나가야 합니다. 생각독해의 마지막 단계에서는 '무엇을 생각하는가'에서 '어떻게
생각하는가'로 초점이 옮겨지는 심화 과정을 통해
스스로 '어떻게'를 생각하는 단계에까지 이르도록 합니다.

생각독해는 생각의 확장과 통합이 가능한 빅 아이디어로 구성되어 있어요. 빅 아이디어란 교과 지식뿐 아니라, 인문학에서도 주제를 선별, 이를 통합할 수 있는 대주제를 말합니다.

생각을 깨우는 시 작 편

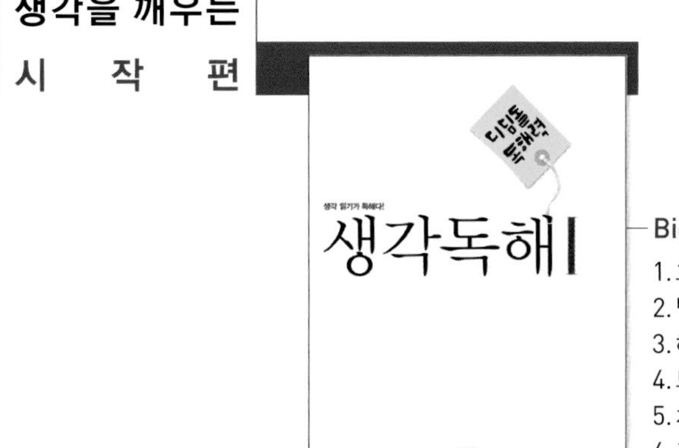

Big Idea
1. 호기심
2. 빅 퀘스천
3. 해프닝
4. 도구
5. 차이
6. 기원
7. 소멸

생각을 만나는 기 본 편

Big Idea
1. 발견
2. 빛
3. 아름다움
4. 힘
5. 신비
6. 라이벌
7. 존재

Big Idea
1. 욕망
2. 운동
3. 원리
4. 패러다임
5. 비밀
6. 본질
7. 상상

생각을 생각하는 심 화 편

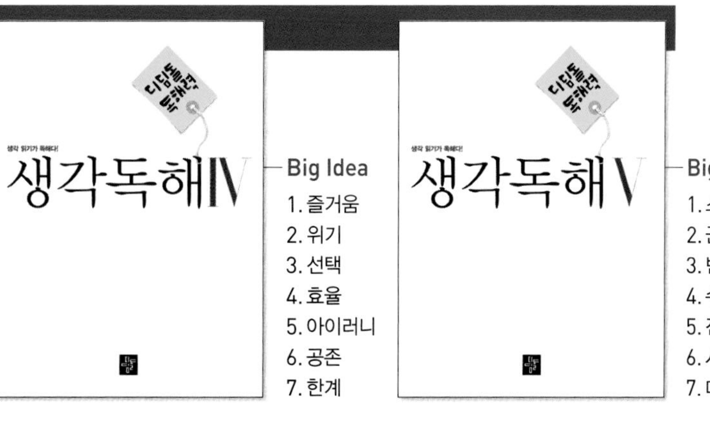

Big Idea
1. 즐거움
2. 위기
3. 선택
4. 효율
5. 아이러니
6. 공존
7. 한계

Big Idea
1. 소통
2. 균형
3. 변화
4. 수수께끼
5. 진화
6. 시스템
7. 미래

생각 읽기가 독해다!

생각독해

디딤돌편, 동화

디딤돌 독해력

생각 읽기가 독해다!

생각독해 III

디딤돌

생각 읽기가 독해다!

'독해력'이 곧 '공부력'이라는 말 들어 보셨나요?

세상의 모든 지식은 문자로 되어 있고, 그 문자를 읽고 이해해서 자기 것으로 만드는 일이 바로 '공부'입니다. 모든 학습의 기초가 되는 과목인 '국어'를 잘하면 '공부'도 잘한다는 말이 나온 이유가 바로 여기에 있습니다.

독해력이 부족한 친구들이 부딪히는 부분은 크게 두 가지입니다.

하나는 지문을 끝까지 집중하며 읽어 내지 못하는 것이고, 다른 하나는 글쓴이가 말하고자 하는 바, 다시 말해 글의 초점을 제대로 파악하지 못하는 것입니다.

한 편의 글을 다 읽어도 글쓴이가 말하고자 하는 바를 이해하지 못한다면, 안 읽느니만 못한 결과를 가져오게 되죠. **결국 독해의 승패는 '얼마나 많이 읽었느냐'가 아니라 '글을 얼마나 잘 읽을 수 있느냐'에 달려 있습니다.**

수능은 교과 내용을 알기만 한다고 풀 수 있는 시험이 아니며, 높은 수준의 사고력이 뒷받침되어야 합니다. 제아무리 기술이 좋고, 멘탈이 강한 운동선수도 기본 체력이 따라 주지 않으면 시합에서 좋은 성적을 기대할 수 없는 것처럼 독해력이 뒷받침되지 않으면 우리가 곧 경험하게 될 입시에서도 성공할 수 없습니다.

한 편의 글에는 글쓴이의 고도화되고 정교하게 다듬어진 생각이 담겨 있습니다. 글을 읽을 때 글 속에 담긴 글쓴이의 생각을 따라가다 보면, 그 과정 속에서 글의 구조를 파악하게 되고, 글쓴이가 무엇을 말하고자 하는지도 알아낼 수 있습니다. 그리고 그 과정이 자연스러워질수록 글을 읽는 학습자의 생각은 깊어지고 독해력도 그만큼 높아지게 됩니다.

내신도, 수능도 독해력이 결국 답입니다.

글을 읽으면 핵심어와 중심 내용이 파악되고, 글쓴이가 무엇을 말하고자 하는 글인지가 머리에 들어와야 합니다. **글 안에 담겨 있는 정보를 이해하는 데서 그치는 것이 아니라 글 뒤에 숨어 있는 글쓴이의 생각까지 파악해야 하는 거죠.**

정독이냐, 속독이냐, 다독이냐 … 독해의 속도와 양은 중요하지 않습니다.

이제부터는 왜, 무엇을, 어떻게 제대로 생각하느냐가 중요합니다.

제대로 된 방법만 쓴다면 독해력, 더 나아가 수능 국어영역 점수를 올리는 것은 그다지 어려운 일이 아닙니다. 생각독해는 독해의 제대로 된 방법, '정도(正道)'를 제시합니다.

글쓴이와 맞장 뜰 수 있단 각오로 독해에 임하십시오!

생각독해가 여러분의 자신감에 날개가 되어 줄 것입니다.

글에 담긴 생각 어떻게 읽어야 하지?
생각읽기로 시작하자

생각의 발견

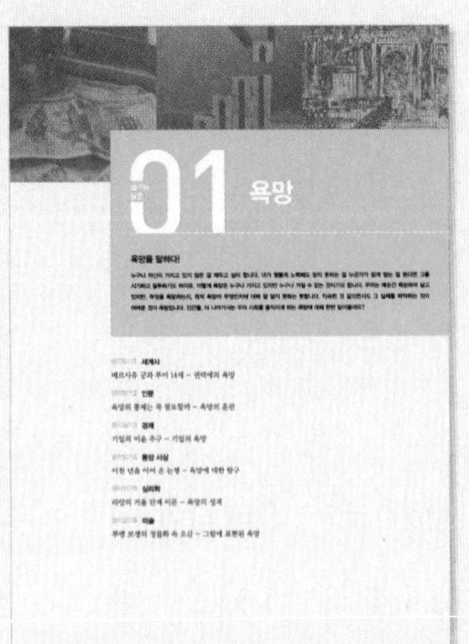

생각의 발견은 빅 아이디어에서 시작된다

우리를 둘러싼 수많은 이슈 중에서
중요하고 가치 있는 빅 아이디어를 선정했습니다.
빅 아이디어를 통해 다양한 생각을 발견하고
확장해 나갈 수 있습니다.

생각읽기

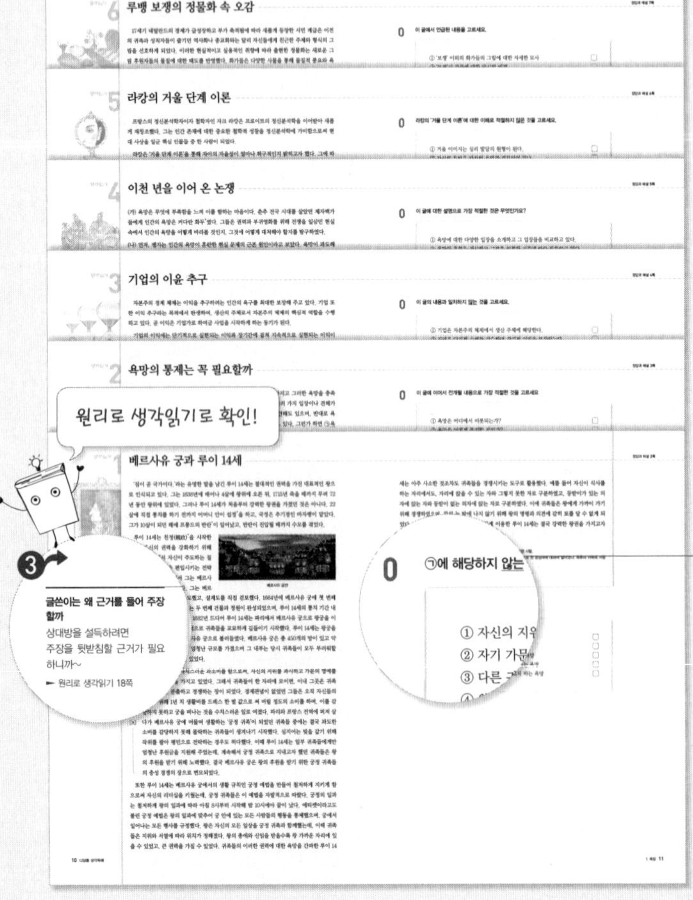

하나의 아이디어로 다양한 생각을 읽다

6개의 생각읽기에서는 빅 아이디어에 대한 다양한 영역의
이야기들이 펼쳐집니다. 같은 아이디어로 인문, 사회, 경제,
역사, 과학, 기술, 미술 등에서 어떤 생각들이 오고 가는지
궁금하지 않나요?

글쓴이의 생각이 궁금해?
0번 문제로 확인하자!

생각읽기 1~6의 0번 문제는 주제와 관련된
글쓴이의 생각을 묻고 있습니다. 글 안의 정보는 물론
글쓴이의 숨은 의도까지 볼 수 있어야 하는
종합적인 문제입니다.

글쓴이의 생각 어떻게 읽어야 하지?
원리로 생각읽기로 확인하자!

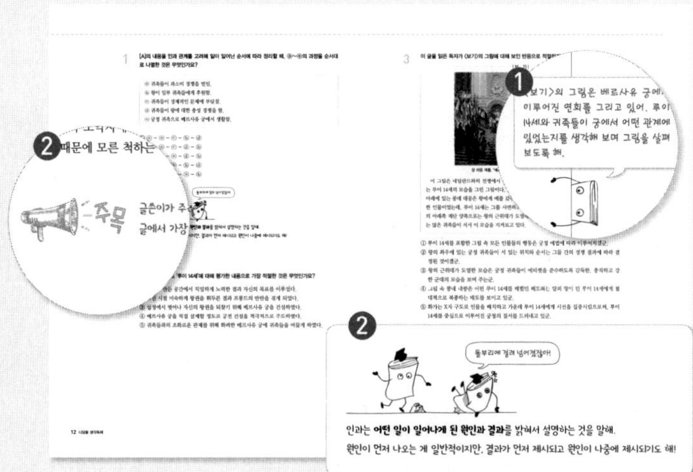

너무 어려워? 내가 도와줄게~
어려운 문제가 나와서 두렵거나, 문제를 풀다가 막히면 내가 하는 말에 힌트가 숨어 있으니깐 잘 봐 둬!

❶ 출제자의 마음이 궁금해?
도움팁으로 확인하자!

문제를 풀다 보면 출제자가 왜 이 문제를 냈을까 궁금하지 않나요? 문제를 풀 때 정말로 도움되는 꿀팁만 출제자의 마음으로 제시하였습니다.

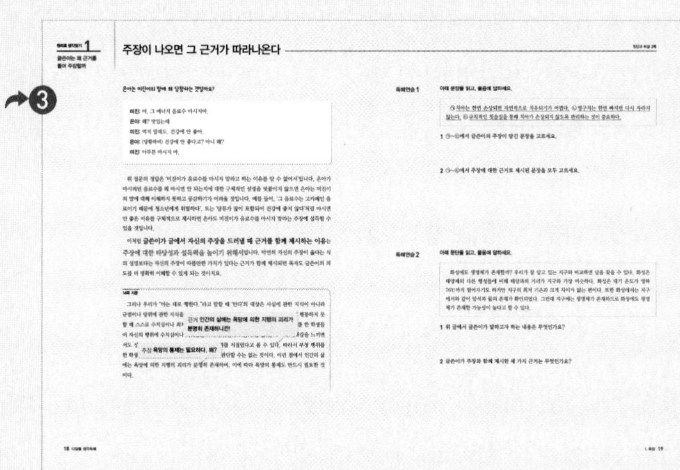

❷ 독해원리가 궁금해?
그림으로 원리를 확인하자!

개념을 안다고 독해 문제가 술술 풀릴까?
문제 속에 숨겨진 독해원리는 그림을 통해 개념은 물론 그 원리까지 익힐 수 있습니다.

❸ 글쓴이의 생각이 궁금해?
글쓴이의 생각이 곧 독해원리다!

글을 읽다가 글쓴이의 생각이 궁금하면,
원리로 생각읽기에서 그 궁금증을 해결할 수 있습니다.
독해연습
독해연습1 → 문장독해　독해연습2 → 문단독해

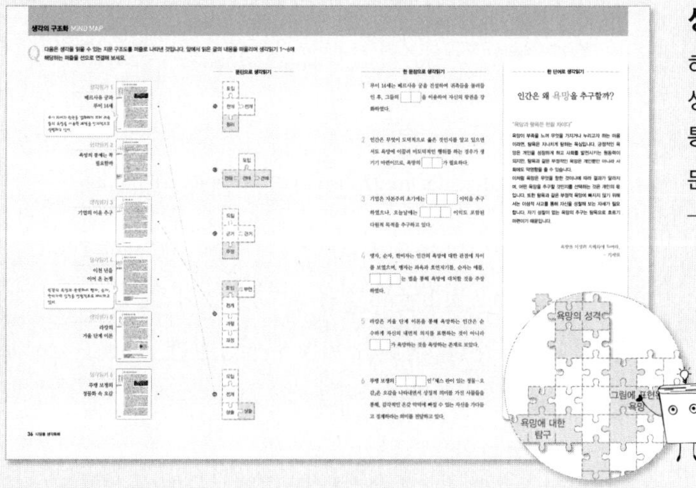

생각의 구조화로 다양한 영역의 생각을 통합하다

하나의 빅 아이디어로 6개의 생각읽기가 끝나면, 생각의 구조화로 빅 아이디어에 대한 다양한 생각을 통합할 수 있습니다.

문단으로 생각읽기 → 한 문장으로 생각읽기
→ 한 단어로 생각읽기

놀이처럼 각 문단에 담긴 생각을 퍼즐로 만드는 훈련을 반복하면, 나도 모르는 사이 한 편의 글이 머릿속에 퍼즐 형태로 보여!

Contents

생각의 발견

01 욕망

욕망을 말하다!

누구나 자신이 가지고 있지 않은 걸 채우고 싶어 합니다. 내가 힘들게 노력해도 얻지 못하는 걸 누군가가 쉽게 얻는 걸 본다면 그를 시기하고 질투하기도 하지요. 이렇게 욕망은 누구나 가지고 있지만 누구나 가질 수 없는 것이기도 합니다. 우리는 매순간 욕망하며 살고 있지만, 무엇을 욕망하는지, 정작 욕망이 무엇인지에 대해 잘 알지 못하는 듯합니다. 익숙한 것 같으면서도 그 실체를 파악하는 것이 어려운 것이 욕망입니다. 인간을, 더 나아가서는 우리 사회를 움직이게 하는 욕망에 대해 한번 알아볼까요?

생각읽기 1

베르사유 궁과 루이 14세

권력에의 욕망

Q 루이 14세가 베르사유 궁을 건설한 근본적인 목적은 무엇인가요?

'짐이 곧 국가이다.'라는 유명한 말을 남긴 루이 14세는 절대적인 권력을 가진 대표적인 왕으로 인식되고 있다. 그는 1638년에 태어나 4살에 왕위에 오른 뒤, 1715년 죽을 때까지 무려 72년 동안 왕위에 있었다. 그러나 루이 14세가 처음부터 강력한 왕권을 가졌던 것은 아니다. 22살에 직접 통치를 하기 전까지 어머니 안이 섭정*을 하고, 국정은 추기경인 마자랭이 맡았다. 그가 10살이 되던 해에 프롱드의 반란*이 일어났고, 반란이 진압될 때까지 수모를 겪었다.

베르사유 궁전

루이 14세는 친정(親政)*을 시작한 이후, 자신의 권력을 강화하기 위해 새로운 공간에서 자신이 주도하는 질서 속으로 귀족들을 편입시키려는 전략을 세웠다. 이를 위해서 그는 베르사유에 새 궁전을 건설했다. 그는 베르사유 궁전 건설 계획을 주도했고, 설계도를 직접 검토했다. 1664년에 베르사유 궁에 첫 번째 건물이 세워졌고, 1672년에는 두 번째 건물과 정원이 완성되었으며, 루이 14세의 통치 기간 내내 신축과 개축이 이어졌다. 1682년 드디어 루이 14세는 파리에서 베르사유 궁으로 왕궁을 이전하였으며, 이때부터 본격적으로 귀족들을 교묘하게 길들이기 시작했다. 루이 14세는 왕궁을 이전한 이후, 귀족들을 베르사유 궁으로 불러들였다. 베르사유 궁은 총 450개의 방이 있고 약 5,000명이 거주할 수 있는 엄청난 규모를 가졌으며 그 내부는 당시 귀족들이 모두 부러워할 정도로 화려하게 장식되어 있었다.

[A] 당시 귀족들은 사치스러운 과소비를 함으로써, 자신의 지위를 과시하고 가문의 명예를 높이려는 욕망을 가지고 있었다. 그래서 귀족들이 한 자리에 모이면, 이내 그곳은 귀족들이 욕망을 분출하고 경쟁하는 장이 되었다. 경제관념이 없었던 그들은 오직 자신들의 욕망을 위해 1년 치 생활비를 드레스 한 벌 값으로 써 버릴 정도의 소비를 했으며, 이를 감당하지 못해 궁을 떠나는 것을 수치스러운 일로 여겼다. 파리와 프랑스 전역에 퍼져 살다가 베르사유 궁에 머물며 생활하는 '궁정 귀족'이 되었던 귀족들 중에는 결국 과도한 소비를 감당하지 못해 몰락하는 귀족들이 생겨나기 시작했다. 심지어는 빚을 갚기 위해 작위를 팔아 평민으로 전락하는 경우도 허다했다. 이때 루이 14세는 일부 귀족들에게만 엄청난 후원금을 지원해 주었는데, 계속해서 궁정 귀족으로 지내고자 했던 귀족들은 왕의 후원을 받기 위해 노력했다. 결국 베르사유 궁은 왕의 후원을 받기 위한 궁정 귀족들의 충성 경쟁의 장으로 변모되었다.

또한 루이 14세는 베르사유 궁에서의 생활 규칙인 궁정 예법을 만들어 철저하게 지키게 함으로써 자신의 리더십을 키웠는데, 궁정 귀족들은 이 예법을 자발적으로 따랐다. 궁정의 일과는 철저하게 왕의 일과에 따라 아침 8시부터 시작해 밤 10시에야 끝이 났다. 에티켓이라고도 불린 궁정 예법은 왕의 일과에 맞추어 궁 안에 있는 모든 사람들의 행동을 통제했으며, 궁에서 일어나는 모든 행사를 규정했다. 왕은 자신의 모든 일상을 궁정 귀족과 함께했는데, 이때 귀족들은 지위와 서열에 따라 서는 위치가 정해졌다. 왕의 총애와 신임을 받을수록 왕 가까운 자리에 있을 수 있었고, 큰 권력을 가질 수 있었다. 귀족들의 이러한 권력에 대한 욕망을 간파한 루이 14세는 아주 사소한 것조차도 귀족들을 경쟁시키는 도구로 활용했다. 예를 들어 자신이 식사를 하는 자리에서도, 자리에 앉을 수 있는 자와 그렇지 못한 자로 구분하였고, 등받이가 있는 의자에 앉는 자와 등받이 없는 의자에 앉는 자로 구분하였다. 이에 귀족들은 왕에게 가까이 가기 위해 경쟁하였으며, 왕의 눈 밖에 나지 않기 위해 왕의 명령과 의견에 감히 토를 달 수 없게 되었다. 이렇게 ㉠ 귀족들의 욕망을 적절하게 이용한 루이 14세는 결국 강력한 왕권을 가지고자 했던 자신의 욕망을 이룰 수 있게 되었다.

* 섭정: 군주가 직접 통치할 수 없을 때에 군주를 대신하여 나라를 다스림. 또는 그런 사람.
* 프롱드의 반란: 1648~1653년에 걸쳐 일어난 프랑스의 내란. 안과 마자랭을 중심으로 한 궁정파에 대하여 일어났다. 최후의 귀족의 저항이라고도 하고, 최초의 시민 혁명의 시도라고도 한다.
* 친정: 임금이 직접 나라의 정사를 돌봄.

0 ㉠에 해당하지 않는 것은 무엇인지 고르세요.

① 자신의 지위를 과시하려는 욕망 □
② 자기 가문의 명예를 높이려는 욕망 □
③ 다른 귀족보다 더 많은 권력을 가지려는 욕망 □
④ 왕에게 충성을 다하는 신하가 되고자 하는 욕망 □
⑤ 궁정 귀족으로 베르사유 궁에 머물고자 하는 욕망 □

1 [A]의 내용을 인과 관계를 고려해 일이 일어난 순서에 따라 정리할 때, ⓐ~ⓔ의 과정을 순서대로 나열한 것은 무엇인가요?

ⓐ 귀족들이 과소비 경쟁을 벌임.
ⓑ 왕이 일부 귀족들에게 후원함.
ⓒ 귀족들이 경제적인 문제에 부딪침.
ⓓ 귀족들이 왕에 대한 충성 경쟁을 함.
ⓔ 궁정 귀족으로 베르사유 궁에서 생활함.

① ⓔ – ⓐ – ⓒ – ⓑ – ⓓ
② ⓔ – ⓐ – ⓒ – ⓓ – ⓑ
③ ⓔ – ⓒ – ⓐ – ⓓ – ⓑ
④ ⓔ – ⓒ – ⓐ – ⓑ – ⓓ
⑤ ⓔ – ⓒ – ⓓ – ⓐ – ⓑ

인과는 **어떤 일이 일어나게 된 원인과 결과**를 밝혀서 설명하는 것을 말해.
원인이 먼저 나오는 게 일반적이지만, 결과가 먼저 제시되고 원인이 나중에 제시되기도 해!

2 이 글을 바탕으로 '루이 14세'에 대해 평가한 내용으로 가장 적절한 것은 무엇인가요?

① 새롭게 만든 공간에서 치밀하게 노력한 결과 자신의 목표를 이루었다.
② 어린 시절 미숙하게 왕권을 휘두른 결과 프롱드의 반란을 겪게 되었다.
③ 섭정에서 벗어나 자신의 왕권을 되찾기 위해 베르사유 궁을 건설하였다.
④ 베르사유 궁을 직접 설계할 정도로 궁전 건설을 적극적으로 주도하였다.
⑤ 귀족들과의 조화로운 관계를 위해 화려한 베르사유 궁에 귀족들을 머물게 하였다.

3 이 글을 읽은 독자가 〈보기〉의 그림에 대해 보인 반응으로 적절하지 않은 것은 무엇인가요?

보 기

장 레옹 제롬, 「베르사유 궁에서의 콩데 대공을 위한 연회」(1878)

이 그림은 네덜란드와의 전쟁에서 승리하고 돌아온 콩데 대공을 베르사유 궁에서 맞이하는 루이 14세의 모습을 그린 그림이다. 그림의 중앙에 루이 14세가 위엄 있게 서 있고, 계단 아래에 있는 콩데 대공은 왕에게 예를 갖추고 있다. 사실 콩데 대공은 프롱드의 반란을 주도한 인물이었는데, 루이 14세는 그를 사면하고 프랑스군의 사령관으로 임명했던 것이다. 왕의 아래쪽 계단 양쪽으로는 왕의 근위대가 도열해 있고, 위쪽 계단 양쪽과 벽면의 발코니에는 많은 귀족들이 서서 이 모습을 지켜보고 있다.

〈보기〉의 그림은 베르사유 궁에서 이루어진 연회를 나타내고 있어. 루이 14세와 귀족들이 궁에서 어떤 관계에 있었는지를 생각해 보며 그림을 살펴보도록 하자.

① 루이 14세를 포함한 그림 속 모든 인물들의 행동은 궁정 예법에 따라 이루어지겠군.
② 왕의 좌우에 있는 궁정 귀족들이 서 있는 위치와 순서는 그들 간의 경쟁 결과에 따라 결정된 것이겠군.
③ 왕의 근위대가 도열한 모습은 궁정 귀족들이 에티켓을 준수하도록 감독하는 충직하고 강한 군대의 모습을 보여 주는군.
④ 그림 속 콩데 대공은 어린 루이 14세를 대했던 태도와는 달리 왕이 된 루이 14세에게 절대적으로 복종하는 태도를 보이고 있군.
⑤ 화가는 X자 구도로 인물을 배치하고 가운데 루이 14세에게 시선을 집중시킴으로써, 루이 14세를 중심으로 이루어진 궁정의 질서를 드러내고 있군.

생각읽기 2

욕망의 통제는 꼭 필요할까

욕망의 훈련

Q 욕망의 통제가 필요하다고 보는 이유는 무엇인가요?

인간은 욕망을 가진 존재이다. 삶이란 결국 이러저러한 욕망을 가지고 그러한 욕망을 충족시키려고 애쓰는 과정의 연속이라고 볼 수 있다. 욕망에 관해서는 여러 가지 입장이나 견해가 존재한다. 되도록 많은 욕망을 충족시키는 것이야말로 행복이라는 견해도 있으며, 반대로 욕망 자체를 최소한으로 줄이는 것만이 행복한 삶의 비결이라는 주장도 있다. 그런가 하면 ㉠욕망을 세속적인 것으로 보고 이를 초월하는 것을 이상적인 삶으로 여기는 입장도 있다. 그러나 그 어떤 견해를 취하건, 욕망이 인간의 가장 본질적인 특성 중의 하나라는 사실만큼은 누구도 부인하지 못한다.

그러나 우리가 갖는 모든 욕망이 다 충족될 수 있는 것은 아니다. 어떤 욕망은 그것을 충족시킬 수단이나 능력이 없어서 충족되지 못한다. 또 어떤 욕망은 사회적으로 금지된 것이기 때문에 충족되지 못한다. 우리는 사회적으로 허용되는 욕망을 갖기도 하지만 사회적으로 허용되지 않는 욕망을 갖기도 한다. 이러한 이유 때문에, 우리가 어떠한 종류의 욕망을 갖는가 하는 것과 또 어떻게 욕망을 통제하는가 하는 것은 도덕적으로 대단히 중요한 문제가 된다. 단적으로 말하면 도덕의 가장 기본적인 문제는 '마땅히 해야 하는 것을 행하는' 문제라고 할 수 있다. 이렇게 보면 도덕의 문제는 결국 좋은 욕망을 갖는 문제이고 또한 욕망을 적절히 통제하는 문제로 ㉡되돌아올 수밖에 없다. 하지만 세상에는 '해야 하지만 하기 싫은' 것도 있고, '하지 말아야 하지만 하고 싶은' 것도 있다. 그래서 욕망의 통제가 중요한 도덕적 과제가 된다.

욕망의 통제가 필요하다는 입장은, '지행(知行)의 괴리'를 전제로 한다. 사람들은 여러 가지 이유로 아는 대로 행하지 못하는 경우가 있으며, 이 여러 가지 이유 중 하나가 욕망에 이끌리는 것이라고 볼 수 있기 때문에 욕망의 통제가 필요하다는 것이다. 물론 이에 반대하는 주장도 있다. 지행합일설의 입장에서는 지와 행 사이에는 괴리가 있을 수 없다고 주장한다. 이 주장에 따르면, 부정행위를 한 학생도 자기가 아는 대로 행동한 것이다. 그는 부정행위가 나쁘다는 것뿐만 아니라 부정행위를 성공시킬 수 있고, 부정행위를 하면 점수가 좋아질 것이라는 점 등을 알고 있으며, 이러한 모든 지식을 다 동원하여 부정행위를 한 것이기 때문이다. 이 경우에는 올바른 지식이 올바른 행동을 보장하는 것이기 때문에 도덕 교육의 초점은 '올바로 알게' 하는 데에만 초점을 맞추면 된다.

그러나 우리가 "아는 대로 행한다."라고 말할 때 '안다'의 대상은 사실에 관한 지식이 아니라 규범이나 당위에 관한 지식을 의미한다. 그리고 규범적 지식을 안다는 것은 그렇게 행동하지 못할 때 스스로 수치심이나 죄책감을 느끼는 상태에 있다는 것을 의미한다. 부정행위를 한 학생들이 자신의 행위에 수치심이나 죄책감을 느끼지 못한다고 볼 수는 없다. 오히려 죄책감을 느끼면서도 성적을 올리고 싶은 욕망 때문에 부정행위를 저질렀다고 볼 수 있다. 따라서 부정행위를 한 학생들이 모두 '아는 대로 행동한' 것이라고 판단할 수는 없는 것이다. 이런 점에서 인간의 삶에는 욕망에 의한 지행의 괴리가 분명히 존재하며, 이에 따라 욕망의 통제도 반드시 필요한 것이다.

글쓴이는 왜 근거를 들어 주장할까
상대방을 설득하려면 주장을 뒷받침할 근거가 필요하니까~

► 원리로 생각읽기 18쪽

0 **이 글에 이어서 전개될 내용으로 가장 적절한 것을 고르세요.**

① 욕망은 어디에서 비롯되는가? □
② 욕망을 어떻게 통제할 것인가? □
③ 욕망에는 어떤 것들이 있는가? □
④ 욕망을 어떻게 충족시킬 것인가? □
⑤ 욕망은 삶의 추진력이 될 수 있는가? □

이어질 내용을 묻는 문제는 글의 마지막 부분에서 다룬 내용을 중점적으로 살펴봐야 해. 그래야 그다음에 무엇이 이어질지 판단할 수 있지.

1 **이 글에서 주목하고 있는 도덕적 문제 상황의 예로 가장 적절한 것은 무엇인가요?**

① 담배가 건강에 해롭다는 것을 알면서도 욕구를 자제하지 못하고 계속 피우는 경우
② 아직 사리 분별을 하지 못하는 어린아이가 공공시설에 비치된 물건을 마음대로 가져가는 경우
③ 사람이란 언젠가는 죽을 수밖에 없는 존재인 줄을 알면서도 부질없이 불로장생을 꿈꾸는 경우
④ 모든 생명은 소중하다는 것을 알고 있지만 산모의 목숨을 구하기 위해서 태아를 희생시켜야 하는 경우
⑤ 버스에서 노인에게 노약자석을 양보하는 것이 옳은 일인 줄 알면서도 편히 가고 싶은 생각에 모른 척하는 청년의 경우

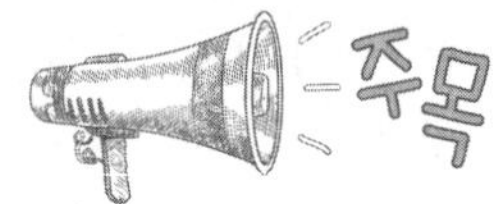

글쓴이가 주목한다는 건
글에서 가장 중요하게 다루는 문제 상황을 말해!

2 **㉠의 입장을 가장 잘 보여 주는 것은 무엇인가요?**

① 꽃이 진다 하고 새들아 슬퍼 마라 / 바람에 흩날리니 꽃의 탓 아니로다 / 가노라 휘젓는 봄을 시기하여 무엇하리오 **– 송순의 시조**
② 거센 풍파에 놀란 뱃사공이 배를 팔아서 말을 샀더니 / 구불구불한 산길이 물길보다 어렵구나 / 이다음엔 배도 말(馬)도 말고 밭이나 갈면서 지내리라 **– 장만의 시조**
③ 나물 먹고 물마시고 팔 베고 누웠어도 / 이 마음 얻은 것이 이 가운데 즐거워라 / 천종 만사도 이 마음 옮기겠나 / 금은 옥백으로 이 마음 옮기겠나 / 진초의 부(富)로도 생각하면 거짓이고 / 조맹의 귀(貴)함도 생각하면 근심이라 **– 이황, 「권의지로사」**
④ 짚신을 죄어 신고 대나무 지팡이를 흩어 짚으니 / 복숭아꽃 핀 시냇길이 방초주(芳草洲)에 이어 있구나 / 잘 닦은 거울 속에 저절로 그린 돌병풍 / 그림자를 벗 삼아 서하로 함께 가니 / 무릉도원이 어디인가 여기가 바로 그곳이로다 **– 정철, 「성산별곡」**
⑤ 있으면 죽이요 없으면 굶을망정 / 남의 집 남의 것은 전혀 부러워하지 않으려고 하노라 / 나의 빈천(貧賤)을 싫게 여겨 손을 헤친다고 물러가며 / 남의 부귀를 부럽게 여겨 손을 친다고 나아오랴 / 인간 세상의 어느 일이 운명 밖에 생겼겠느냐 **– 박인로, 「누항사」**

3 ㉡과 바꾸어 쓰기에 가장 적절한 것은 무엇인가요?

① 귀납(歸納)될
② 귀착(歸着)될
③ 귀환(歸還)할
④ 반환(返還)될
⑤ 환원(還元)될

원리로 생각읽기 **1**

글쓴이는 왜 근거를 들어 주장할까

주장이 나오면 그 근거가 따라 나온다

은아는 미진이의 말에 왜 당황하는 것일까요?

미진: 야, 그 에너지 음료수 마시지마.

은아: 왜? 맛있는데…….

미진: 먹지 말래도. 건강에 안 좋아.

은아: (당황하며) 건강에 안 좋다고? 아니 왜?

미진: 아무튼 마시지 마.

위 질문의 정답은 '미진이가 음료수를 마시지 말라고 하는 이유를 알 수 없어서'입니다. 은아가 마시려던 음료수를 왜 마시면 안 되는지에 대한 구체적인 설명을 덧붙이지 않으면 은아는 미진이의 말에 대해 이해하지 못하고 공감하기가 어려울 것입니다. 예를 들어, '그 음료수는 고카페인 음료이기 때문에 청소년에게 위험하다', 또는 '당류가 많이 포함되어 건강에 좋지 않다'처럼 마시면 안 좋은 이유를 구체적으로 제시하면 은아도 미진이가 음료수를 마시지 말라는 주장에 설득될 수 있을 것입니다.

이처럼 **글쓴이가 글에서 자신의 주장을 드러낼 때 근거를 함께 제시하는 이유**는 **주장에 대한 타당성과 설득력을 높이기 위해서**입니다. 막연히 자신의 주장이 옳다는 식의 설명보다는 자신의 주장이 따를만한 가치가 있다는 근거가 함께 제시되면 독자도 글쓴이의 의도를 더 명확히 이해할 수 있게 되는 것이지요.

14쪽 지문

그러나 우리가 "아는 대로 행한다."라고 말할 때 '안다'의 대상은 사실에 관한 지식이 아니라
규범이나 당위에 관한 지식을 … 행동하지 못
할 때 스스로 수치심이나 죄책 … 를 한 학생들
이 자신의 행위에 수치심이나 … 책감을 느끼면
서도 성 … 를 저질렀다고 볼 수 있다. 따라서 부정 행위를
한 학생 … 판단할 수는 없는 것이다. 이런 점에서 인간의 삶
에는 욕망에 의한 지행의 괴리가 분명히 존재하며, 이에 따라 욕망의 통제도 반드시 필요한 것
이다.

근거 **인간의 삶에는 욕망에 의한 지행의 괴리가 분명히 존재하니깐!**

주장 **욕망의 통제는 필요하다. 왜?**

독해연습 1 **아래 문장을 읽고, 물음에 답하세요.**

㉠치아는 한번 손상되면 자연적으로 치유되기가 어렵다. ㉡영구치는 한번 빠지면 다시 자라지 않는다. ㉢규칙적인 칫솔질을 통해 치아가 손상되지 않도록 관리하는 것이 중요하다.

1 ㉠~㉢에서 글쓴이의 주장이 담긴 문장을 고르세요.

2 ㉠~㉢에서 주장에 대한 근거로 제시된 문장을 모두 고르세요.

독해연습 2 **아래 문단을 읽고, 물음에 답하세요.**

화성에도 생명체가 존재할까? 우리가 잘 알고 있는 지구와 비교하면 답을 찾을 수 있다. 화성은 태양계의 다른 행성들에 비해 태양과의 거리가 지구와 가장 비슷하다. 화성은 대기 온도가 영하 76℃까지 떨어지기도 하지만 지구의 최저 기온과 크게 차이가 없는 편이다. 또한 화성에서는 지구에서와 같이 암석과 물의 존재가 확인되었다. 그런데 지구에는 생명체가 존재하므로 화성에도 생명체가 존재할 가능성이 높다고 할 수 있다.

1 위 글에서 글쓴이가 말하고자 하는 내용은 무엇인가요?

2 글쓴이가 주장과 함께 제시한 세 가지 근거는 무엇인가요?

생각읽기 3

기업의 이윤 추구

기업의 욕망

Q 기업이 사업을 하는 기본적인 목적은 무엇인가요?

자본주의 경제 체제는 이익을 추구하려는 인간의 욕구를 최대한 보장해 주고 있다. 기업 또한 이익 추구라는 목적에서 탄생하여, 생산의 주체로서 자본주의 체제의 핵심적 역할을 수행하고 있다. 곧 이익은 기업가로 하여금 사업을 시작하게 하는 동기가 된다.

기업의 이익에는 단기적으로 실현되는 이익과 장기간에 걸쳐 지속적으로 실현되는 이익이 있다. 기업이 장기적으로 존속하고 성장하기 위해서는 단기 이익보다 장기 이익을 추구하는 것이 더 중요하다. 실제로 기업은 단기 이익의 극대화가 장기 이익의 극대화와 상충될 때에는 단기 이익을 과감히 포기하기도 한다. 하루 세 번 ㉠칫솔질할 것을 권장하는 치과 의사의 경우를 생각해 보자. 모두가 이처럼 이를 닦으면 사람들의 치아 상태가 좋아져서 치과 의사의 단기 이익은 줄어들 것이다. 하지만 많은 사람들이 치아를 오랫동안 보존하게 되므로 치과 의사로서는 장기적인 고객을 확보하는 셈이 된다. 반대로 칫솔질을 자주 하지 않으면 단기 이익은 증가하겠지만, 의치를 하는 사람들이 많아지면서 장기 이익은 오히려 감소하게 된다.

자본주의 초기에는 기업이 단기 이익과 장기 이익을 구별하여 추구할 필요가 없었다. 소자본끼리의 자유 경쟁 상태에서는 단기든 장기든 이익을 포기하는 순간에 경쟁에서 탈락하기 때문이다. 그에 따라 기업은 치열한 경쟁에서 살아남기 위해 주어진 자원을 최대한 효율적으로 활용하여 가장 저렴한 가격으로 상품을 공급하게 되었다. 이는 기업의 이익 추구가 결과적으로 사회 전체의 이익도 증진시켰다는 의미이다. 이 단계에서는 기업의 소유자가 곧 경영자였기 때문에 기업의 목적은 자본가의 이익을 추구하는 것으로 집중되었다.

그러나 기업의 규모가 점차 커지고 경영 활동이 복잡해지면서 전문적인 경영 능력을 갖춘 경영인이 필요하게 되었다. 이에 따라 전문 경영인을 고용하여 소유와 경영이 분리되면서 경영의 효율성이 높아졌지만, 동시에 기업이 단기 이익과 장기 이익 사이에서 갈등을 겪게 되는 일도 발생하였다. 주주의 대리인으로 경영을 위임받은 전문 경영인은 기업의 장기적 전망보다 단기 이익에 치중하여 경영 능력을 과시하려는 경향이 있기 때문이다. 주주는 경영자의 이러한 비효율적 경영 활동을 감시함으로써 자신의 이익은 물론 기업의 장기 이익을 극대화하고자 하였다.

오늘날의 기업은 경제적 이익뿐 아니라 사회적 이익도 포함된 다원적인 목적을 추구하는 것이 일반적이다. 현대 사회가 어떠한 집단도 독점적 권력을 행사할 수 없는 다원(多元)* 사회로 변화하였기 때문이다. 이는 많은 이해 집단이 기업에게 상당한 압력을 행사하기 시작했다는 것을 의미한다. 기업 활동과 직·간접적 이해관계에 있는 집단으로는 노동조합, 소비자 단체, 환경 단체, 지역 사회, 정부 등을 들 수 있다. 기업이 이러한 다원 사회의 구성원이 되어 장기적으로 생존하기 위해서는, 주주의 이익을 극대화하는 것은 물론 다양한 이해 집단들의 요구도 모두 만족시켜야 한다. 그래야만 기업의 장기 이익이 보장되기 때문이다.

* 다원: 사물을 형성하는 근원이 많은 것.

0 **이 글의 내용과 일치하지 <u>않는</u> 것을 고르세요.**

① 기업은 자본주의 체제에서 생산 주체에 해당한다. ☐
② 기업은 단기적 손해를 감수하면 장기적 이익을 보장받는다. ☐
③ 자본주의 초기에도 기업은 사회 전체의 이익을 증진시켰다. ☐
④ 전문 경영인에 대한 적절한 감시가 없으면 기업의 장기 이익이 감소할 수도 있다. ☐
⑤ 현대 사회에서 기업은 직·간접적으로 관계되는 이해 집단을 모두 만족시켜야 한다. ☐

1 이 글에서 설명한 기업 목적의 변화 과정과 유사한 것은 무엇인가요?

① 관객이 늘어남에 따라 극장이 점차 대형화되었다.
② 과학이 발달함에 따라 우주의 신비가 점차 밝혀지게 되었다.
③ 생산 활동의 신속·정확성을 높이기 위해 자동화 설비가 도입되었다.
④ 인간은 자신의 생존만이 아니라 점차 환경과의 조화도 함께 고려하게 되었다.
⑤ 인류 역사의 초기에는 먹고 남은 음식을 버리다가 점차 미래를 위해 음식을 저장하게 되었다.

기업의 목적은 경제적 이익을 추구하는 것에서 사회적 이익도 포함된 다원적 목적을 추구하는 것으로 변화되었다고 했어. 기업만의 이익에서 사회적·다원적 이익으로의 변화와 유사한 것을 찾아보면 되겠네.

2 이 글의 논지에 비추어 볼 때, '기업 : 이익'의 관계와 가장 유사한 것은 무엇인가요?

① TV 방송 : 카메라
② 시계 : 톱니바퀴
③ 연주회 : 지휘자
④ 스포츠 : 규칙 준수
⑤ 정당 : 정권 획득

논지란 **논하는 말이나 글의 취지**를 말해.
주로 주장하는 글에서 **중심 내용이나 주장**을 논지라고 하지.

3 사회적 이익의 구체적인 사례로 보기 <u>어려운</u> 것은 무엇인가요?

① 불우 이웃을 위한 성금을 낸다.
② 지역 사회에 안락한 공원을 조성해 준다.
③ 환경 오염을 막기 위한 시설 투자를 한다.
④ 고객에게 동일한 품질의 제품을 저렴한 가격에 제공한다.
⑤ 직무 능력을 향상시키기 위해 사원들의 연수 기회를 확대한다.

4 〈보기〉는 '한글 맞춤법'의 일부입니다. ㉠의 표기 원칙을 설명한 항목은 무엇인가요?

보 기

제30항 사이시옷은 다음과 같은 경우에 받치어 적는다.
1. 순우리말로 된 합성어로서 앞말이 모음으로 끝난 경우
(1) 뒷말의 첫소리가 된소리로 나는 것
(2) 뒷말의 첫소리 'ㄴ, ㅁ' 앞에서 'ㄴ' 소리가 덧나는 것
(3) 뒷말의 첫소리 모음 앞에서 'ㄴㄴ' 소리가 덧나는 것
2. 순우리말과 한자어로 된 합성어로서 앞말이 모음으로 끝난 경우
(1) 뒷말의 첫소리가 된소리로 나는 것
(2) 뒷말의 첫소리 'ㄴ, ㅁ' 앞에서 'ㄴ' 소리가 덧나는 것
(3) 뒷말의 첫소리 모음 앞에서 'ㄴㄴ' 소리가 덧나는 것
3. 두 음절로 된 다음 한자어: 곳간(庫間), 셋방(貰房), 숫자(數字), 찻간(車間), 툇간(退間), 횟수(回數)

① 제30항 1-(1)
② 제30항 1-(2)
③ 제30항 2-(1)
④ 제30항 2-(2)
⑤ 제30항 3

한자어와 순우리말이 만날 땐 사이시옷이 낀다.
이게 바로 사잇소리 현상 중 하나야!

생각읽기 4

이천 년을 이어 온 논쟁

욕망에 대한 탐구

Q 맹자, 순자, 한비자가 욕망에 대처하기 위한 방법으로 각각 제시한 것들은 무엇인가요?

(가) 욕망은 무엇에 부족함을 느껴 이를 탐하는 마음이다. 춘추 전국 시대를 살았던 제자백가들에게 인간의 욕망은 커다란 화두*였다. 그들은 권력과 부귀영화를 위해 전쟁을 일삼던 현실 속에서 인간의 욕망을 어떻게 바라볼 것인지, 그것에 어떻게 대처해야 할지를 탐구하였다.

(나) 먼저, 맹자는 인간의 욕망이 혼란한 현실 문제의 근본 원인이라고 보았다. 욕망이 과도해지면 사람들 사이에서 대립과 투쟁이 생기기 때문이다. 맹자는 인간이 본래 선한 본성을 갖고 태어나지만, 살면서 욕망이 생겨나게 되고, 그 욕망에서 벗어날 수 없다고 하였다. 그래서 그는 욕망은 경계해야 하지만 그 자체를 없앨 수는 없기에, 욕망을 제어하여 인간의 선한 본성을 확충하는 것이 필요하다고 보았다. 그가 욕망을 제어하기 위해 강조한 것이 '과욕(寡慾)'과 '호연지기(浩然之氣)'이다. 과욕이란 욕망을 절제하라는 의미로, 마음의 수양을 통해 욕망을 줄여야 한다는 것이다. 또한 호연지기란 지극히 크고 굳센 도덕적 기상으로, 의로운 일을 꾸준히 실천해야만 기를 수 있다는 것이다.

(다) 맹자보다 후대의 인물인 순자는 욕망의 불가피성을 인정하면서, 그것이 인간의 본성에서 우러나오는 것이라고 하였다. 인간은 태생적으로 이기적이고 질투와 시기가 심하며 눈과 귀의 욕망에 사로잡혀 있을 뿐만 아니라 만족할 줄도 모른다는 것이다. 또한 개인에게 내재된 도덕적 판단 능력만으로는 욕망을 완전히 제어*하기 힘들다고 보았다. 더군다나 이기적 욕망을 그대로 두면 한정된 재화를 두고 인간들끼리 서로 다투어 세상을 어지럽히게 되므로, 왕이 '예(禮)'를 정하여 백성들의 욕망을 조절해야 한다고 생각하였다. 예는 악한 인간성을 교화하고 개조하는 방법이며, 사회를 바로잡기 위한 규범이라 할 수 있다. 그래서 순자는 사람들이 개인적으로 노력하는 동시에 나라에서 교육과 학문을 통해 예를 세워 인위적으로 선(善)이 발현되도록 노력해야 한다고 주장하였다. ㉠이는 맹자의 주장보다 한 단계 더 나아간 금욕주의*라 할 수 있다.

(라) 이들과는 달리 한비자는 권력과 재물, 부귀영화를 바라는 인간의 욕망을 부정적으로 바라보지 않았다. 인간의 본성이 이기적이라고 본 점에서는 순자와 같은 입장이지만, 그와는 달리 본성을 교화*할 수 없다고 하였다. 오히려 욕망을 추구하는 이기적인 본성이 이익 추구를 위한 동기 부여의 원천이 되고, 부국강병과 부귀영화를 이루는 수단이 된다는 것이다. 그는 세상을 사람들이 이익을 위해 경쟁하는 약육강식의 장으로 여겼기에, 군신 관계를 포함한 모든 인간관계가 충효와 같은 도덕적 관념이 아니라 단순히 이익에 의해 맺어져 있다고 보았다. 따라서 그는 사람들이 자발적으로 선을 행할 것을 기대하기보다는 법을 엄격히 적용하는 것이 필요하다고 강조하였다. 그는 백성들에게 노력하면 부자가 되고, 업적을 쌓으면 벼슬에 올라가 출세를 하며, 잘못을 저지르면 벌을 받고, 공로를 세우면 상을 받도록 해서 특혜와 불로소득*을 감히 생각하지 못하도록 하는 것이 올바른 정치라고 주장하였다

* 화두: 관심을 두어 중요하게 생각하거나 이야기할 만한 것.
* 제어: 감정, 충동, 생각 따위를 막거나 누름.
* 금욕주의: 정신적 · 육체적 욕망이나 욕구 및 세속적 명예나 이익을 탐하는 모든 욕심을 억제하여 종교나 도덕에서 이상을 성취하려는 사상. 불교나 기독교에서도 이 사상을 볼 수 있다.
* 교화: 가르치고 이끌어서 좋은 방향으로 나아가게 함.
* 불로소득: 직접 일을 하지 아니하고 얻는 수익.

0 **이 글에 대한 설명으로 가장 적절한 것은 무엇인가요?**

① 욕망에 대한 다양한 입장을 소개하고 그 입장들을 비교하고 있다.
② 욕망의 유형을 제시하고 그것을 일정한 기준에 따라 분류하고 있다.
③ 욕망을 보는 상반된 견해를 나열하고 그것의 현대적 의의를 밝히고 있다.
④ 욕망이 나타나는 구체적 사례를 제시하여 욕망 이론의 타당성을 따지고 있다.
⑤ 욕망을 조절할 수 있는 여러 가지 방법을 보여 주고 각각의 장단점을 분석하고 있다.

나란히 늘어서는 방식을 나열 혹은 병렬이라고 표현해.
주로 **대등한 내용이나 정보를 나란히 제시하는 것**을 말해!

1 **글쓴이가 이 글을 쓰기 전 머릿속에 떠올렸을 구조도를 바르게 나타낸 것은 무엇인가요?**

①
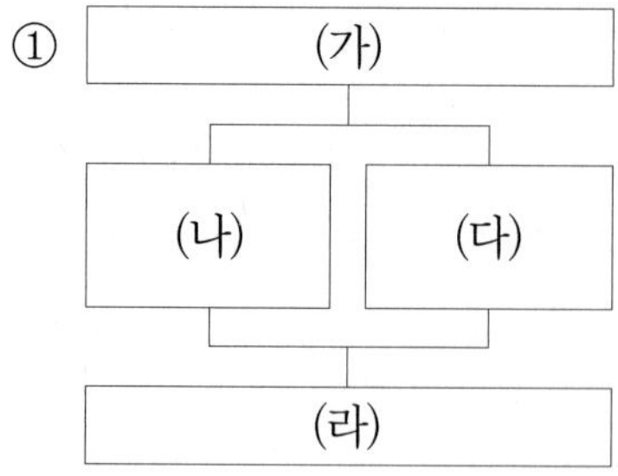

②
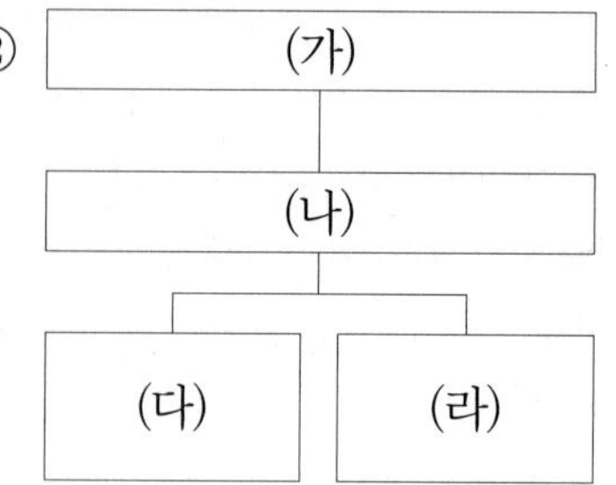

③
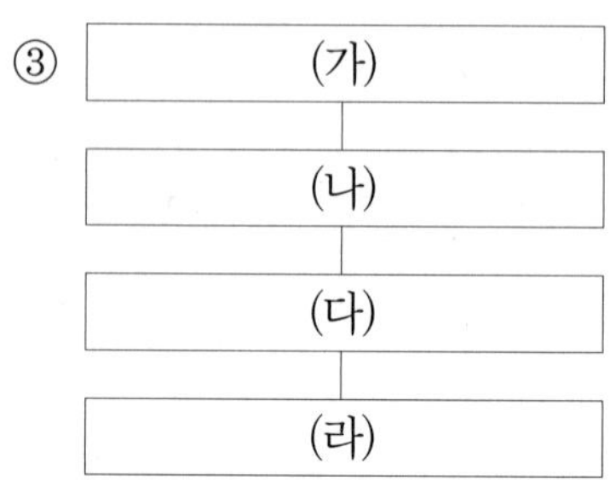

④
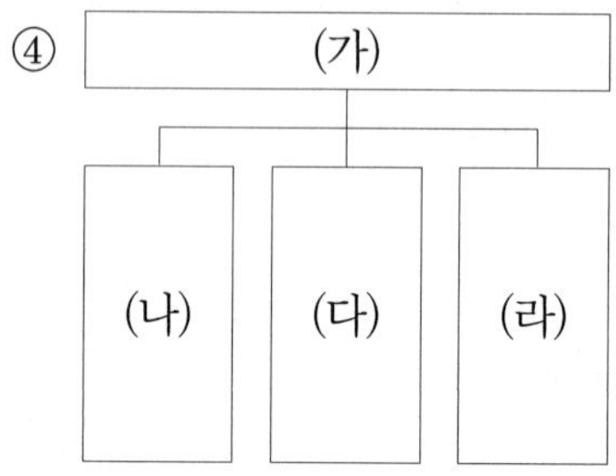

⑤
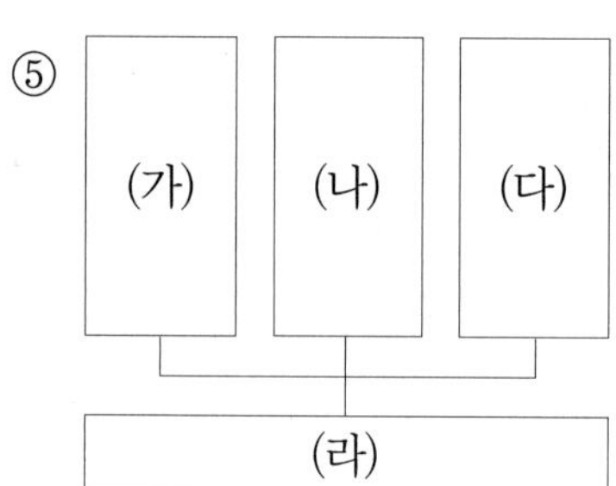

2 **㉠의 이유로 가장 적절한 것은 무엇인가요?**

① '과욕'과 '호연지기'를 통해 인간의 선한 본성이 확충되기에는 한계가 있기 때문이다.
② '예'가 '과욕'과 '호연지기'보다는 인간이 삶 속에서 실천하기 더 힘든 일이기 때문이다.
③ 개인적인 욕망과 사회적인 욕망을 모두 추구하는 인간의 본질을 파악하였기 때문이다.
④ 욕망 조절을 개인의 수양에만 맡기지 않고, 욕망을 외적 규범으로 제어해야 한다고 보았기 때문이다.
⑤ 무엇을 탐하는 마음이 생기는 것이 불가피함을 직시하고, 이것의 조절이 필요함을 강조하였기 때문이다.

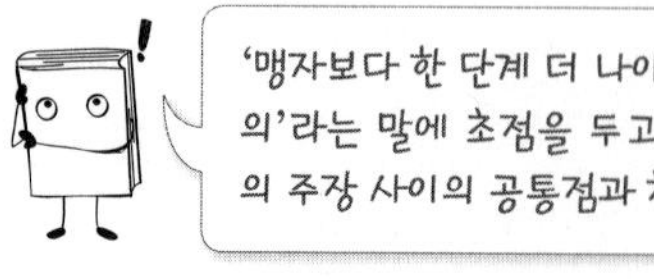

3 **〈보기〉를 '맹자'의 입장에서 이해한 내용으로 가장 적절한 것은 무엇인가요?**

보 기

A음식점에서 판매하는 음식에 이물질이 들어 있다는 소문 때문에 A음식점은 손님이 줄어들어 매출에 타격을 입게 되었다. 이에 A음식점 주인이 소문의 진상 파악을 경찰에 의뢰했고, 이를 조사한 결과, 경쟁 관계에 있던 B음식점 주인이 A음식점에 빼앗긴 손님을 되찾고 싶은 마음에 허위 사실을 유포한 것으로 드러났다.

① A음식점의 음식에서 이물질 발생의 진위 여부를 확인하지도 않고 이를 사실로 받아들인 손님들의 도덕성이 의심되는군.
② B음식점 주인이 허위 사실을 유포한 일은 이기적 본성에서 비롯된 것이니 사회적 제재가 필요하겠군.
③ A음식점 주인은 B음식점 주인이 선한 본성을 회복할 수 있도록 기회를 주어야 할 의무가 있겠군.
④ A음식점을 시기하는 마음이 B음식점 주인에게 드는 것은 인간의 나쁜 본성 때문이니 의로운 일을 하면서 변화되어야겠군.
⑤ B음식점 주인이 경쟁 관계인 A음식점의 수익까지 욕심내는 마음이 생기는 것은 수양을 통해 절제해야겠군.

생각읽기 5

라캉의 거울 단계 이론

욕망의 성격

Q 라캉이 제시한 '거울 단계'는 어떤 단계를 의미하나요?

프랑스의 정신 분석학자이자 철학자인 자크 라캉은 프로이트의 정신 분석학을 이어받아 새롭게 재창조했다. 그는 인간 존재에 대한 중요한 철학적 성찰을 정신 분석학에 가미함으로써 현대 사상을 일군 핵심 인물들 중 한 사람이 되었다.

라캉은 '거울 단계 이론'을 통해 자아의 자율성이 얼마나 허구적인지 밝히고자 했다. 그에 따르면, 거울 단계란 어린아이가 거울에 비친 자신의 신체 ㉠이미지를 매개로 해서 ㉡정체성을 형성하고 그것을 중심으로 외적 세계를 구성하는 단계이다. 대략 생후 6~18개월 정도의 아이는 처음에 거울에 비친 자신의 이미지를 외부 대상과 구별하지 못한다. 모든 것이 카오스*처럼 하나로 ⓐ뒤엉켜 있기 때문이다. 그러다 어느 순간 아이는 자신의 이미지를 알아보게 되고 자신의 이미지에 매료*되어 그것을 붙잡으려 하고 떠날 줄을 모른다. 일견 단순해 보이는 거울 이미지는 이후 모든 심리 발달 단계에서 원형으로 작용한다.

거울 단계의 경험이 보여 주는 것은 인식의 기준이 되는 자명한 자의식이나 선험적*이고 절대적인 자아는 없다는 것이다. 라캉에 따르면, 자아는 어느 순간 나의 이미지를 다른 대상 이미지로부터 분리하고 그것에 고착됨으로써 형성된다. 거울 단계에서 아이들이 자신의 이미지에 열광하는 이유는 이 이미지가 처음으로 자신의 가시화*된 신체를 보여 주면서 존재감을 느끼게 해 주기 때문이다. 외부로 가시화된 이미지는 내 것이기도 하지만 실은 주체의 나르시시즘*이 투사된 타자적 대상이다. 거울에 비친 내 모습은 단지 신체가 가시적 공간에 반영된 것으로 나와 마주해 나의 시선을 머물게 하는 그림자이며, 나의 내면을 보여 주지 못하는 대상일 뿐이기에 주체에 대해 언제나 타자로만 머물며 이상화되기 쉽다. 결국 거울 단계는 매우 행복한 단계이지만, 허구적 구축이 이루어지는 단계이고 타자를 통해 자아가 구성되는 단계이기 때문에 자기 소외적이라고 할 수 있다. 라캉은 "주체가 스스로를 발견하고 제일 먼저 느끼는 곳은 타자 속에서다."라고 말한 바 있다.

여기서 타자는 실제 타자를 의미할 수도 있고, 거울에 비친 내 모습일 수도 있다. 더 나아가 주체가 자신을 확인할 수 있는 모든 대상은 주체의 타자다. 인간은 타자를 통해 자신의 존재를 인정받을 때 주체로서 존재할 수 있는 것이다. 그러므로 구조적으로 인간의 욕망은 나의 것이 아니라 타인의 욕망과 그것이 겨냥하는 대상을 향하게 된다. 욕망은 순수하게 나의 내면적 의지를 표현하는 것 같지만, 타자에게 인정받으려 하고 타자가 욕망하는 것을 욕망한다는 점에서 소외의 표현이기도 하다. 자아가 타자라는 말은 이런 소외된 상황을 표현하는 말인 것이다.

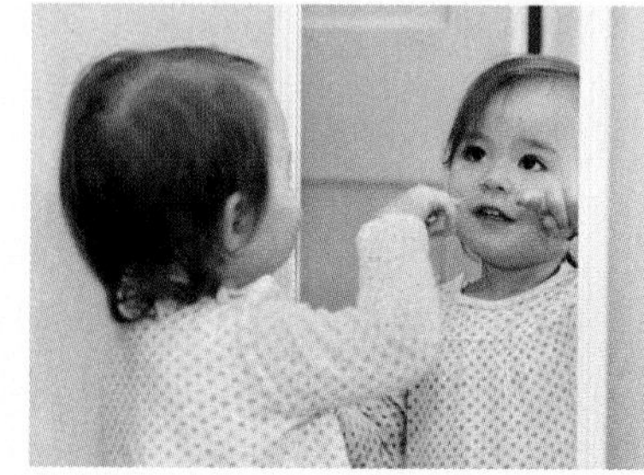

* 카오스: 그리스의 우주 개벽설에서, 우주가 발생하기 이전의 원시적인 상태. 혼돈이나 무질서의 상태를 이른다.
* 매료: 사람의 마음을 완전히 사로잡아 홀리게 함.
* 선험적: 경험에 앞서서 인식의 주관적 형식이 인간에게 있다고 주장하는 것. 대상에 관계되지 않고 대상에 대한 인식이 선천적으로 가능함을 밝히려는 인식론적 태도를 말한다.
* 가시화: 어떤 현상이 실제로 드러남. 또는 실제로 드러나게 함.
* 나르시시즘: 자기 자신을 사랑하는 일. 또는 자기 자신이 훌륭하다고 여기는 일. 그리스 신화의 미소년 나르키소스에서 유래한 말이다.

0 **라캉의 '거울 단계 이론'에 대한 이해로 적절하지 않은 것을 고르세요.**

① 거울 이미지는 심리 발달의 원형이 된다. ☐
② 자신의 욕망은 타자의 욕망과 결부되어 있다. ☐
③ 욕망은 자기 소외를 극복하기 위한 방법이다. ☐
④ 거울에 비친 자신의 모습은 이상화되기 쉽다. ☐
⑤ 거울 단계에서 자아는 자신의 이미지를 통해 구축된다. ☐

1 '㉠ : ㉡'의 관계에 해당하는 것만을 〈보기〉에서 있는 대로 고른 것은 무엇인가요?

보 기

ㄱ. 그림자 : 존재감
ㄴ. 타자 : 자아
ㄷ. 대상 : 자신
ㄹ. 욕망 : 의지

〈보기〉에 제시된 단어들은 모두 이 글에 언급된 것들이야. 이 말들이 '이미지'와 '정체성' 중 어느 것에 해당하는지 생각해 보도록 해.

① ㄱ, ㄴ ② ㄱ, ㄷ ③ ㄴ, ㄹ
④ ㄱ, ㄴ, ㄷ ⑤ ㄴ, ㄷ, ㄹ

2 이 글의 '라캉'이 〈보기〉에 대해 평가한다고 할 때, 가장 적절한 것은 무엇인가요?

보 기

자아는 자생적인 것이어서 외부 대상과 상관없이 형성된다. 즉 자아는 스스로 지각하고 판단하며 결정을 내리는 자율적인 것이다.

① 자아가 외부 대상과 상관없다는 것은 자아의 선험성을 부정하는 것이다.
② 자아가 스스로 결정을 내린다는 것은 어린아이의 집착이 강화됨을 강조하는 것이다.
③ 자아가 자율적이라는 것은 자아가 자신의 의지와 무관하게 형성됨을 인정하는 것이다.
④ 자아가 자생적으로 형성된다는 것은 자아가 타자를 매개로 구성된다는 사실을 간과한 것이다.
⑤ 자아가 스스로 지각한다는 것은 대상 이미지로부터 자신의 이미지를 분리하는 과정을 과대평가한 것이다.

3 **ⓐ에 쓰인 '뒤-'와 의미가 유사한 것은 무엇인가요?**

① 흥분으로 뒤끓는 가슴을 진정시켰다.
② 중개인은 다 된 흥정을 뒤틀고 나섰다.
③ 이 책이 나의 세계관을 뒤바꾸어 놓았다.
④ 그가 이야기하면 항상 그 말을 뒤받는 사람이 있었다.
⑤ 물살이 밀어닥쳐 나룻배를 뒤엎는 바람에 사고가 일어났다.

밑나무에 접붙이는 가지처럼,
중심부에 붙어서 그 단어의 의미를 더해 주는 것이 접사야!

생각읽기 6

루뱅 보쟁의 정물화 속 오감

그림에 표현된 욕망

Q 루뱅 보쟁이 「체스 판이 있는 정물-오감」을 통해 전달하고자 한 주제는 무엇인가요?

17세기 네덜란드의 경제가 급성장하고 부가 축적됨에 따라 새롭게 등장한 시민 계급은 이전의 귀족과 성직자들이 즐기던 역사화나 종교화와는 달리 자신들에게 친근한 주제와 형식의 그림을 선호하게 되었다. 이러한 현실적이고 실용적인 취향에 따라 출현한 정물화는 새로운 그림 후원자들의 물질에 대한 태도를 반영했다. 화가들은 다양한 사물을 통해 물질적 풍요와 욕망을 그려 냈다. 동시에 그들은 그려진 사물을 통해 부와 화려함을 경계하는 기독교적 윤리관을 암시했다.

루뱅 보쟁의 「체스 판이 있는 정물-오감」에는 테이블 위로 몇 가지 물건들이 보인다. 흑백의 체스 판 위에는 카네이션이 꽂혀 있는 꽃병이 놓여 있다. 꽃병에 담긴 물과 꽃병의 유리 표면에는 이 그림의 광원인 창문과 거기에서 나오는 다양한 빛의 효과가 미묘하게 표현되어 있다. 그 빛은 테이블 왼편 끝에 놓인 유리잔에도 반사될 뿐만 아니라, 술잔과 꽃병 사이에 놓인 ㉠흰 빵, 테이블 전면에 놓인 만돌린과 펼쳐진 악보, 지갑과 트럼프 카드에도 골고루 비치고 있다. 이처럼 보쟁은 ⓐ섬세한 빛의 처리를 통해 물건들에 손으로 만지는 듯한 질감과 함께 시각적 아름다움을 부여했다.

루뱅 보쟁, 「체스 판이 있는 정물-오감」

이 그림의 부제가 암시하듯, 그림 속의 사물들은 각각 인간의 오감을 상징한다. 당시 많은 화가들이 따랐던 도상*적 관례에 의거하면, 붉은 포도주와 빵은 미각과 성찬을 상징한다. ㉡카네이션은 그리스도의 수난과 후각을, 만돌린과 악보는 청각을 나타낸다. 지갑은 탐욕을, 트럼프 카드와 체스 판은 악덕을 상징하는데, 이들은 모두 촉각을 상징하기도 한다. 그림 오른편 벽에 걸려 있는 팔각형의 거울은 시각과 함께 교만을 상징한다.

이와 같은 사물들의 다의적인 의미에도 불구하고, 당시 오감을 주제로 그린 다른 화가들의 작품들로부터 이 그림의 의미를 찾을 수 있다. 당시 대부분의 오감 정물화는 세상의 부귀영화가 얼마나 허망한지를 강조하며, 현실의 욕망에 집착하지 말고 영적인 성장을 위해 힘쓰라고 격려했다. 이 사실로부터 우리는 중세적 도상 전통에서 '일곱 가지 커다란 죄' 중의 교만을 상징하는 거울에 주목하게 된다. 이때 거울은 자기 자신의 인식, 깨어 있는 의식에 대한 필요성으로 이해된다. 그런 점에서 ㉢이 그림은 감각적인 온갖 악덕에 빠질 수 있는 자신을 가다듬고 경계하라는 의미를 암시하고 있다. 보쟁의 정물화 속에 그려진 하나하나의 감각을 음미하다 보면 매우 은은하고 차분한 느낌과 함께 일종의 명상에 젖게 된다.

* 도상: 종교나 신화적 주제를 표현한 미술 작품에 나타난 인물 또는 형상.

0 **이 글에서 언급된 내용을 고르세요.**

① 보쟁 이외의 화가들의 그림에 대한 자세한 묘사 ☐
② 보쟁의 작품에 대한 당시의 비평 ☐
③ 정물화의 재료 및 작업 도구 ☐
④ 정물화 후원자의 미적 취향 ☐
⑤ 보쟁의 예술적 생애 ☐

1 **〈보기〉를 바탕으로 ㉠~㉢을 이해한 것으로 적절하지 않은 내용은 무엇인가요?**

〈보기〉에 주목! 17세기 정물화를 감상하기 위한 방법이 나와 있지? 〈보기〉에 나온 방법대로 '보쟁'의 정물화를 감상하면 돼.

| 보 기 |

17세기 정물화를 감상하기 위해서는 우선 그림 속에 어떤 사물들이 그려졌는지 정확히 읽어 내야 한다. 다음으로 사물들의 상징적 의미를 도상적* 전통과 관례에서 찾는다. 그 다음으로는 이러한 상징적 의미로부터 이 그림에 내재된 의미를 해석해야 한다. 다의적인 도상들을 통해 올바른 의미에 도달하기 위해서는 앞의 두 단계 읽기에 오류가 없어야 한다. 아울러 특정 미술가의 양식, 동일한 주제를 다룬 동시대 다른 미술가들에 대한 연구 등에 유념하면서 도상의 내재적 의미를 종합적으로 해석해야 한다.

* 도상적: 어떠한 생각이나 대상을 그림으로 나타내는 (것).

① ㉠을 읽는 과정은 그려진 사물을 정확하게 확인하기 위해서이다.
② ㉡은 도상적 전통과 관례를 통해 그 상징적 의미를 해석한 것이다.
③ ㉠, ㉡의 읽기가 정확하지 않으면, ㉢의 의미를 제대로 읽기 어렵다.
④ ㉢처럼 읽을 수 있는 것은 사물들의 다의성에도 불구하고 시각이 다른 감각보다 우월하기 때문이다.
⑤ ㉠~㉢으로 보아 17세기 정물화는 일상의 사물을 그렸지만 단순하지 않은 의미 구조를 지니고 있다.

2 **이 글의 오감 중에서 〈보기〉의 어휘들과 연관되지 않는 것은 무엇인가요?**

| 보 기 |

몰랑몰랑, 물씬물씬, 사각사각, 쌔근쌔근, 파릇파릇

① 미각 ② 시각 ③ 청각
④ 촉각 ⑤ 후각

3 빛의 사용 방식과 효과가 ⓐ와 가장 유사한 것은 무엇인지 고르세요.

① 빛과 어둠의 극단적 대비를 통해 인물의 내면적 고통과 외로움을 표현한 그림 ▢

② 시시각각 변화하는 빛에 대응하는 작은 색점을 통해 그 빛의 느낌을 추상적으로 표현한 그림 ▢

③ 프리즘을 통해 본 태양광을 무지갯빛의 동심원 형태를 이용해 음악적 리듬감으로 치환한 그림 ▢

④ 촛불과 그 역광이 만들어 내는 엄숙하고 신비한 분위기를 통해 기독교적 경건함을 암시하는 그림 ▢

⑤ 창문으로 들어오는 빛을 이용해 따스한 감촉의 양탄자와 다양한 색채의 과일, 번쩍이는 장식물을 조화시킨 그림 ▢

ⓐ에서 설명하고 있는 빛의 효과가 뭐였지? '손으로 만지는 듯한 질감', '시각적 아름다움'이라고 했으니, 촉각과 시각적 효과에 관련된 사례를 찾으면 돼!

생각의 구조화 MIND MAP

다음은 생각을 읽을 수 있는 지문 구조도를 퍼즐로 나타낸 것입니다. 앞에서 읽은 글의 내용을 떠올리며 생각읽기 1~6에 해당하는 퍼즐을 선으로 연결해 보세요.

문단으로 생각읽기

생각읽기 1
베르사유 궁과 루이 14세

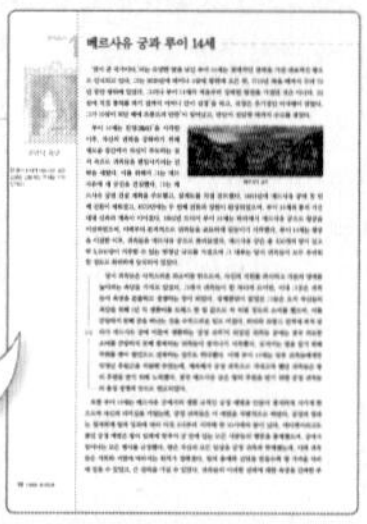

루이 14세가 왕권을 강화하기 위해 귀족들의 욕망을 이용한 과정을 인과적으로 설명하고 있어.

생각읽기 2
욕망의 통제는 꼭 필요할까

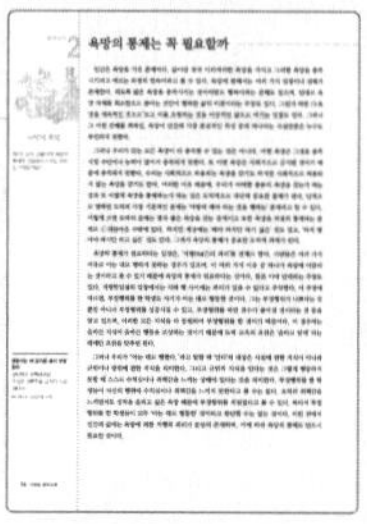

생각읽기 3
기업의 이윤 추구

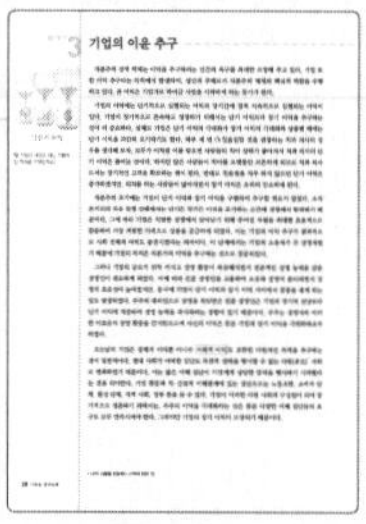

생각읽기 4
이천 년을 이어 온 논쟁

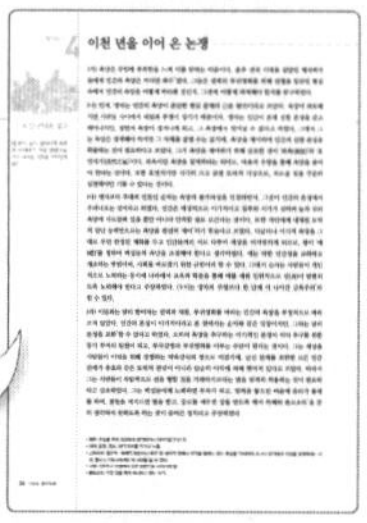

인간의 욕망과 관련하여 맹자, 순자, 한비자의 입장을 병렬적으로 제시하고 있어.

생각읽기 5
라캉의 거울 단계 이론

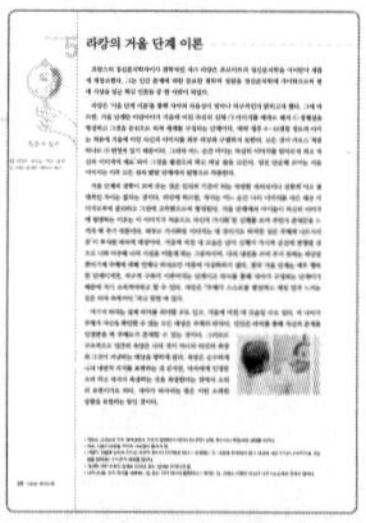

생각읽기 6
루벵 보쟁의 정물화 속 오감

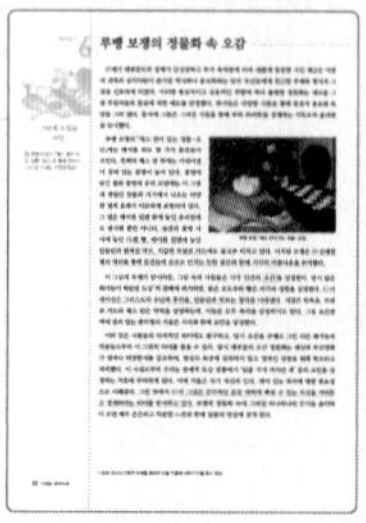

㉠ 도입 / 전개 / 전개 / 정리

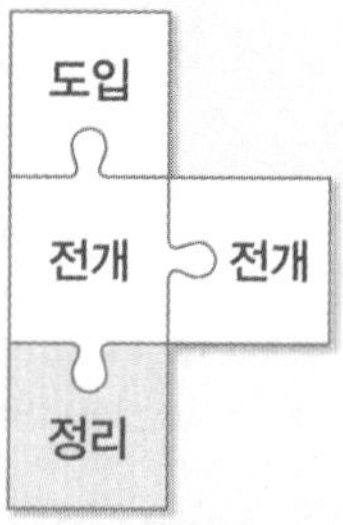

㉡ 도입 / 견해 / 견해 / 견해

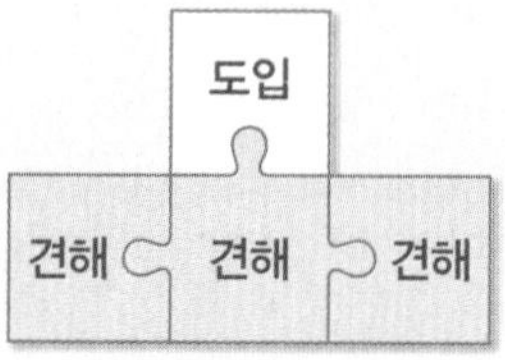

㉢ 도입 / 근거 / 근거 / 주장

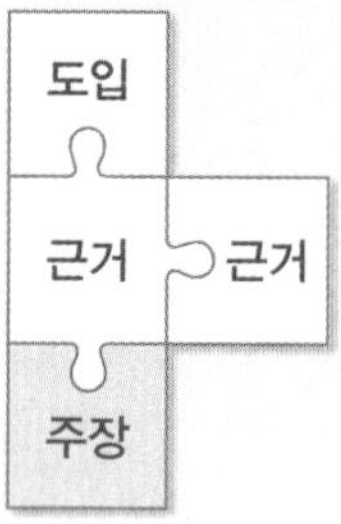

㉣ 도입 / 부연 / 전개 / 과정 / 과정

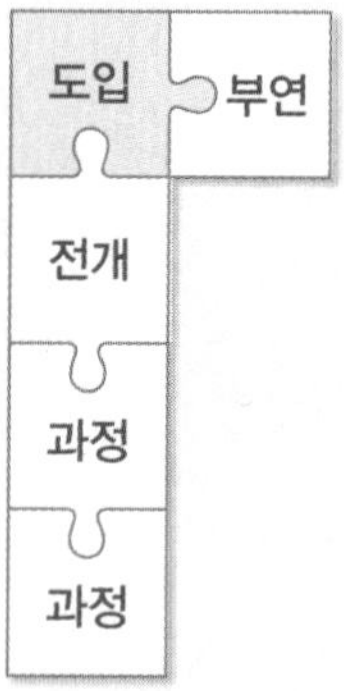

㉤ 도입 / 전개 / 상술 / 상술

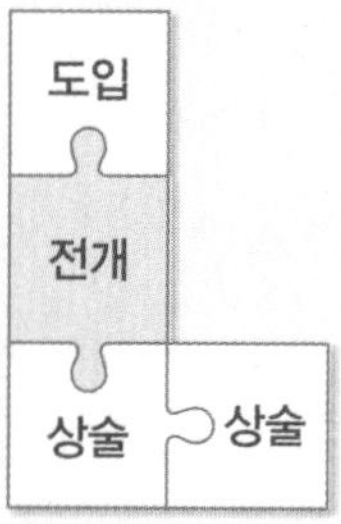

한 문장으로 생각읽기

1 루이 14세는 베르사유 궁을 건설하여 귀족들을 불러들인 후, 그들의 [|]을 이용하여 자신의 왕권을 강화하였다.

2 인간은 무엇이 도덕적으로 옳은 것인지를 알고 있으면서도 욕망에 이끌려 비도덕적인 행위를 하는 경우가 생기기 마련이므로, 욕망의 [|]가 필요하다.

3 기업은 자본주의 초기에는 [| |] 이익을 추구하였으나, 오늘날에는 [| |] 이익도 포함된 다원적 목적을 추구하고 있다.

4 맹자, 순자, 한비자는 인간의 욕망에 대한 관점에 차이를 보였으며, 맹자는 과욕과 호연지기를, 순자는 예를, [| |]는 법을 통해 욕망에 대처할 것을 주장하였다.

5 라캉은 거울 단계 이론을 통해 욕망하는 인간은 순수하게 자신의 내면적 의지를 표현하는 것이 아니라 [|]가 욕망하는 것을 욕망하는 존재로 보았다.

6 루뱅 보쟁의 [| |]인 「체스 판이 있는 정물－오감」은 오감을 나타내면서 상징적 의미를 가진 사물들을 통해, 감각적인 온갖 악덕에 빠질 수 있는 자신을 가다듬고 경계하라는 의미를 전달하고 있다.

한 단어로 생각읽기

인간은 왜 욕망을 추구할까?

"욕망과 탐욕은 한끝 차이다"

욕망이 부족을 느껴 무엇을 가지거나 누리고자 하는 마음이라면, 탐욕은 지나치게 탐하는 욕심입니다. 긍정적인 욕망은 개인을 성장하게 하고 사회를 발전시키는 원동력이 되지만, 탐욕과 같은 부정적인 욕망은 개인뿐만 아니라 사회에도 악영향을 줄 수 있습니다.

이처럼 욕망은 무엇을 향한 것이냐에 따라 결과가 달라지며, 어떤 욕망을 추구할 것인지를 선택하는 것은 개인의 몫입니다. 또한 탐욕과 같은 부정적 욕망에 빠지지 않기 위해서는 이성적 사고를 통해 자신을 성찰해 보는 자세가 필요합니다. 자기 성찰이 없는 욕망의 추구는 탐욕으로 흐르기 마련이기 때문입니다.

욕망을 이성의 지배하에 두어라.
– 키케로

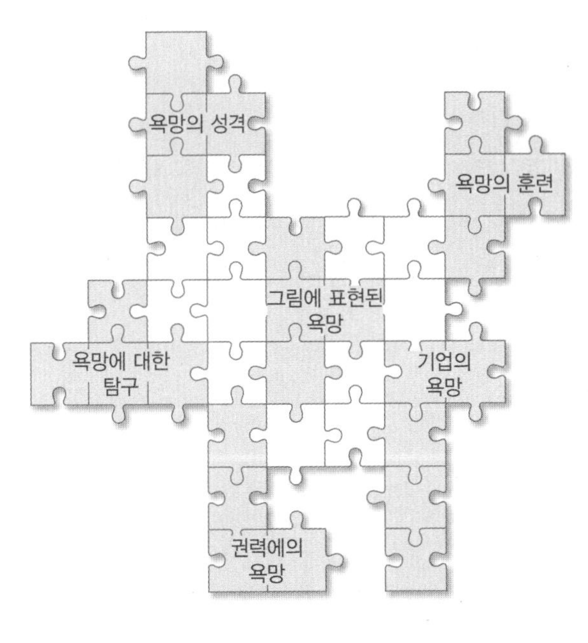

생각의 발견

02 운동

운동을 말하다!

'운동'의 한자는 '運動'으로 뜻을 그대로 풀이하면 '運'은 '돌다, 회전하다'이고, '動'은 '움직이다'입니다. 그러니까 운동은 '돌거나 움직이는 것'을 말합니다. 이러한 운동은 다양한 형태로 존재하는데, 친숙하게는 운동선수들의 경기 모습을 가장 먼저 떠올릴 수 있습니다. 이외에도 하늘의 운동, 동식물의 운동, 그리고 사람들의 마음을 움직이는 운동까지 운동의 형태는 매우 다양합니다. 그런데 어떠한 형태의 운동이든 한 가지 공통점이 있습니다. 운동은 반드시 크든 작든 '변화'를 일으킨다는 점입니다. 운동이 가져오는 다양한 형태의 변화를 살펴보며 운동이 가지는 위대한 힘에 대해 함께 생각해 볼까요?

개벽의 시대를 소망하다

동학 농민 운동

Q 동학사상에서 말하는 새로운 세상은 어떤 사회인가요?

(가) 동학 농민 운동의 사상적 배경이 된 동학사상은, 창시자 최제우가 쓴 『동경대전』에 그 주장이 잘 드러나 있다. 『동경대전』은 동학사상의 핵심 교리를 담은 경전으로, 2대 교주 최시형이 1880년에 출간하였다. 당시 조선 사회는 외세의 침략, 지배층의 무능과 부패 및 수탈로 인해 혼란스러웠고, 동학 농민 운동은 이에 저항하는 민중 운동으로서의 성격을 지녔다. 그리하여 『동경대전』은 아래로부터의 민중 운동을 촉발시켰다는 점에서 후대 사학자 및 사회 운동가들에게 재조명받고 있다. 그렇다면 ㉠『동경대전』에 담긴 동학의 사상과 특징은 무엇인지 구체적으로 알아보자.

(나) 최제우가 이 책을 쓰기 이전의 조선 사회 모습은 비극 그 자체였다. 이양선*이 ⓐ출몰하여 사람들의 불안감은 커졌고, 지배층은 상상하기 힘들 정도로 ⓑ부패했다. 게다가 전염병인 콜레라가 ⓒ만연하여 무려 30만 명 이상의 사람들이 목숨을 잃는 일까지 발생하면서 민중들의 삶은 갈수록 가난해지고 ⓓ피폐해져 갔다. 이런 상황에서 민중들은 초월적 능력을 가진 구원자가 나타나 현실의 문제를 바로잡아 주기를 염원하게 되었으며, 새로운 세상이 열리기를 소망했다. 조선 사회의 전통을 수용하면서도 민중의 힘으로 세우는 새로운 평등 사회를 주장한 동학사상은 계급 사회를 기반으로 한 사회 질서 속에서 살아온 조선의 민중들 사이에서 들불처럼 번져 나갔다.

(다) 『동경대전』의 중심은 '시천주' 사상에 있다. '시천주' 사상은 모든 사람은 제 안에 가장 거룩하고 성스러운 존재인 하느님을 모시고 있으며, 하느님이 각 개체에 깃들어 있기에 만민과 만물은 평등하다고 보는 사상이다. 동학교도들은 이 사상을 기반으로 이후에 신분이나 성에 따른 차별에서 벗어난 평등, 즉 신분의 평등과 양성 평등을 주장하게 되었다. 기록에 따르면 이미 동학은 출범할 때부터 백정*, 하층 상인, 홀아비와 과부 등 가난하고 ⓔ천대받던 백성들이 한데 모였으며, 동학에 귀의*한 어느 양반은 자신의 노비들을 스스로 해방시키고 그들에게 절을 했다고 한다.

글에는 왜 한자어가 많이 쓰일까
한자어에 주목해 봐!
글의 내용을 명확하게 알 수 있어!
► 원리로 생각읽기 44쪽

(라) 또한 『동경대전』은 이후 동학 농민 운동으로 이어지는 '후천 개벽'의 씨앗이 되었다. 후천 개벽이란, 평등사상에 기반하여 민중이 세상의 주인이 되기 위해 문명 전체를 근본적으로 변화시킨다는 것이다. 특히 이러한 개벽에서 중요한 것은 상생*이다. 후천 개벽이 된 세상에서는 하느님을 모시는 모든 생명은 아무리 작고 하찮은 존재일지라도 존귀하게 여겨져, 만물이 함께 공존하며 상생을 이루고 살아가기 때문이다.

(마) 이러한 새 세상에 대한 염원은 동학의 '실천성'과 결합되어 사회적 실천으로도 나타났다. 동학사상에서는 하늘의 뜻을 반드시 실천해야 한다고 강조했으며, 만민 평등과 개벽을 사회적으로 실천하고자 노력했다. 이런 점에서 동학사상은 단순한 종교 사상에 그치는 것이 아니라, 사회 변혁을 지향하는 사회적 '운동'이라고 볼 수 있다. 이후 동학 농민 전쟁이 일어났고, 이는 갑오개혁에 영향을 미쳐 결국 신분제는 폐지되었다. 이런 점에서 동학의 실천성은 높게 평가받는다.

(바) 동학 농민 운동이 일어난 지 120여 년이 지난 오늘날에도 여전히 사회적 불평등은 존재한다. 특히 사회적 약자들에 대한 불평등은 여전히 지속되고 있다. 이런 현실에서 『동경대전』 속

모든 존재는 평등하다고 본 동학의 시천주 사상은 불평등한 현실에 대한 근본적인 성찰을 가능하게 하고, 모두가 상생하는 후천 개벽이 이루어진 이상 사회를 지향하게 하며, 이상적 사회를 향한 노력에 대한 실천 의지를 고취할 수 있다는 점에서 여전히 강력한 메시지를 주고 있다. 동학 농민 운동은 비록 미완으로 끝났지만, 동학의 정신은 오늘날에도 여전히 필요하기 때문이다.

* 이양선: 모양이 다른 배라는 뜻으로, 다른 나라의 배를 이르는 말. 주로 조선 시대에 외국의 철선을 이르는 말로 쓰였다.
* 백정: 소나 개, 돼지 따위를 잡는 일을 직업으로 하는 사람.
* 귀의: 돌아가거나 돌아와서 몸을 의지함.
* 상생: 둘 이상이 서로 북돋우며 다 같이 잘 살아감.

0 **㉠의 구체적인 내용을 다음과 같이 크게 세 가지로 나누어 정리한다고 할 때, 각각에 해당하는 핵심어를 이 글에서 찾아 쓰세요.**

동학의 핵심 사상		동학의 특징
(①)	(②)	(③)
• 모든 사람은 제 안에 가장 거룩하고 성스러운 존재인 하느님을 모시고 있다. • 하느님이 각 개체에 깃들어 있기에 만민과 만물은 평등하다.	• 평등사상에 뿌리를 두고 지배자가 아닌 민중이 주인이 되기 위해 문명 전체를 근본적으로 변화시키는 것	• 하늘의 뜻을 반드시 실천해야 한다.

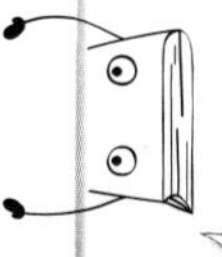

'핵심어'의 한자를 풀이하면, '핵(核)'은 '물건의 중심이 되는 알갱이'라는 뜻이고, '심(心)'은 '마음'을 뜻하며, '어(語)'는 '말'을 의미해. 그러니까 '핵심어'를 찾으라는 것은 글이나 문단에서 글쓴이가 가장 중요하게 다루는 중심이 되는 단어를 찾으라는 뜻이야.

과녁판의 정중앙처럼
핵심어란 글에서 가장 중요한 단어를 말해!

1 **이 글을 통해 글쓴이가 독자들에게 궁극적으로 말하고자 하는 바는 무엇인가요?**

① 최제우가 『동경대전』을 쓴 이유
② 『동경대전』에 담긴 다양한 사상
③ 『동경대전』이 동학 농민 운동에 미친 영향
④ 조선 시대 백성들이 동학을 열심히 따른 이유
⑤ 조선 시대 동학사상이 오늘날의 우리에게 주는 시사점

2 **이 글의 내용 흐름을 그림으로 바르게 나타낸 것은 무엇인가요?**

①
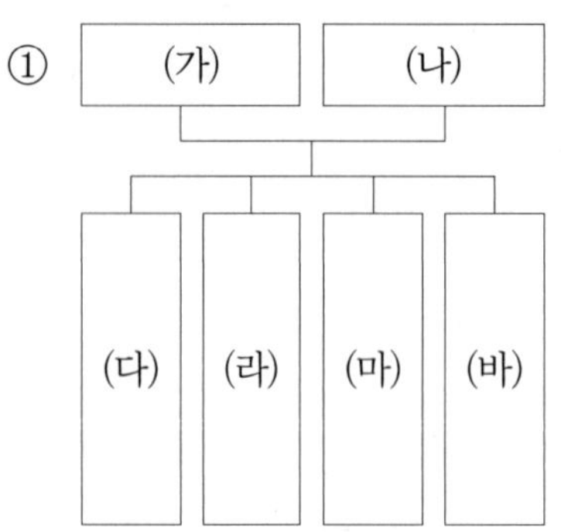

②
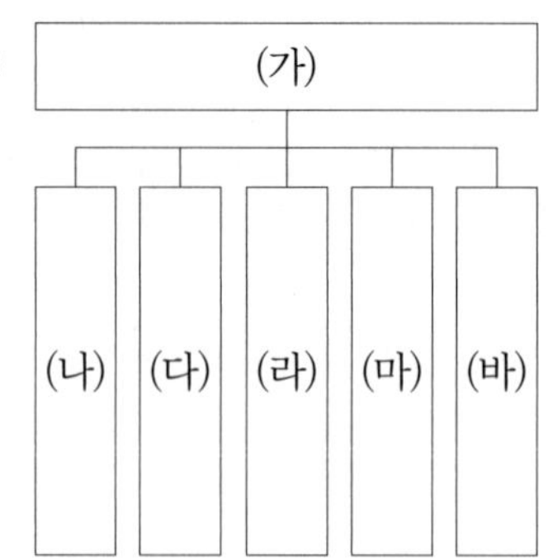

③
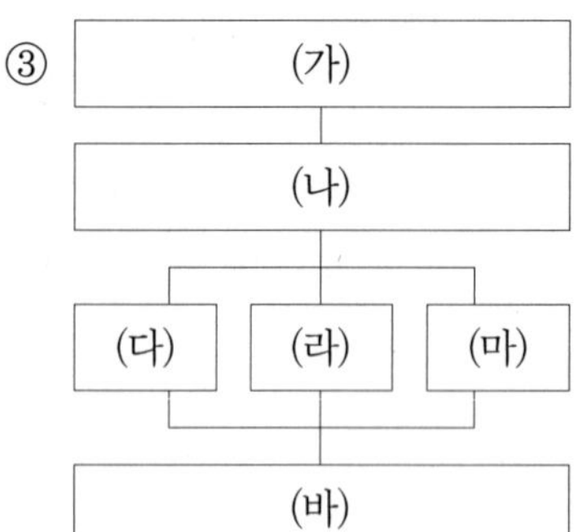

④
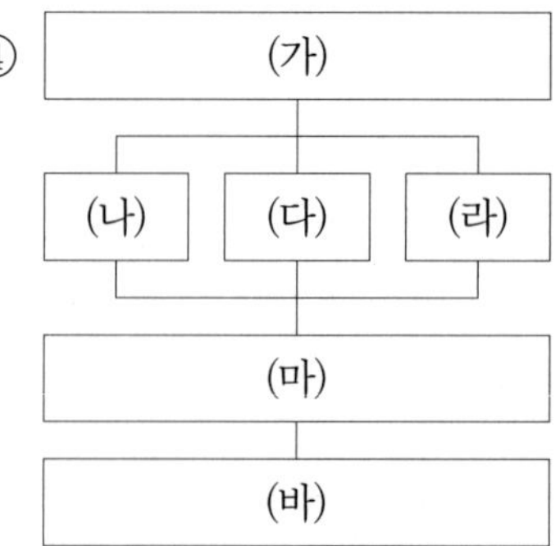

⑤
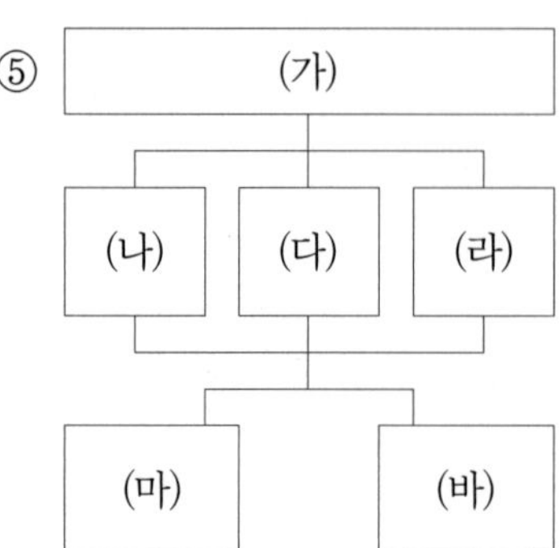

3 **ⓐ~ⓔ의 사전적 의미로 바르지 않은 것은 무엇인가요?**

① ⓐ: 어떤 현상이나 대상이 나타났다 사라졌다 함.
② ⓑ: 부패균에 의해 단백질 및 유기물이 유독한 물질과 악취를 발생하게 되는 변화.
③ ⓒ: 전염병이나 나쁜 현상 따위가 널리 퍼짐.
④ ⓓ: 지치고 쇠약해짐.
⑤ ⓔ: 업신여기고 푸대접함.

똑같은 한자라도 그것이 사용되는 맥락에 따라 의미가 달라지는 경우가 있어. 그렇기 때문에 평소에 자신이 알고 있는 단어라 하더라도 반드시 그 단어가 제시된 맥락 속에서 어떤 뜻으로 사용되는지 확인하는 것이 필요해.

원리로 생각읽기 **2**

글에는 왜 한자어가 많이 쓰일까

순우리말 대신 한자어를 많이 쓰는 이유

다음 설명에 해당하는 단어를 쓰고, 그것이 우리말인지 한자어인지 생각해 볼까요?

① 온갖 종류의 책, 문서, 기록, 출판물 등의 자료를 모아 두고 일반이 볼 수 있도록 한 시설
( )

② 지구 표면의 상태를 일정한 비율로 줄여, 이를 약속된 기호로 평면에 나타낸 그림
( )

③ 다른 사람과 앞으로의 일을 어떻게 할 것인가를 미리 정하여 둠. 또는 그렇게 정한 내용
( )

우리나라는 중국과 지리적으로 매우 가까이 있습니다. 이 때문에 정치, 사회, 문화적으로 크고 작은 영향을 주고받으며 밀접한 관계를 맺어 왔습니다. 그렇기 때문에 세종대왕이 한글을 창제하기 전까지 우리가 사용했던 글자가 한자였던 것은 너무나 자연스러운 결과였습니다. 그렇다면 이제는 한글이라는 우리말이 있으니 한자어를 굳이 쓰지 않아도 될 텐데 우리가 읽고 쓰는 글을 보면 한자어가 참 많이 나옵니다. 왜 그럴까요?

우리가 한글을 사용한 것은 500년이 조금 넘지만 한자를 사용한 것은 최소한 1,000년 이상입니다. 그렇기 때문에 우리말에 한자어가 많은 것은 당연한 것이지요. 만약 우리말에서 한자어를 모두 빼 버린다면 그것을 대체할 우리말을 만들어야 하는데 그것은 사실상 불가능합니다. 또한 우리말로는 설명이 매우 길고 복잡하여 표현하기가 어려운 대상을 한자어를 사용하여 좀 더 정확하면서도 짧게 표현할 수 있는 경우가 많습니다. 그래서 **글의 맥락에 따라 의미를 보다 명확하고 효율적으로 전달하고자 할 때 한자어를 많이 사용**합니다.

한자어를 사용하면 글의 내용을 좀 더 명확하게 전달할 수 있어!

40쪽 지문

(라) 또한 『동경대전』은 이후 **동학 농민** [illegible] 천 **개벽(後天開闢)**'의 씨앗이 되었다. 후천 개벽이란, **평등사상(平等思想)**에 **기반(基盤)**하여 **민중(民衆)**이 **세상(世上)**의 **주인(主人)**이 되기 위해 **문명(文明) 전체(全體)**를 **근본적(根本的)**으로 **변화(變化)**시킨다는 것이다. 특히 이러한 개벽에서 **중요(重要)**한 것은 **상생(相生)***이다. 후천 개벽이 된 세상에서는 하느님을 모시는 모든 **생명(生命)**은 아무리 작고 하찮은 **존재(存在)**일지라도 **존귀(尊貴)**하게 여겨져, **만물(萬物)**이 함께 **공존(共存)**하며 상생을 이루고 살아가기 때문이다.

정답: ① 도서관 → 한자어 ② 지도 → 한자어 ③ 약속 → 한자어

독해연습 1 **아래 문장을 읽고, 물음에 답하세요.**

- 작가인 재하는 하루에도 수십 번씩 쓴 글을 ㉠고쳤다.
- 의사인 병서는 오늘도 수십 명의 환자를 ㉡고쳤다.
- 컴퓨터를 좋아하는 미라는 친구의 고장 난 컴퓨터를 4시간에 걸쳐 ㉢고쳤다.

보 기

수리했다 / 수정했다 / 치료했다

1 ㉠~㉢과 바꾸어 쓸 수 있는 단어를 〈보기〉에서 찾아 쓰세요.

2 ㉠~㉢에서 알 수 있는, 한자어를 사용했을 때의 장점은 무엇인가요?

독해연습 2 **아래 문단을 읽고, 물음에 답하세요.**

석유가 어떻게 형성(形成)❶되었는지는 설이 분분하지만, 대체로 오래전에 바다에 살던 미생물(微生物)❷이나 작은 생물의 퇴적물(堆積物)❸이 압력(壓力)❹과 지열(地熱)❺의 영향을 받고, 여기에 바나듐, 니켈, 몰리브덴 등의 원소가 촉매 작용을 해서 생성(生成)❻되었다고 여겨진다.

보 기

形: 모양 형, 成: 이루다 성　　微: 작을 미, 生: 살아 있다 생, 物: 만물 물
堆: 높이 쌓이다 퇴, 積:포개다 적, 物: 만물 물　　壓: 누르다 압, 力: 힘 력
地: 땅 지, 熱: 더운 기운 열　　生: 태어나다 생, 成: 이루어지다 성

1 밑줄 친 단어들의 뜻을 〈보기〉를 참고하여 추측해 써 보세요.

❶ 형성(形成):　　❷ 미생물(微生物):

❸ 퇴적물(堆積物):　　❹ 압력(壓力):

❺ 지열(地熱):　　❻ 생성(生成):

생각읽기 2

바나나킥에 숨은 원리

운동의 원리

Q 바나나킥에 숨어 있는 두 가지 과학적 원리는 무엇인가요?

(가) 축구 스타 손흥민을 좋아하는 팬들은 그의 환상적인 바나나킥에 열광한다. 수비벽을 뚫고 회전하면서 골문 안으로 휘어 들어가는 공은 문지기를 속수무책으로 만들고 그물을 흔든다. 손흥민이 찬 공이 휘어가는 데에는 어떤 비밀이 담겨 있는 것일까?

(나) 회전하면서 날아가는 공이 휘어지는 현상을 처음 설명한 사람은 독일의 물리학자인 하인리히 마그누스이다. 이 현상은 그가 날아가는 포탄이 휘어져 가는 것을 연구하다가 발견했기 때문에 '마그누스 효과'라고 부른다. 마그누스 효과는 회전하는 물체가 물체 주변의 압력 차에 의해 휘어져 날아가는 현상으로, '속도가 빠른 쪽의 유체* 압력이 느린 쪽의 유체 압력보다 낮다.'는 '베르누이 정리'로 설명할 수 있다.

(다) 공이 날아갈 때는 진행하는 방향과 반대 방향으로 공기 흐름이 생긴다. 만약 공이 회전하지 않고 날아가면 공의 양쪽으로 흐르는 공기의 속도가 같아 압력 차이가 발생하지 않는다. 하지만 공이 회전하면서 날아가면, 주위의 일부 공기를 끌고 가면서 공 주변에 새로운 공기의 흐름이 만들어진다. 이때 날아가는 공 주변에서는 공을 따라 도는 공기의 흐름과 공이 진행하는 방향의 반대 방향으로 움직이는 공기의 흐름이 서로 합해진다. 가령, 공의 오른쪽 측면을 차서 시계 반대 방향으로 회전하며 날아갈 때를 생각해 보자. [그림]에서 보듯, 공의 오른쪽에서는 서로 반대 방향으로 흐르는 공기가 부딪쳐 저항력이 생기면서 공기의 흐름이 느려진다. 반면에 왼쪽에서는 두 가지 공기의 흐름이 같은 방향으로 흘러 더해지면서 공기의 흐름이 빨라진다. 그러므로 베르누이 정리에서 알 수 있듯이, 공기의 흐름이 느린 오른쪽의 공기 압력이 높아지고 왼쪽의 공기 압력이 낮아진다. ㉠<u>힘은 압력이 높은 쪽에서 낮은 쪽으로 작용하므로</u> 공은 왼쪽으로 휘면서 날아가게 되는 것이다.

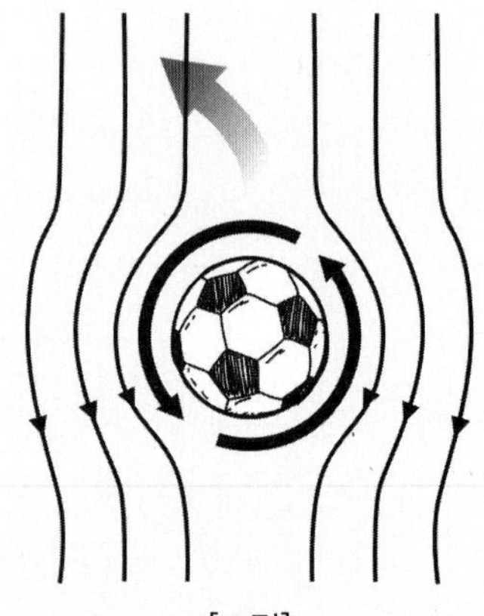

[그림]

(라) 그러나 바나나킥을 베르누이 정리만으로 모두 설명할 수 있는 것은 아니다. 공의 표면에 작용하는 공기의 흐름이 매우 복잡하기 때문이다. 공의 속도가 빠를 때는 공 주변에 작은 소용돌이인 난류(亂流)가 생기는데, 이렇게 되면 공 양쪽의 공기의 속도 차이가 작아져서 압력 차이도 크게 발생하지 않는다. 하지만 속도가 느려져 공 주변의 난류가 사라지면 압력 차이가 커지므로 공이 휘면서 날아간다. 실험 결과, 공의 속도가 108㎞/h보다 빠르면 난류가 발생한다고 한다. 따라서 만약 어떤 축구 선수가 120㎞/h의 속력으로 공을 차는 경우, 처음에는 직선으로 날아가다가 108㎞/h 이하로 떨어지면 휘면서 날아가게 될 것이다.

(마) 이와 같이 베르누이 정리와 난류에 관한 역학(力學)을 이용하면 바나나킥의 원리를 쉽게 설명할 수 있다. 축구에도 이러한 과학적 원리가 숨어 있다.

* 유체: 액체와 기체를 아울러 이르는 말.

0 이 글의 구조를 그림으로 바르게 표현한 것은 무엇인가요?

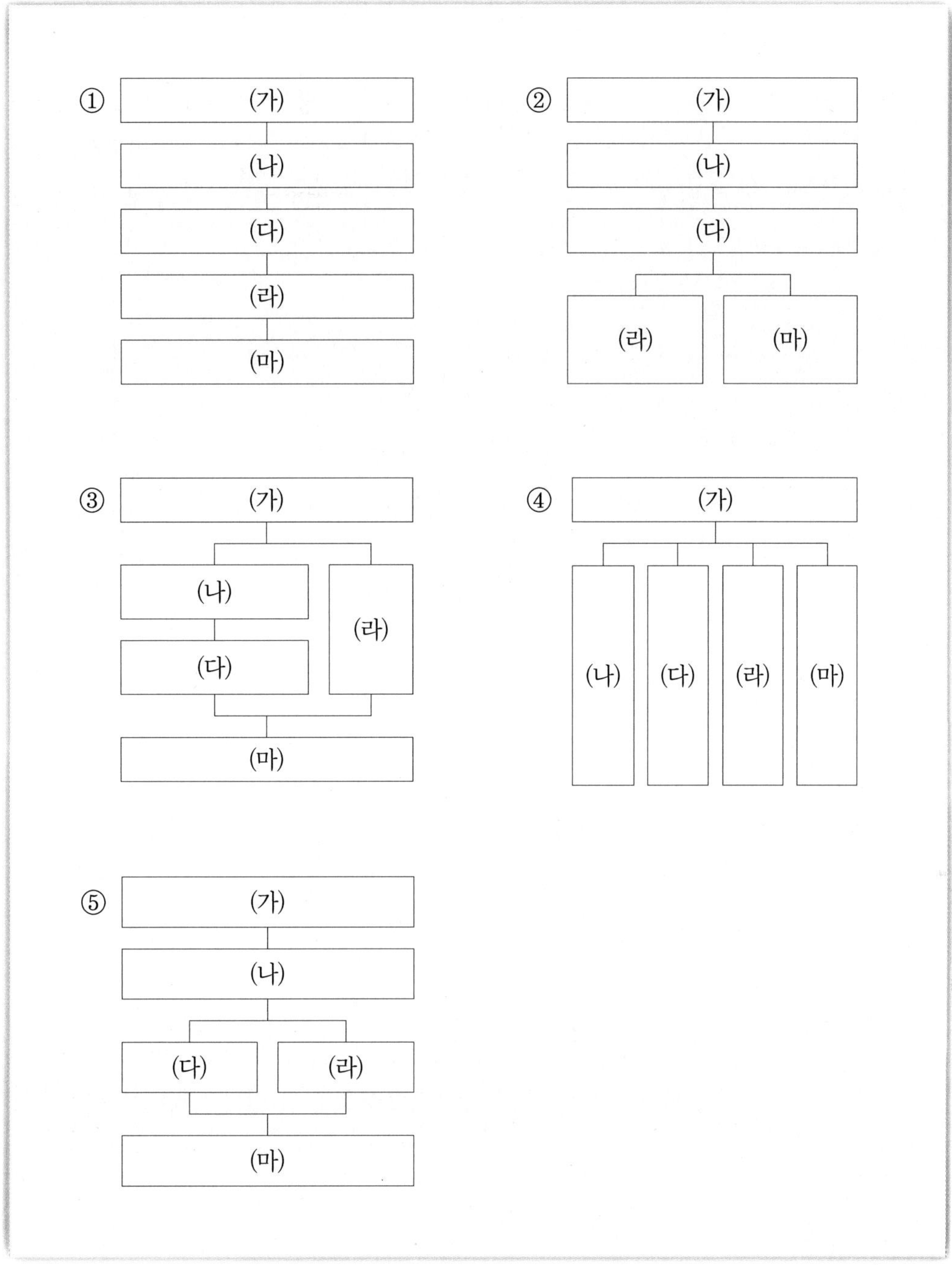

1 **이 글에 대한 설명으로 가장 적절한 것은 무엇인가요?**

① 다양한 이론을 통해 잘못된 통념을 바로잡고 있다.
② 과학 이론을 바탕으로 구체적 현상을 설명하고 있다.
③ 상반되는 두 이론을 분석하여 그 차이점을 드러내고 있다.
④ 새로운 이론을 제시하여 기존 이론의 한계를 보완하고 있다.
⑤ 여러 가지 실험 결과를 종합하여 특정 이론을 비판하고 있다.

2 **이 글을 바탕으로 비행기가 뜨기 위한 원리를 생각한다고 할 때, ㉠과 가장 관련 깊은 것은 무엇인가요?**

① 비행기의 동체를 가벼운 소재로 제작해야 한다.
② 공기의 저항을 최소화할 수 있는 동체를 제작해야 한다.
③ 빠른 속력을 낼 수 있도록 추진력이 강한 엔진을 장착해야 한다.
④ 지면과의 마찰력을 견딜 수 있도록 타이어를 튼튼하게 제작해야 한다.
⑤ 비행기의 날개 아래쪽의 공기 압력이 위쪽보다 높을 수 있게 설계해야 한다.

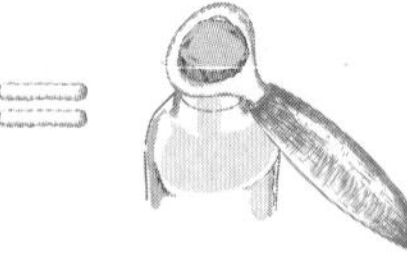

대상은 달라도 그 원리는 같아!

3 **이 글을 바탕으로 〈보기〉에 대해 분석한 내용으로 적절하지 않은 것은 무엇인가요?**

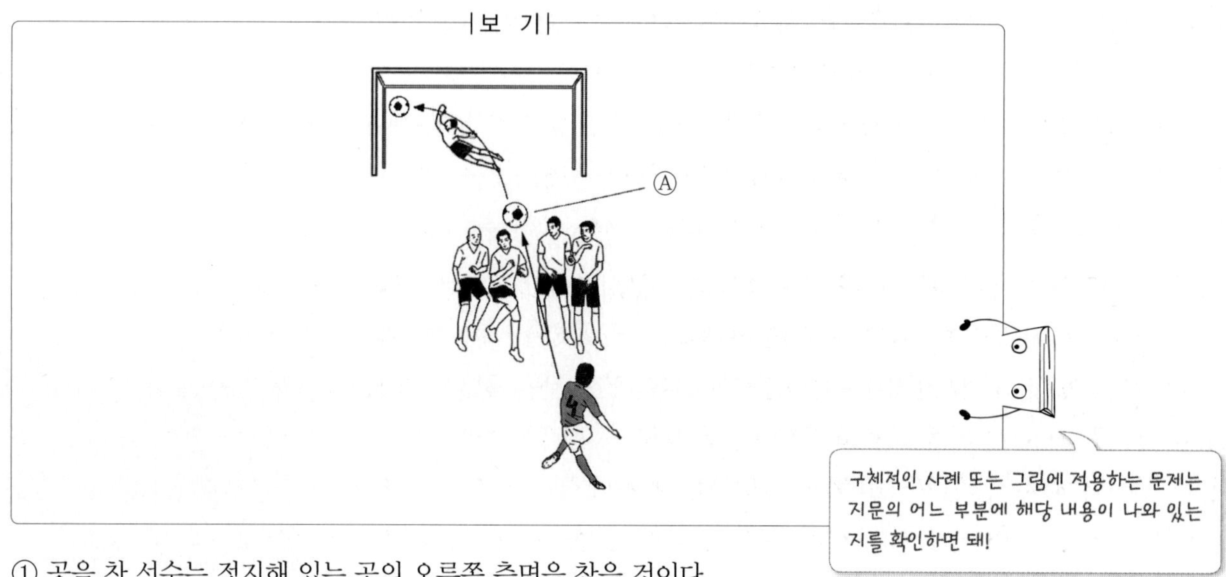

① 공을 찬 선수는 정지해 있는 공의 오른쪽 측면을 찼을 것이다.

② 공이 Ⓐ 지점을 통과한 뒤부터는 공 주변에 난류가 생겼을 것이다.

③ 공이 Ⓐ 지점을 통과하기 전까지는 속도가 108km/h 이상이었을 것이다.

④ 공이 휘어지며 날아가는 동안 공의 왼쪽에 가해지는 공기의 압력은 오른쪽에 비해 낮을 것이다.

⑤ 공이 휘어지며 날아가는 동안 공의 오른쪽에서는 저항력이 작용하여 공기의 흐름이 왼쪽보다 느릴 것이다.

생각읽기 3

밀레와 쿠르베가 본 아름다운 인생

사실주의 운동

Q 미술사에서 '사실주의'가 출현하게 된 시대적 배경은 무엇인가요?

밀레의 「이삭 줍는 사람들」과 쿠르베의 「안녕하세요, 쿠르베 씨」는 모두 평범한 사람들을 모델로 그린 작품이라는 점에서 공통점이 있다. 이것이 왜 의미를 가지느냐 하면, 이 그림들이 등장하기 전까지 평범한 사람들은 그림의 모델이 될 수 없었기 때문이다. 이렇게 평범한 사람들이 그림의 주인공이 될 수 있었던 것은 화가들의 비범한* 용기가 있었기 때문이다.

먼저 밀레의 「이삭 줍는 사람들」을 보자. 지금 이 그림을 보는 사람들에게는 농부를 그렸다는 사실이 별로 놀랄 일이 아니겠지만, 밀레가 이 작품을 발표했을 당시만 해도 미술계를 발칵 뒤집어 놓을 정도로 충격적인 사건이었다. 당시 귀족들을 중심으로 구성된 미술계에서 보기에는 이 화가가 감히 하찮은 농부를 그림의 모델로 쓴 것을 용납할 수 없었다. 그들에게 그림은 자신들만의 전유물*이었으므로 그림의 모델은 당연히 귀족이어야만 했던 것이다. 그래서 당시 미술계에서는 밀레에게 엄청난 비난을 퍼부었고, 심지어는 가난한 민중을 부추겨 혁명을 유도하는 선동가*라고 매도*했다고 한다.

밀레, 「이삭 줍는 사람들」

앞서 말했다시피 그때까지 그림은 왕과 귀족 등 소수의 특정 계급만이 누릴 수 있는 문화였다. 종교 중심의 사회였던 중세 서양에서 그림은 대부분 종교화이거나, 지배 계급이 자신의 부와 지위를 과시하는 수단이었다. 그리하여 그림의 모델은 성경 속 인물이거나, 현재 또는 역사 속의 위대한 인물이나 왕과 귀족들이 등장했다. 서양의 근대 시기까지도 그림의 주인공은 우아하거나 이상적인 모델이어야 했던 것이다. 그런데 19세기 중반부터 프랑스에서는 시민 의식과 자의식*이 높아지면서 시민들도 인간답게 살고자 하는 의지를 갖기 시작했다. 이런 사회 분위기 속에서 출현한 예술 사조*가 바로 사실주의다. 사실주의 화가들은 농부, 시민, 화가 등 일상에서 만나는 평범한 사람들을 그림의 모델로 정했다. 그들이 이렇게 한 이유는 신분이 낮다고 해서 인격마저 낮은 것은 아니며, 삶이 가난하다고 하여 그림의 주인공이 될 수 없는 것은 아니라고 생각했기 때문이다.

한편, 이번에는 쿠르베의 「안녕하세요, 쿠르베 씨」를 살펴보자. 이 그림은 화가인 쿠르베 씨가 길을 가다가 그의 후원자인 은행가를 만나는 장면을 그린 것이다. 중심적인 모델인 쿠르베는 화면 오른쪽에 위치해 있는데, 머리를 치켜들고 있는 얼굴 표정과 당당하게 지팡이를 짚고 서 있는 모습을 자신감 넘치게 표현하였다. 평범하고 가난한 화가가 부유한 은행가를 만나더라도 결코 기죽지 않는 모습으로 표현한 것에서, 사람의 만남이 지위의 만남은 아니라는 사실주의 화가의 생각을 잘 보여 준다.

쿠르베, 「안녕하세요, 쿠르베 씨」

이렇게 평범한 사람들의 일상적인 삶을 화폭에 담은 사실주의 화가들은, 귀족들의 화려한 삶과 평범한 사람들의 소박한 삶을 저울질하지 않았다. 삶은 사회적 지위가 높고 낮은지에 따라 평가되고 판단할 수 있는 것이 아니기 때문이다. 삶을 살아가는 주체들이 각자 자신에게 주어진 역할에 충실하며, 자신의 가치를 높이는 과정에서 행복을 찾는다면, 그것이 곧 아름다운 인생이기 때문이다. 미술사에서 사실주의는 이렇게 사람들의 삶에 대한 깊은 철학적 사유를 보여 준다는 점에서도 의의가 있다.

* 비범한: 평범한 수준보다 훨씬 뛰어난.
* 전유물: 한 개인이나 집단이 독차지하는 물건.
* 선동가: 어떤 행동에 참여하도록 군중의 감정을 부추기는 사람.
* 매도: 심하게 나쁜 쪽으로 몰아세움.
* 자의식: 다른 사람과 구별되는 자기에 대한 의식.
* 사조: 어떤 시대나 계층에 나타나는 공통적이고 일반적인 사상의 흐름.

0 **이 글의 중심 화제가 드러나도록 제목을 붙인다고 할 때, 가장 적절한 것은 무엇인가요?**

① 사실주의 그림의 역사
② 사실주의의 개념과 예술 경향
③ 사실주의가 출현하게 된 역사적 배경
④ 사실주의 그림들 간의 공통점과 차이점
⑤ 사실주의 그림에서 다룬 중심 제재와 그 의의

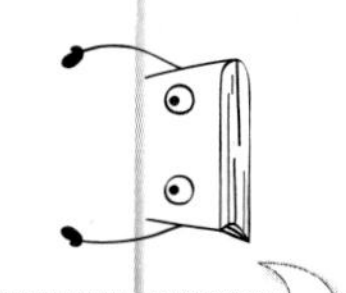

화제란 글(또는 이야기)의 재료를 말해. 그러나 글에 나온다고 해서 모든 것이 중심 화제가 되지는 않아. 글에서 중요하게, 주로 다루는 대상이 바로 중심 화제가 되는 거야!

1 이 글의 내용과 일치하지 않는 것을 고르세요.

① 밀레와 쿠르베는 대표적인 사실주의 화가이다. ☐
② 밀레와 쿠르베의 작품에는 평범한 사람들이 주인공으로 등장한다. ☐
③ 사실주의의 출현 이전에는 사람이 그림의 주인공으로 등장하지 않았다. ☐
④ 19세기 이전의 그림은 평범하고 소박한 시민들의 삶에 관심을 두지 않았다. ☐
⑤ 중세 서양에서 그림은 왕과 귀족 등 특정 계층만이 누릴 수 있는 문화였다. ☐

2 이 글을 통해 알 수 있는 사실주의 그림에 대한 설명으로 적절하지 않은 것은 무엇인가요?

① 서민들의 일상적인 삶의 모습을 화폭에 담아내었다.
② 인간답게 살고자 하는 시민 의식이 성장하면서 출현하였다.
③ 신분이 낮다고 하여 인격마저 낮은 것은 아니라는 인식이 반영되었다.
④ 그림을 향유하는 계층이 왕과 귀족 등의 특정 계층에서 평범한 사람들로 교체되었다.
⑤ 삶의 주체로서 어떻게 살아가는 것이 아름다운 인생인지에 대한 철학적 사유를 보여 주었다.

제시된 선택지가 글 속의 표현을 그대로 가져온 것이 아니라면, 그것의 사실 여부는 반드시 글의 구체적인 내용과 대응시켜서 판단해야 해.

3 이 글에서 다루고 있는 회화 작품과 비슷한 성격을 가진 작품은 무엇인가요?

①

디에고 벨라스케스, 「시녀들」

②

한스 콜바인, 「헨리 8세의 초상」

③

오노레 도미에, 「삼등 열차」

④

미켈란젤로, 「아담의 창조」

⑤

레오나르도 다빈치, 「최후의 만찬」

생각읽기 4

지구의 하루는 왜 길어질까

지구-달의 원운동

Q 지구의 하루가 길어지는 이유는 무엇 때문인가요?

(가) 산호 화석에 나타난 미세한 성장선을 세면 산호가 살던 시기의 1년의 날수를 알 수 있다. 산호는 낮과 밤의 생장 속도가 다르기 때문에 하루의 변화가 성장선에 나타나고 이를 세면 1년의 날수를 알 수 있는 것이다. 이런 방법으로 웰스는 약 4억 년 전인 중기 데본기*의 1년이 지금의 365일보다 더 많은 400일 정도임을 알게 되었다. 1년의 날수가 줄어들었다는 것은 지구의 하루가 길어졌다는 말이 된다.

(나) 그렇다면 지구의 하루는 왜 길어지는 것일까? 그것은 바로 지구의 자전이 느려지기 때문이다. 지구의 자전은 달과 밀접한 관련을 맺고 있다. 지구가 달을 끌어당기는 힘이 있듯이 달 또한 지구를 끌어당기는 힘이 있다. 달은 태양보다 크기는 작지만 지구와의 거리는 태양보다 훨씬 가깝기 때문에 지구의 자전에 미치는 영향은 태양보다 달이 더 크다. 달의 인력은 지구의 표면을 부풀어 오르게 한다. 그리고 이 힘은 지구와 달 사이의 거리에 따라 다르게 작용하여 달과 가까운 쪽에는 크게, 그 반대쪽에는 작게 영향을 미치게 된다. 결국 지구 표면은 달의 인력과 지구-달의 원운동에 의한 원심력*의 영향을 받아 [그림]처럼 양쪽이 부풀어 오르게 된다.

글쓴이는 왜 그림을 제시할까
그림을 보면 내용이 더 쉽게 느껴지지?
그림은 글쓴이가 주는 힌트니까~

► 원리로 생각읽기 58쪽

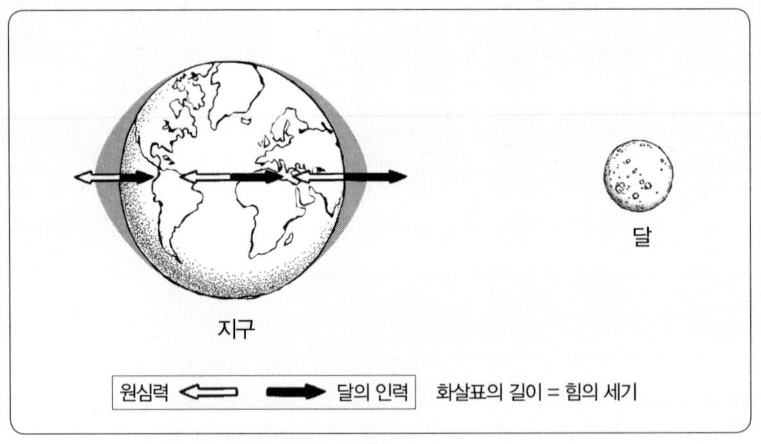

[그림]

(다) 이때 달과 가까운 쪽 지구의 '부풀어 오른 면'은 지구와 달을 잇는 직선에서 벗어나 지구 자전 방향으로 앞서게 되는데, 그 이유는 지구가 하루 만에 자전을 마치는 데 비해 달은 한달 동안 공전 궤도를 돌기 때문이다. 달의 인력은 이렇게 지구 자전 방향으로 앞서가는 부풀어 오른 면을 반대 방향으로 다시 당기고, 그로 인해 지구의 자전은 방해를 받아 속도가 느려진다. 한편 지구보다 작고 가벼운 달의 경우에는 지구보다 더 큰 방해를 받아 자전 속도가 더 빨리 줄게 된다. 이렇게 지구와 달은 서로의 인력 때문에 자전 속도가 줄게 되는데, 이 자전 속도와 관련된 운동량은 '지구-달 계'* 내에서 달의 공전 궤도가 늘어나는 것으로 보존된다. 왜냐하면 일반적으로 외부에서 작용하는 힘이 없다면 운동량은 보존되기 때문이다. 이렇게 하여 결국 달의 공전 궤도는 점점 늘어나고, 달은 지구로부터 점점 멀어지는 것이다.

(라) 실제로 지구의 자전 주기는 매년 100만 분의 17초 정도 느려지고 달은 매년 38㎜씩 지구에서 멀어지고 있다. 이처럼 지구의 자전 주기가 점점 느려지기 때문에 지구의 1년의 날수는 점차 줄어들 수밖에 없다. 그러나 이렇게 느려지더라도 하루가 25시간이 되려면 앞으로 2억 년이 넘는 시간이 흘러야 한다.

* 데본기: 고생대를 여섯 개의 기로 구분하였을 때, 오래된 순서로 네 번째의 지질 시대. 지금으로부터 약 3억 9500만 년 전부터 약 3억 4500만 년 전까지의 기간에 해당한다.
* 지구 - 달의 원운동에 의한 원심력: 지구-달의 공통 질량 중심을 기준으로 회전하는 원운동에 의해 생기는 힘으로, 지구의 모든 지역에서 힘의 크기는 동일함.
* 지구 - 달 계: 태양이나 다른 천체의 영향력이 없다고 가정한, 지구와 달로 이루어진 계.

0 이 글의 구조를 그림으로 바르게 표현한 것은 무엇인가요?

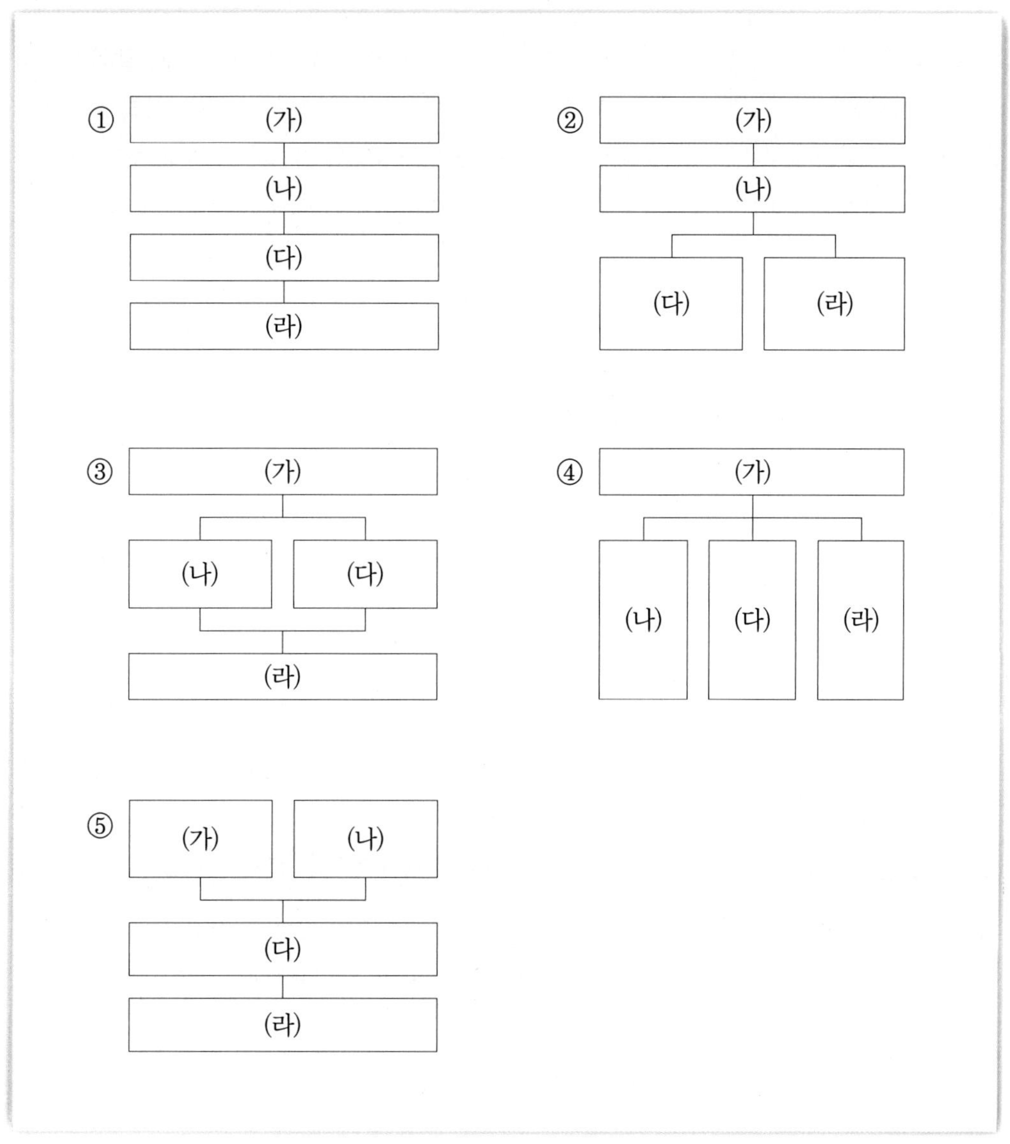

1 **이 글의 내용 전개 방식으로 가장 적절한 것은 무엇인가요?**

① 현상에 대한 이론의 변화를 통시적으로 고찰하고 있다.
② 현상에 대한 문제점을 지적하고 해결 방안을 제시하고 있다.
③ 현상이 일어나는 원인을 밝히고 미래의 상황을 예측하고 있다.
④ 현상과 관련된 다양한 이론을 병렬식으로 나열하여 소개하고 있다.
⑤ 현상과 관련된 이론의 한계를 분석하고 새로운 **가설**을 제안하고 있다.

어떤 사실을 설명하거나 **이론 체계를 내세우기 전에 설정한 가정**을 말해!
대개 과학 분야에서 연구 문제에 대해 해답을 예측하는 경우가 가설에 해당하지.

2 **이 글을 통해 알 수 있는 내용으로 가장 적절한 것은 무엇인가요?**

① 인력의 크기는 지구와 달의 거리에 비례하여 커지는군.
② 지구의 자전 속도가 느려질수록 1년의 날수가 늘어나는군.
③ 달은 지구와 멀어지며 '지구–달 계'의 운동량을 줄이게 되는군.
④ 달의 인력이 지구에 미치는 힘은 지구의 모든 부분에 일정하게 작용하는군.
⑤ 달과 반대쪽의 지구 표면이 부풀어 오른 것은 달의 인력보다 지구–달의 원운동에 의한 원심력의 영향이 크기 때문이군.

3 **이 글을 바탕으로 〈보기〉의 A~E에 대해 설명할 때, 적절하지 않은 것은 무엇인가요?**

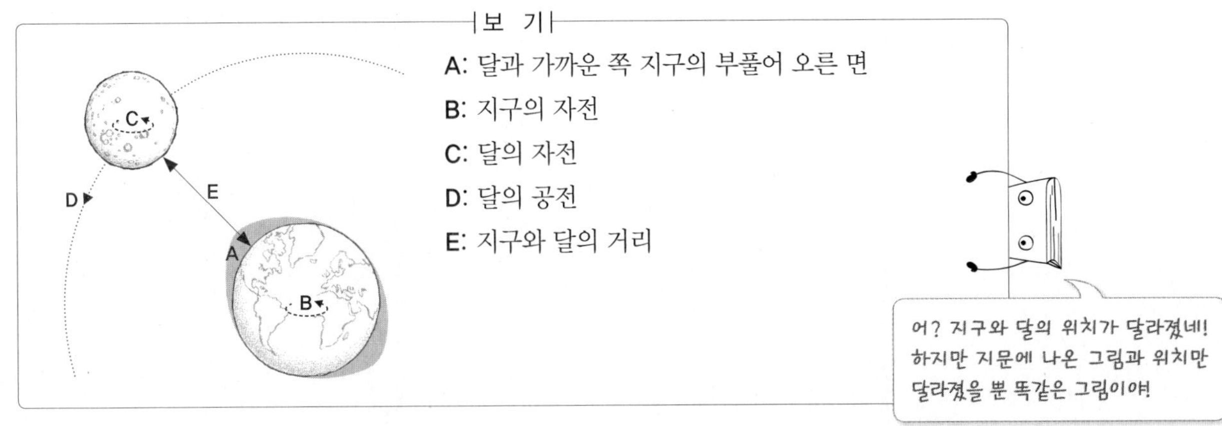

① 달의 인력과 지구–달의 원운동에 의한 원심력으로 A가 나타난다.
② B의 주기가 D의 주기보다 빨라 A가 지구와 달을 잇는 직선에서 벗어나 앞서게 된다.
③ B의 진행 방향으로 앞서 나간 A를 달의 인력이 그 반대 방향으로 다시 끌어당긴다.
④ 지구의 인력이 달에 작용하여 C의 속도가 느려진다.
⑤ 운동량을 보존하기 위해 D의 궤도와 E는 점점 줄어든다.

원리나 과정을 설명할 땐 그림으로 보여 준다

다음 그림의 ①과 ②는 각각 어떤 현상을 설명하는 그림일까요?

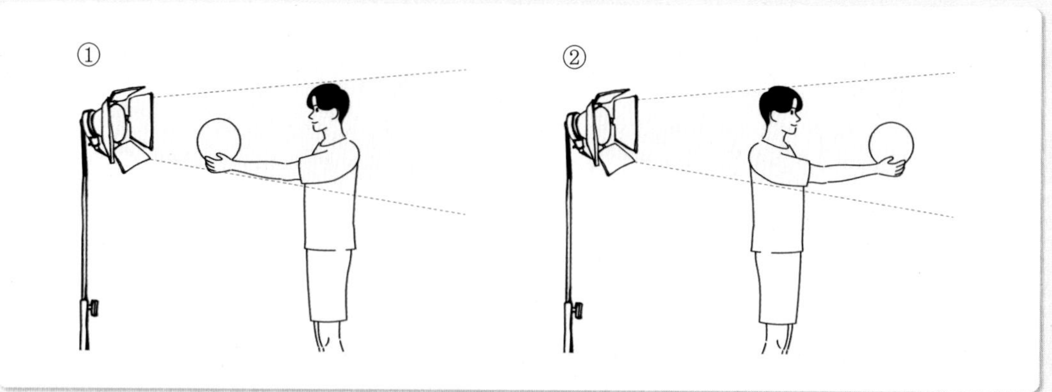

'백문불여일견(百聞不如一見)'이라는 말을 한 번쯤은 들어 봤을 거예요. 이 말은 백 번 듣는 것보다 한 번 보는 것이 더 낫다는 뜻입니다. 글을 읽는 것은 분명히 눈으로 보는 과정을 포함하지만, 머릿속에서 이해할 때에는 이미지를 그려가는 과정이기도 합니다. 문제는 독해를 할 때 보는 것은 문자이지, 시각적인 이미지가 아니라는 점이에요.

그럼 글쓴이는 왜 글을 쓸 때 **그림이나 도표, 그래프와 같은 시각적인 자료를 활용**하는 걸까요? 그 이유는 글쓴이 자신이 말하고자 하는 바를 정확하게 전달하기 위해서입니다. 특히 글 내용이 추상적이고 어려운 어떤 원리나 과정을 설명하고 있다면, 이때 독자는 **시각적으로 표현된 이미지를 함께 보면 내용을 훨씬 쉽고 빠르게 이해할 수 있습니다.** 이렇듯 독자 여러분의 이해를 돕기 위해서 시각 자료를 제시한다고 볼 수 있지요. 따라서 글에서 시각 자료가 등장한다면, 여러분의 눈은 글과 그림을 오가고, 여러분의 머리는 글과 그림의 내용을 종합하면서 글을 이해해야겠죠?

54쪽 지문

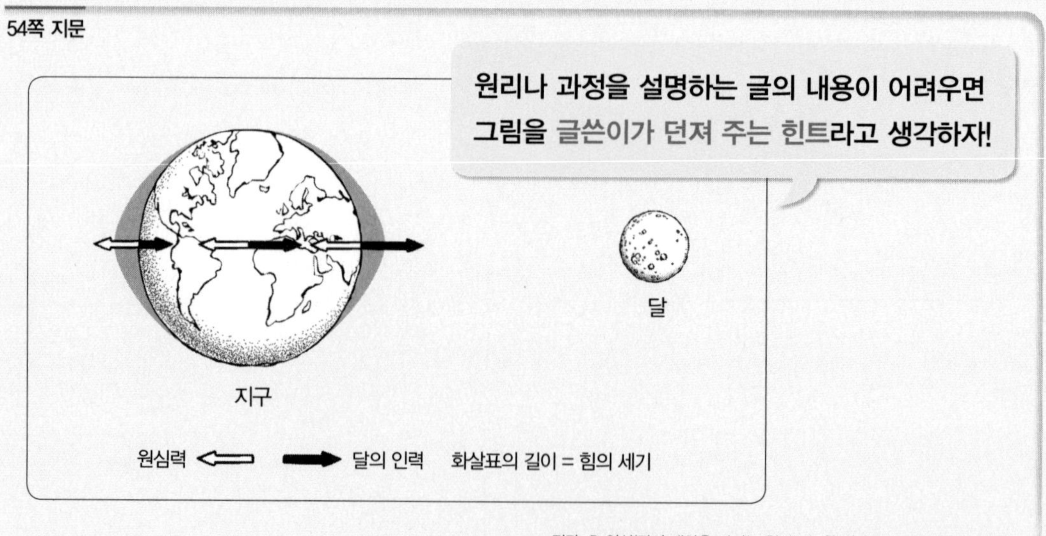

정답: ① 일식(달이 태양을 가리는 현상) ② 월식(지구가 달을 가리는 현상)

독해연습 1

아래 문단을 읽고, 물음에 답하세요.

석가탑은 기단부, 탑신부, 상륜부의 세 부분으로 구성되어 있다. 기단부의 하층은 낮지만 넓게, 상층은 다소 좁지만 높게 구성되어 있어 안정감을 준다. 한편 상층기단 괴임의 하단 모서리는 둥글게, 상단 모서리는 각지게 변화를 주어 율동감을 느끼게 한다. 탑신부는 3층으로, 각 층은 탑신과 옥개로 구성되어 있다. 탑신과 옥개는 상층으로 올라가면서 폭과 높이가 줄어들도록 만들어져 있어 전체적으로 균제미가 드러난다. 상륜부는 원래의 것이 남아 있지 않다. 현재의 상륜부는 동시대에 제작된 다른 석탑의 것을 본떠 새롭게 만든 것인데, 연꽃이 장식된 석재들이 쌓아 올려진 형태는 상승감을 자아낸다.

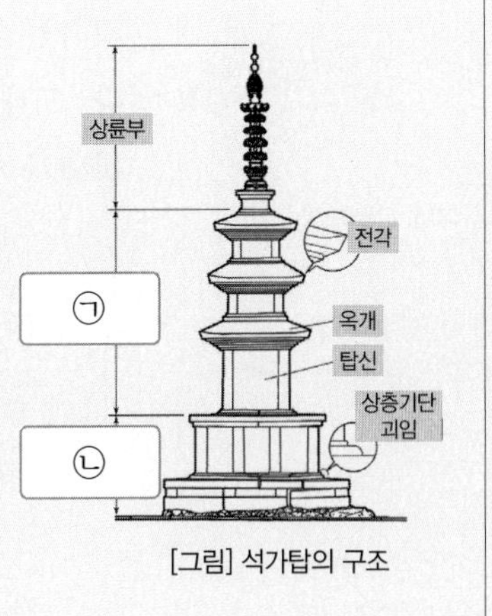

[그림] 석가탑의 구조

1 위 [그림]의 ㉠과 ㉡에 들어갈 알맞은 말을 위 글에서 찾아 써 보세요.

2 위 글에서 글쓴이가 독자의 이해를 돕기 위해 사용한 전략은 무엇인가요?

독해연습 2

아래 문단을 읽고, 물음에 답하세요.

심장은 [그림]과 같이 우심방과 우심실, 좌심방과 좌심실로 구성되어 있다. 각 심방과 심실 사이에는 (　　　)이 있고, 우심실과 폐동맥 사이, 좌심실과 대동맥 사이에는 (　　　)이 있다. 여기서 판막은 혈액을 한 방향으로만 흐르게 하는 역할을 한다는 점에서 마치 한쪽으로만 열리는 출입문에 비유될 수 있다. 방실판막은 심방에서 심실로만 열리는데, 심방의 압력이 심실의 압력보다 높을 경우에만 열린다. 동맥판막 역시 압력의 차이로 인해 심실에서 동맥으로만 열린다.

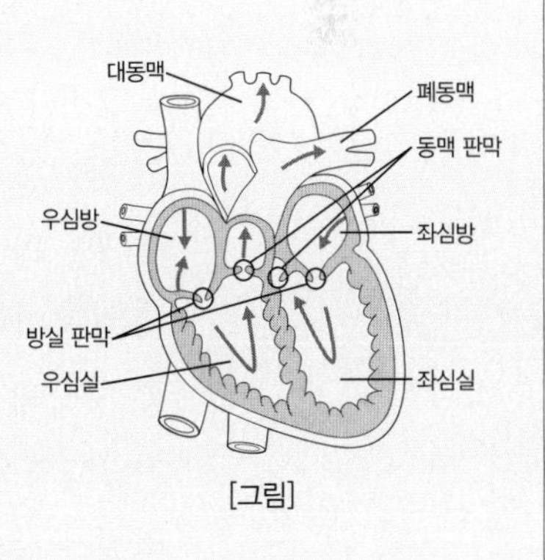

[그림]

1 위 글에서 (　　) 안에 들어갈 알맞은 말을 순서대로 써 보세요.

2 위 글의 [그림]에서 화살표는 무엇을 의미할까요?

생각읽기 5

공간 속 운동에 대하여

운동에 관한 논쟁

Q 뉴턴과 마흐가 각각 운동의 기준으로 삼은 것은 무엇인가요?

지구는 약 1,600km/h 속도로 자전하지만 이것을 실제로 느끼는 사람은 없다. 그렇지만 실제로 우리는 엄청난 속도로 회전하고 있는 셈이다. 만약 어떤 기차가 1,600km/h 속도로 동쪽에서 서쪽으로 달리는데, 이 상황을 우주에서 내려다보면 어떻게 보일까? 우주에서 바라보면 기차는 지구 자전과 빠르기는 같되 방향은 반대여서 결국은 움직이지 않는 것처럼 보일 것이다. 그래서 일찍이 갈릴레이는 속도는 상대적인 물리량일 뿐이므로 모든 운동은 상대적인 관점에서 서술되어야 한다고 보았다. 기준이 없는 속도는 물리적으로 무의미하다는 것이다.

[A]

뉴턴은 물체의 운동에 대해 갈릴레이보다 근본적인 고민을 하며 정지 상태와 등속 운동의 진정한 의미를 물었다. 운동하는 물체는 실제로 운동하고, 정지해 있는 물체는 실제로 정지해 있는 상태라고 생각한 뉴턴은 두 상태를 구별할 기준점이 필요했다. 즉 무엇에 대하여 정지해 있고, 등속 운동을 한다는 것인지를 탐구했다. 그래서 뉴턴은 우리의 오감으로는 느낄 수 없지만 어쨌거나 객관적으로 존재하면서 움직이지도, 변하지도 않는 공간을 상정하고 이를 절대 공간이라 명명했다. 뉴턴이 생각한 공간은 물리적인 실체로서, 운동하는 물체가 특정 시간에 어느 위치에 있는지를 규정지을 수 있는 절대적 배경이다.

뉴턴의 관점을 따른다면 마찰력이 없는 얼음판 위에서 스케이트를 신고 제자리를 돌 때, 양팔이 바깥쪽으로 당겨지는 느낌을 받는 것은 절대 공간에 대하여 가속 운동을 하고 있기 때문이다. 그런데 누군가가 장비를 동원하여 얼음판 전체를 회전시키고 우리는 그 위에 가만히 서 있기만 한다면 얼음판과 우리 사이의 상대 운동은 이전의 경우와 다를 것이 없지만 우리는 절대 공간에 대하여 정지해 있으므로 양팔이 바깥쪽으로 당겨지는 현상이 나타나지 않는다. 뉴턴의 공간은 비유하자면 마치 모눈종이처럼 고정된 좌표계를 갖고 있어서 모든 운동은 그 좌표에서의 움직임으로 표현될 수 있었다. 이를 토대로 그는 절대 공간 안에서 이루어지는 물체의 운동을 수학적으로 정확하게 서술할 수 있게 되었다.

그러나 이후 절대 공간 개념에 회의를 품는 사람들도 있었다. 뉴턴은 공간이 물리적 실체라고 했지만 19세기에 ㉠마흐는 공간은 실체가 아니라고 주장하면서 운동은 상대적으로 측정될 때에만 의미가 있다고 보았다. 공간이란 한 물체와 다른 물체 사이의 상대적 위치 관계를 서술하는 용어이지 물리적인 실체가 아니라는 것이다. 마흐는 '아무것도 존재하지 않는' 텅 빈 우주를 상상해 보라고 한다. 그곳에서 자신의 몸이 회전하고 있다면 팔과 다리에는 아무런 느낌도 전달되지 않고 몸이 회전하는지 여부를 확인할 방법이 없다고 보았다. 즉 이 경우 회전 상태와 비회전 상태가 물리적으로 같은 상태라는 것이다. 마흐에 따르면 회전하는 몸에 느껴지는 힘은 주변에 널려 있는 물체의 분포 상태에 따라 달라진다. 별이 단 하나밖에 없는 우주에서 회전한다면 아주 미미한 힘을 느끼고, 별이 지금보다 많은 우주에서 회전한다면 현재보다 큰 힘을 느낄 것이라고 보았다. 그러므로 운동은 궁극적으로 우주 내에서 물질의 분포 상태에 달려 있다는 것이다. 눈에 보이지 않는 절대 공간을 운동의 궁극적 기준으로 삼았던 뉴턴과 달리 마흐는 우주에 분포해 있는 물체들을 운동의 기준으로 삼았다. 이러한 마흐의 공간 개념은 아인슈타인이 공간과 우주를 새로운 관점에서 바라볼 수 있도록 만들었다.

0 [A]에 나타난 '뉴턴'의 생각에 대한 이해로 적절하지 않은 것은 무엇인가요?

① 운동은 어느 한 위치에서 다른 위치로의 이동이다.
② 운동을 정의하는 가장 확실한 기준은 절대 공간이다.
③ 속도의 변화는 운동하고 있는 물체들 간의 비교를 통해서만 감지될 수 있다.
④ 절대 공간은 실제로 증명된 것이 아니지만 물리적인 실체로서 존재하고 있는 것이다.
⑤ 운동하는 물체와 정지해 있는 물체는 각각 절대 공간에 대하여 운동하고 정지해 있는 것이다.

1 **이 글의 내용과 일치하지 않는 것은 무엇인가요?**

① 갈릴레이에게 운동은 기준에 따라 달리 서술될 수 있었다.
② 지구 위의 사람들은 지구가 회전하는 것을 지각하지 못한다.
③ 뉴턴의 공간 개념은 마흐에게 계승되어 더 발전된 이론이 되었다.
④ 뉴턴은 물체의 운동에 대해 갈릴레이보다 근본적인 고민을 하였다.
⑤ 마흐의 공간 개념은 아인슈타인이 우주를 새롭게 바라보는 시각에 영향을 주었다.

2 **㉠의 관점에서 〈보기〉를 탐구한 내용으로 가장 적절한 것은 무엇인가요?**

보 기
밧줄의 양 끝에 매여 있는 두 개의 돌멩이가 우주 공간에서 빙글빙글 돌고 있다면 밧줄은 팽팽하게 당겨질까?

① 어떤 조건에서도 밧줄이 팽팽하게 당겨질 것이다. 왜냐하면 회전 운동은 어떤 공간에서도 동일하게 지각되기 때문이다.
② 어떤 조건에서도 밧줄이 팽팽하게 당겨질 것이다. 왜냐하면 우주 내의 모든 천체들은 균질하게 분포하여 변치 않기 때문이다.
③ 어떤 조건에서도 밧줄이 느슨하게 당겨질 것이다. 왜냐하면 텅 빈 우주 안에서라면 회전 운동을 판단할 수 없기 때문이다.
④ 특정 조건에서는 밧줄이 팽팽하게 당겨질 것이다. 왜냐하면 회전하는 돌멩이들의 위치 관계가 일정하게 유지되기 때문이다.
⑤ 특정 조건에서는 밧줄이 느슨하게 당겨질 것이다. 왜냐하면 우주 안의 물질들의 분포 상태에 따라 운동이 달라지기 때문이다.

먼저 이 글에서 마흐의 관점을 살펴야겠지. 그리고 선택지에서 '어떤 조건에서도'와 '특정 조건에서는'이 제시되어 있는데, 마흐의 관점이 어디에 해당하는지, 그 조건에 해당하는 내용은 무엇인지 파악해야 해.

3 이 글을 바탕으로 〈보기〉를 설명한 것으로 바르지 <u>않은</u> 것은 무엇인가요?

보 기

슬기와 재석은 200km/h 속도로 주행하는 기차를 타고 가고 있었다. 그 사이 내내 슬기는 책을 읽었고 재석은 슬기 옆자리에 앉아 야구공을 위로 던졌다가 다시 받는 놀이를 계속 반복했다.

① 갈릴레이는 슬기를 기준으로 본다면 슬기의 책의 이동 속도는 0km/h라고 말할 것이다.
② 뉴턴은 절대 공간을 기준으로 본다면 재석과 슬기의 이동 거리는 같다고 말할 것이다.
③ 뉴턴은 절대 공간을 기준으로 본다면 슬기의 책은 운동하고 있다고 말할 것이다.
④ 마흐는 슬기를 기준으로 본다면 슬기와 재석의 위치 관계는 변함이 없었다고 말할 것이다.
⑤ 마흐는 야구공을 기준으로 본다면 재석이 정지 상태에 있었다고 말할 것이다.

생각읽기 6

운동할 때 우리 몸에서 일어나는 일들

운동 생리학

Q 운동 생리학은 우리 생활에 어떤 도움을 주고 있나요?

우리가 달리기 시합을 할 때를 생각해 보자. 팔과 다리를 앞뒤로 힘차게 움직여 최대한 빠른 속도를 내려고 노력할 것이다. 처음 출발했을 때와 달리 어느 정도 시간이 지나면 호흡이 가빠지고 심장도 빨리 뛴다는 것을 느끼게 된다. 이렇게 운동을 할 때 일어나는 다양한 신체 반응을 연구하는 학문을 운동 생리학이라고 한다. 이러한 운동 생리학은 운동을 할 때 일어나는 신체의 반응을 과학적으로 살펴봄으로써 운동을 정확하고 안전하게 지도할 수 있게 하며, 운동을 통한 치료 및 재활에 도움을 줄 수 있다.

우리의 뇌에서 신체의 움직임을 담당하는 부분은 대뇌 피질이다. 대뇌 피질에서 근육을 움직이게 하는 신호가 발생하면, 이 신호는 척추 내부의 신경 다발인 척수를 거치고, 척수와 근육을 연결하는 운동 신경을 거쳐 해당 근육으로 전달된다. 우리 몸에서 신체의 움직임을 담당하는 근육은 뼈와 붙어 있는 근육인 골격근인데, 신체 동작은 골격근의 수축으로 발생한다. 예를 들어 허벅지의 앞쪽에 있는 '대퇴 사두근'이 수축하면 무릎이 펴지고, 허벅지 뒤쪽에 있는 '대퇴 이두근'과 무릎 아래 정강뼈 뒤에 있는 '장딴지근'이 수축하면 무릎이 굽혀지는 것이다. 그런데 근육이 수축할 수 있는 에너지는 ATP라는 유기 화합물에 의해 형성된다. 근육 세포에 저장된 ATP가 분해되면서 근육을 수축시키는 에너지가 나오는 것이다. 그러나 그 양이 얼마 되지 않아, 격한 운동을 할 경우 1~2초 만에 고갈된다. 이때부터 근육 세포에서는 ATP를 만들어 사용하는 시스템이 작동된다.

ATP 생성 시스템은 산소의 이용 유무에 따라 크게 무산소 과정과 유산소 과정으로 나누어지며, 무산소 과정은 다시 ATP-PCr 과정과 젖산 과정으로 나누어진다. ATP 생성은 ATP-PCr 과정부터 시작된다. 이 과정은 세포 내에 극소량 존재하는 크레아틴 인산(PCr)이 크레아틴과 인으로 분해될 때 나오는 에너지로 ATP를 생성하는 과정으로, 6~9초 동안만 지속된다. 그 이후에는 근육 세포 내의 포도당이 분해되면서 발생하는 에너지를 이용하여 ATP를 생성하는 '젖산 과정'이 시작되며, 이때 젖산이 만들어진다. 이 과정은 격한 운동에서는 45초, 느슨한 운동에서는 2분 정도 동안 지속된다. 그런데 '젖산 과정'이 지속되면 근육 세포 내에 젖산이 축적되어 근육의 피로도를 높일 뿐만 아니라, 포도당의 분해 효율을 떨어지게 만듦으로써 ATP 생성을 방해하게 된다. 그래서 유산소 과정이 시작되어 ATP를 생성한다. 유산소 과정에서는 세포 내에 있는 포도당과 지방산이 모두 산소와 결합하면서 이산화 탄소와 물로 분해되는데, 이때 에너지가 발생하고 이 에너지로 ATP를 생성한다. 이 과정에서 필요한 산소는 혈액을 통해 공급되며, 이산화 탄소와 물은 다시 혈액에 실려 나가고, 이산화 탄소는 호흡을 통해 체외로 배출된다. 운동의 강도가 강해질수록, 필요한 산소와 배출되는 이산화 탄소 및 물이 많아지게 된다. 이로 인해 호흡은 빨라지고, 심장 박동수가 증가하게 되는 것이다. 또한 심장 박동 수가 증가하면 혈류량이 많아져 혈압이 상승하게 된다. 한편, 포도당과 지방산이 산소와 결합되고 분해되는 과정에서 열이 발생하게 되므로, 운동을 할 때 체온이 상승하게 되는 것이다.

이때 우리 몸에는 항상성을 유지하기 위한 반응이 나타난다. 항상성이란 인체를 안정적인 상태로 유지하려는 성질을 의미한다. 이러한 항상성은 교감 신경과 부교감 신경의 조화를 통해 조절되는데, <u>㉠운동의 강도가 강해질 때의 유산소 과정으로 여러 신체 반응이 나타나면 부교감 신경이 활성화되어 안정적인 상태로 만들려고 한다</u>. 부교감 신경은 우리 몸의 근육이나 여러 신체 기관에 퍼져 있는 말초 신경계를 이루고 있는 신경이다. 말초 신경계에는 부교감 신경 외에도 교감 신경이 있는데, 두 신경은 서로 반대되는 작용을 한다. 교감 신경은 심장을 더 빨리 뛰게 만들어 더 많은 혈액과 산소를 근육으로 보내고, 위의 움직임을 최소화하여 소화를 억제하며, 폐와 기도를 확장시켜 더 많은 산소를 확보하고 이산화 탄소를 배출하도록 하며, 혈관을 수축시켜 혈압을 높이는 작용을 한다.

0 **〈보기〉의 ⓐ~ⓔ는 운동 과정에서 일어나는 신체의 반응을 나타낸 것입니다. 이 글을 바탕으로 ⓐ~ⓔ를 순서대로 배열한 것은 무엇인가요?**

보 기
ⓐ 부교감 신경의 활성화 ⓑ 필요한 골격근의 수축 ⓒ 대뇌 피질의 신호 생성 ⓓ ATP 생성 시스템 작동 ⓔ 척수와 운동 신경의 신호 전달

① ⓒ – ⓐ – ⓔ – ⓑ – ⓓ
② ⓒ – ⓑ – ⓔ – ⓓ – ⓐ
③ ⓒ – ⓓ – ⓑ – ⓔ – ⓐ
④ ⓒ – ⓔ – ⓐ – ⓑ – ⓓ
⑤ ⓒ – ⓔ – ⓑ – ⓓ – ⓐ

1 **이 글을 바탕으로 〈보기〉를 이해한 내용으로 가장 적절한 것은 무엇인가요?**

| 보 기 |

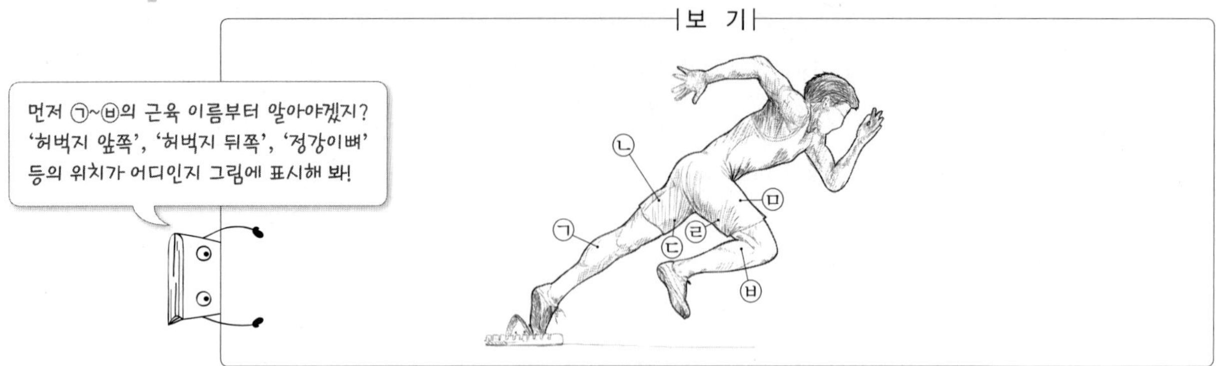

① 현재 상태에서 수축되어 있는 근육은 ㉣, ㉥밖에 없다.
② 현재 수축된 ㉣, ㉥과 달리 ㉠, ㉡은 동시에 수축될 수 없다.
③ 현재 상태에서 운동에 사용되고 있는 근육은 ㉣, ㉤, ㉥이다.
④ 왼쪽 다리의 근육인 ㉠, ㉡, ㉢은 모두 이완되어 있는 상태이다.
⑤ ATP가 분해되어 발생한 에너지가 작용하는 근육은 ㉢, ㉣, ㉥이다.

2 **㉠의 구체적 내용을 추론한 것으로 적절하지 않은 것은 무엇인가요?**

① 체외로 땀을 배출시켜 체온을 떨어뜨린다.
② 혈관을 확장시켜 혈관의 압력을 떨어뜨린다.
③ 폐와 기도를 축소시켜 호흡을 느리게 만든다.
④ 위의 움직임을 최소화시켜 소화를 억제시킨다.
⑤ 심장 박동 수를 감소시켜 혈류량을 감소시킨다.

3 'ATP 생성 시스템'에 대한 설명으로 적절하지 않은 것은 무엇인가요?

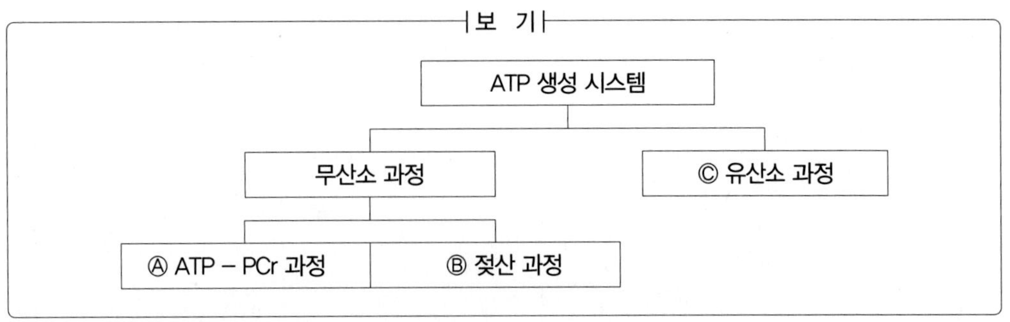

① 1분 동안 50㎏의 역기를 계속 들었다 내려놓는 운동에는 ©가 필요하다.
② ©에서 ATP를 생산하기 위해 분해되는 물질에는 Ⓑ와 동일한 것도 있다.
③ Ⓐ와 Ⓑ의 지속 시간이 짧은 이유는 세포 내 크레아틴 인산(PCr)이 적기 때문이다.
④ Ⓐ와 달리 ©의 결과로 발생하는 물질 중에는 폐를 통해 몸 밖으로 내보내는 것도 있다.
⑤ Ⓑ와 달리 ©는 산소 결합 과정이 필요하며, 운동이 격할수록 혈류량이 증가하게 된다.

Q 다음은 생각을 읽을 수 있는 지문 구조도를 퍼즐로 나타낸 것입니다. 앞에서 읽은 글의 내용을 떠올리며 생각읽기 1~6에 해당하는 퍼즐을 선으로 연결해 보세요.

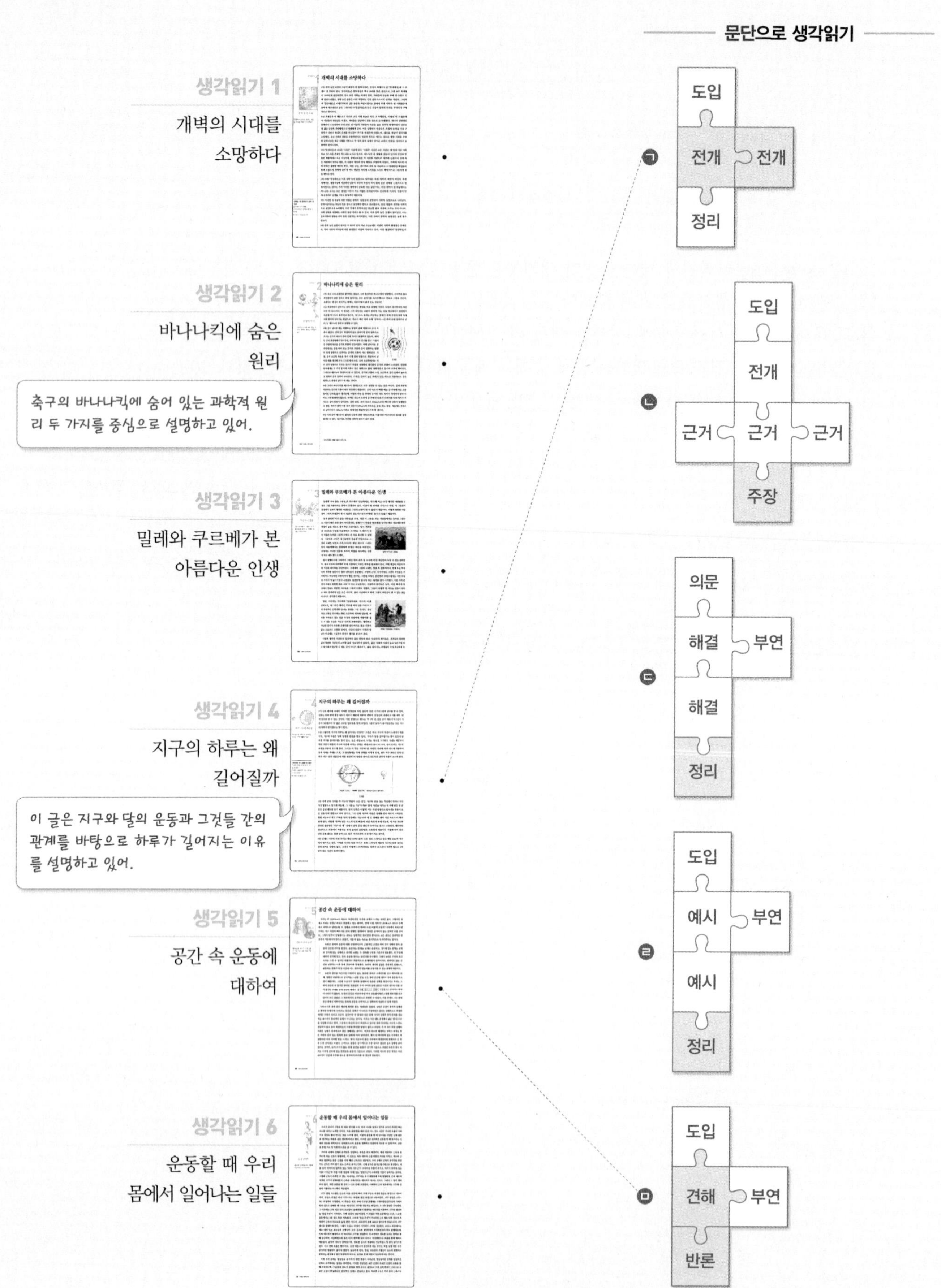

한 문장으로 생각읽기

1 『동경대전』에 담긴 [| |] 사상, 후천 개벽 사상은 동학의 실천성과 결합하여 동학 농민 운동이라는 사회적 실천으로 이어졌다.

2 축구에서 [| | |]의 원리는 베르누이 정리와 난류에 대한 역학을 통해 설명할 수 있다.

3 밀레나 쿠르베와 같은 [| | |] 화가들은 평범한 사람들을 모델로 그들이 살아가는 일상적 삶을 화폭에 담으며 사람들의 삶에 대한 깊은 철학적 사유를 보여 주었다.

4 달의 인력과 지구–달의 원운동에 의한 원심력의 영향으로 지구의 [|] 주기가 느려지면서 지구의 하루도 길어지고 있다.

5 갈릴레이는 물체의 운동을 상대적 관점에서 이해하였고, 뉴턴은 [|] 공간을 기준으로 물체의 운동을 설명하였으며, 마흐는 우주에 분포해 있는 물체들을 기준으로 물체의 운동을 설명하였다.

6 운동을 할 때 뇌에서는 근육을 움직이게 하는 신호가 발생하여 해당 근육으로 전달되는데, 근육 수축에 필요한 에너지는 [| |] 생성 시스템을 통해 만들어지고, 교감 신경과 부교감 신경의 조절을 통해 항상성을 유지하기 위한 반응이 나타난다.

한 단어로 생각읽기

인간은 왜 운동을 할까?

"운동은 변화를 만든다"

우주의 수많은 별과 지구와 달에서, 얼음판 위에서, 사람들의 삶과 생각 속에서 끊임없이 운동이 일어나고 있다는 것을 우리는 이미 확인했습니다. 운동은 세상의 모든 곳에서 조용히 일어나고 있으며, 거의 느낄 수 없는 미미한 변화에서부터 지구 전체가 사라지는 것에 맞먹는 어마어마한 변화에 이르기까지 다양한 형태의 변화를 가져옵니다.
그렇다면 당신은 어떠한 '변화'를 바라며 그것을 위한 '운동'을 하기 위해 얼마만큼의 '에너지'를 가지고 있나요?

행동하라, 그러면 신은 내 편이 되어 줄 것이다.
– 잔 다르크

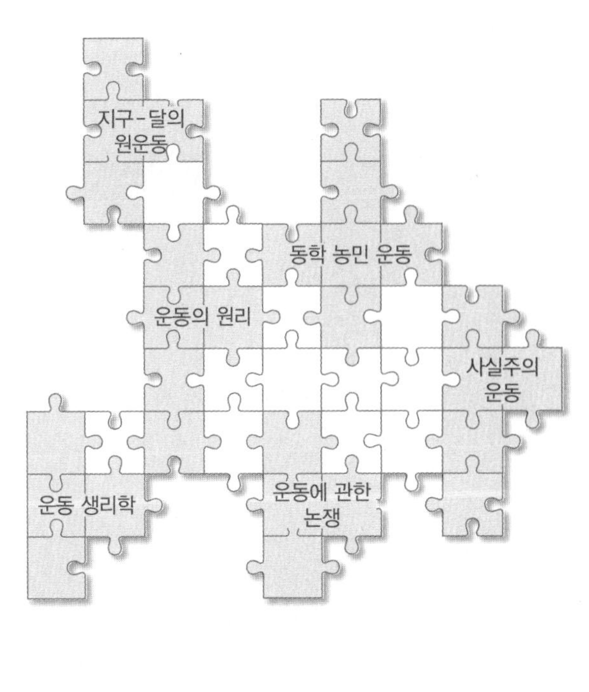

생각의 발견

03 원리

원리를 말하다!

과학 과목을 공부할 때, 가장 많이 듣는 단어 중 하나가 바로 '원리'입니다. 과학이라는 학문 자체가 자연 현상에 담겨 있는 원리를 밝히는 것에서부터 시작했기 때문입니다. 그러나 사실 과학뿐만 아니라 모든 학문은 어떤 대상이나 현상에 내재된 원리를 탐구하고, 그 원리를 적용하려고 노력합니다. 대상이나 현상이 발생하고, 변화하고, 소멸하는 근본 이치인 원리를 파악하는 것이 곧 우리 자신은 물론 우리가 살고 있는 이 세계에 대해 이해하는 것이기 때문입니다. 그렇다면 어떤 대상과 현상에 담겨 있는 원리에는 구체적으로 어떤 것들이 있는지 함께 알아볼까요?

생각읽기 1

조선에도 디지털 시계가 있었다

자격루의 원리

Q 장영실이 이전의 물시계보다 더 정확한 물시계를 만들기 위해 한 일은 무엇인가요?

1434년 7월 1일, 조선 왕조는 자격루라고 불리는 자동 물시계를 국가의 새로운 표준 시계로 채택했다. 세종의 명을 받은 장영실은 이전의 물시계보다 더 정확한 물시계를 만들기 위해 시각을 측정하는 잣대의 길이를 4배가량 키워 눈금을 세밀하게 새겨 넣고, 물받이 통을 비울 때도 연속적으로 시간을 잴 수 있게 통을 2개로 늘렸다. 여기에 자동으로 시간을 알려 주는 장치를 더하여 자격루를 완성하였다.

자격루는 시각을 측정하는 물시계, 물시계에서 측정된 시간을 소리로 바꿔 주는 시보 장치, 물시계와 시보 장치를 연결해 주는 방목(方木) 등 크게 세 부분으로 이루어져 있는데, 물을 공급하는 항아리인 파수호에서 물을 흘려보내면 물받이 통인 수수호에 물이 고이는 구조로 되어 있다. 수수호에 띄워 놓은 잣대가 고인 물의 부력*에 의해 떠오르면 잣대에 새긴 눈금을 읽어 시각을 알아낸다. 따라서 물시계의 정확도를 높이려면 수수호를 튼튼하게 제작하여 물이 가득 찼을 때 받는 수압에도 변형되지 않도록 만들 필요가 있었다. 실제 자격루의 수수호는 지금까지도 원형을 그대로 유지하고 있다.

시보 장치의 상단에 설치된 3개의 시보 인형은 시(時), 경(更), 점(點)마다 각각 종, 북, 징을 쳐서 시간을 알린다. 시보 인형 가운데 하나는 시를 알려 준다. 매 시각마다 인형의 팔뚝과 연결된 제어 장치가 작동하여 인형의 팔뚝을 움직이고 그 움직임이 종을 울리게 한다. 시를 담당한 인형이 종을 울리면 곧이어 시보 장치 하단에서 12지신 가운데 그 시에 해당하는 동물 인형이 시 이름이 적힌 팻말을 들고 나온다. 예를 들어 자시(子時)*에는 쥐 인형이 '자(子)'라는 글자가 적힌 팻말을 들고 나와 지금 울린 종소리가 자시라고 알려 준다. 이러한 일련의 동작은 시보 장치 안에 있는 복잡하면서도 정교한 기계에 의해 자동으로 진행된다. 경과 점을 알려 주는 북과 징, 경과 점을 나타내는 2개의 인형은 경점법이라는 우리의 고유한 시간 표시 방법에 따라 작동하면서 시간을 더 자세하게 알려 준다. ㉠경점법이란 해가 진 뒤부터 다음 날 해가 뜨기 전까지의 하룻밤을 5등분하여 5경으로 나누고, 1경은 다시 5등분하여 5점으로 나누는 방법이다. 경점법은 계절에 따라 해가 뜨고 지는 시각이 변하는 것도 고려하여 실생활의 시간을 반영하였다.

㉡아날로그-디지털 신호 변환기의 원리가 들어 있는 방목은 시보 장치가 자동으로 작동할 수 있는 동력을 제공한다. 방목 속에는 구리로 만든 구슬이 칸칸이 놓여 있는데, 수수호에 물이 차올라 잣대가 떠오르면서 잣대의 머리가 방목 안에 설치된 장치를 건드려 구슬을 차례대로 떨어뜨린다. 연속적으로 흘러내리는 물의 양인 아날로그 신호가 일정한 간격마다 구슬이 떨어지는 불연속적인 디지털 신호로 변환되는 것이다. 그리고 구슬이 떨어지면서 발생하는 운동 에너지는 시보 장치에 전달되어 시간을 알려 주는 데 사용된다. 한마디로 말해 자격루는 디지털 방식을 도입한 기계식 시계인 셈이다.

한편, 조선 왕조에는 자격루가 제작되기 전부터 시간을 측정하고 알려 주는 일을 담당하는 관청이 있었다. 물시계를 맡은 관리는 밤낮으로 물시계를 지켜보면서 시간을 알려 주었는데, 가끔씩 제때를 놓쳐 처벌되는 경우도 있었다. 이런 상황에서 자동 시보 장치를 가진 정확한 물시계의 제작은 모든 시계 제작 기술자의 ⓐ꿈이었으며, 예로부터 정확한 시간을 알려 줄 책임과 의무를 지닌 왕의 소망이기도 하였다. 자격루는 그 꿈을 실현시킨 15세기의 첨단 기술이었던 것이다.

* 부력: 기체나 액체 속에 있는 물체가 그 물체에 작용하는 압력에 의해 중력에 반하여 위로 뜨려는 힘. 물체에 작용하는 부력이 중력보다 크면 뜬다.
* 자시: 십이시(十二時)의 첫째 시. 밤 열한 시부터 오전 한 시까지를 말한다.

0 **이 글을 읽고 '자격루'를 발명한 이유에 대해 답할 때, 가장 적절한 것은 무엇인지 고르세요.**

① 시간을 측정하는 과정을 단축시키기 위해 ☐
② 시간을 재는 장치의 복잡성을 해소하기 위해 ☐
③ 물시계를 맡은 관리들의 노고를 덜어 주기 위해 ☐
④ 우리의 고유한 시간 표시 방법을 정립하기 위해 ☐
⑤ 시간을 바르게 재어 정확한 시간을 알려 주기 위해 ☐

1 〈보기〉는 이 글을 읽고 자격루의 구조를 추정하여 그린 그림입니다. ⓐ~ⓔ의 기능을 설명한 내용으로 적절하지 않은 것은 무엇인가요?

보 기

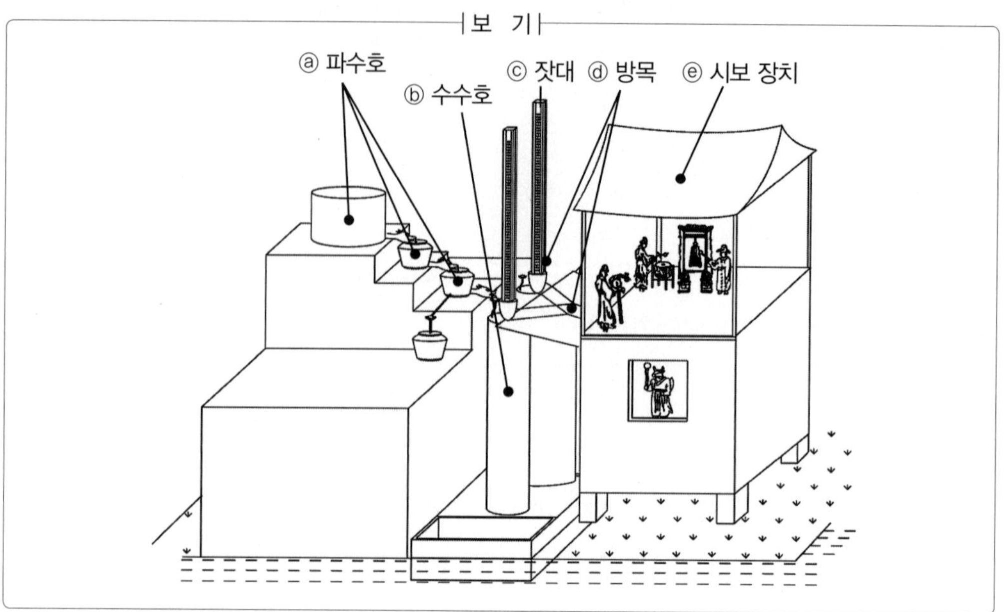

① ⓐ: 물을 공급하는 역할을 한다.
② ⓑ: ⓐ에서 받아 낸 물을 고이게 하는 장치이다.
③ ⓒ: ⓑ의 물의 부력에 의해 떠오르면서 눈금을 통해 시각을 알게 해 준다.
④ ⓓ: ⓒ에 있는 구슬을 ⓔ로 떨어뜨려 전달하는 기능을 한다.
⑤ ⓔ: 인형들을 활용해 시간을 알리는 기능을 한다.

2 ㉠을 이해한 내용으로 적절하지 않은 것은 무엇인가요?

① 경과 점을 알리는 악기의 종류가 서로 달랐겠군.
② 시보 장치에서 경과 점을 알려 주는 인형은 2개가 작동되었겠군.
③ 경과 점을 알려 줄 때마다 사람이 직접 인형을 움직였겠군.
④ 우리 고유의 시간 표시 방법으로, 시간을 더 자세히 알려 주었겠군.
⑤ 해가 뜨고 지는 시각이 조금씩 변할 때마다 경과 점의 길이도 달라졌겠군.

3 〈보기〉를 활용해 ㉡을 이해한 내용으로 가장 적절한 것은 무엇인가요?

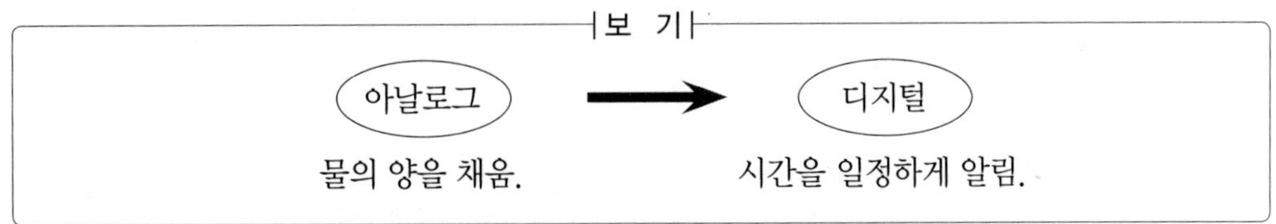

① 수수호와 시보 장치를 연결해 물의 양을 일정하게 차게 하는 원리
② 구슬이 방목을 움직여 수수호의 물의 양을 일정 간격으로 채우는 원리
③ 방목과 시보 장치가 자동으로 작동해 잣대가 일정한 시간마다 떠오르는 원리
④ 방목 안에 설치된 장치를 통해 구슬의 양을 조정하여 일정하게 시간을 알리는 원리
⑤ 수수호에 차 있는 물의 양에 따라 일정한 간격으로 구슬이 떨어지게 되어 있는 원리

4 ⓐ와 가장 가까운 의미로 사용된 것은 무엇인가요?

① 어릴 때는 소설가가 되고 싶은 꿈을 가졌었다.
② 지난 밤 꿈에 전학 간 친구가 나타나 정말로 반가웠다.
③ 이 자리에서 너와 만나리라고는 정말 꿈에도 생각하지 못했다.
④ 타임머신을 타고 과거로 돌아가겠다는 것은 꿈에 불과한 일이지.
⑤ 말단 직원이 하루아침에 사장이 되려는 것은 한낱 꿈에 지나지 않는다.

생각읽기 2

회화의 조형 원리, '통일성'

통일성의 원리

Q 회화에서 통일성의 원리를 바탕으로 작품을 감상한다는 것은 어떻게 감상하는 것을 의미하나요?

회화 작품에는 점, 선, 면, 형태, 색채와 같은 조형 요소와 통일성, 균형, 비례와 같은 조형 원리들이 다양하게 어우러져 있다. 이들은 감상자에게 시각적으로 작용함은 물론 심리적으로도 영향을 미칠 수 있다. 회화의 조형 원리 중 하나인 통일성은 화면의 여러 조형 요소들에 일관성을 부여하여 관람자가 머릿속에서 조화, 일치, 일관성 등을 느끼는 일을 말하는 것이다. 회화에서 통일성이 가능한 것은 독일의 심리학자 막스 베르트하이머가 제시한 게슈탈트 시지각 원리와 관련된다. 이 원리는 베르트하이머가 기차 여행 중 불투명한 벽과 창문 프레임이 부분적으로 자신의 시야를 가리고 있는데도 바깥의 경치를 볼 수 있다는 것에서 영감을 얻어 만들어진 것으로, 어떤 대상을 단순히 생물학적인 차원에서 망막에 맺힌 형상을 시각이 받아들인다는 개념에서 더 ㉠복잡한 과정을 거친다는 것을 나타낸다.

회화의 통일성은 시각적인 것과 지적인 것으로 나눌 수 있다. 시각적 통일성이란 눈으로 볼 수 있는 각 조형 요소들 사이에 존재하는 유사성이나 규칙성 등을 통해 통일성을 이루는 것을 의미한다. 이는 작품을 보는 순간 느끼는 직접적인 것으로 형태나 색채 등의 시각적인 조형 요소들로 표현된다. 지적 통일성이란 주제와 관련된 의미나 개념이 통일성을 이루는 것을 말한다. 즉 사고를 통해 알 수 있는 개념적인 것들이 주제와 연관성을 가지는 통일성을 의미한다. 시각적인 일치를 이루고 있지는 않더라도 특정 주제에 대해 그와 관련된 것들로 그림을 완성하였다면 이는 지적 통일성을 이루고 있다고 말할 수 있다. 따라서 시각적인 통일성이 조형 요소의 형식적 질서라면, 지적인 통일성은 내용에 대한 질서라고 할 수 있다.

통일성이 느껴지는 작품, 클림트의 「너도밤나무 숲」

통일성을 구현하기 위해서 보편적으로 인접, 반복, 연속 등의 방법이 사용된다. 인접은 각각 분리된 요소들을 가까이 배치해 서로 관계를 맺고 있는 것처럼 보이게 만드는 방법이다. 밤하늘에서 별자리를 찾는 일도 몇몇 특정한 별들을 인접시켜 해석함으로써 형상에 따라 의미를 부여한 것이고, 문자를 인접시켜 단어를 만드는 것도 통일성의 질서를 이용한 것이라 할 수 있다. 반복은 부분적인 것들을 반복시켜 작품 전체에 통일성을 부여하는 방법이다. 반복되는 것에는 색깔이나 형태, ㉡질감은 물론이고 방향이나 각도 등 여러 가지가 있을 수 있다. 마지막으로 연속은 어떤 대상에서 다른 대상으로 연관을 가지고 이어지게 하여 통일성을 구현하는 방법이다. 연관된 것들을 보게 되면 우리의 눈길은 어떤 것에서 연관된 그다음의 것으로 자연스럽게 옮겨 가게 된다. 시각적으로는 형태나 색채 등이 화면에서 연관되는 것을 의미하고, 지적으로는 주제와 관련된 의미나 개념이 서로 연결되며 이어지는 것을 말한다. 이는 주제와 관련된 대상들을 연속적이고 유기적으로 배열하여 작품 전체에 통일성을 부여하는 것이다.

통일성은 작품에서 주제를 구현하는 중요한 조형 원리이다. 회화에서 통일성의 원리를 바탕으로 작품을 감상하는 것이 중요한 이유는 작품 속의 다양한 조형 요소와 그 조형 요소들이 이루는 일관된 질서를 바탕으로 작품을 감상했을 때 감상자는 작가가 의도한 작품의 의미에 한 발 더 다가서서 작품의 의미를 이해할 수 있기 때문이다.

0 이 글을 고려할 때, 회화에서 '통일성'을 추구하는 이유는 무엇인가요?

① 창작자가 소재를 활용할 때 다양한 소재 선택이 가능하기 때문에
② 회화 작품의 주제를 표현할 때 심리학적 주제 의식을 가미할 수 있기 때문에
③ 회화에 문자를 활용할 때 감상자들이 문자의 의미를 잘 파악할 수 있기 때문에
④ 감상자의 경험을 환기할 때 작품에 대한 풍부한 해석까지 유도할 수 있기 때문에
⑤ 감상자가 작품을 감상할 때 작가가 의도한 작품의 의미를 보다 잘 이해할 수 있기 때문에

중심 화제의 핵심 의도를 묻는 문제가 나왔네? 글에서 중심 화제의 성격을 이해하고 글쓴이가 이러한 화제를 설정한 의도를 파악해야 한다는 것 잊지 마!

통일성이란 다양한 요소들이 있으면서도 **전체가 하나로서 파악되는 성질**이야.
글에서는 한 문단이 **하나의 중심 생각으로 뭉쳐 있는 것**을 말해.

1 이 글의 내용과 일치하지 않는 것을 고르세요.

① 회화에서 조형 요소로는 점, 선, 면, 형태, 색채를 들 수 있다. ▢
② 회화에서 조형 원리로는 통일성 외에 균형, 비례를 들 수 있다. ▢
③ 통일성에서 지적 통일성은 조형 요소의 조화, 일치 등과 관련이 있다. ▢
④ 시각적 통일성은 조형 요소들 간의 유사성이나 규칙성을 통해 이루어진다. ▢
⑤ 회화의 조형 원리 중에서 통일성은 작품의 주제를 구현하는 일과 연관된다. ▢

2 ㉠에 대해 이해한 내용으로 가장 적절한 것은 무엇인가요?

① 감상자가 두뇌 작용을 통해 인지한 형상으로 심리적 안정감을 갖는다.
② 감상자가 형상을 인지하고 개인적 경험을 일깨워 즐거운 추억을 되새긴다.
③ 감상자가 형상의 가장 아름다운 부분을 찾아내서 오래도록 기억에 간직한다.
④ 감상자가 형상을 두뇌로 지각하는 과정에서 형상의 형태를 해석하여 인지한다.
⑤ 감상자가 두뇌 작용을 통해 형상에서 오류로 느껴지는 부분을 바르게 이해한다.

3 ㉡에 초점을 둔 감상의 사례로 적절하지 않은 것을 고르세요.

① 크고 작은 사과의 대치를 통해서 원근감을 표현하도록 했군. ☐
② 책상 위를 두텁게 칠해서 나무 재질이 거칠게 보이도록 했군. ☐
③ 나무 뒤의 배경 부분을 하얗게 칠해서 하늘이 매끄럽게 보이게 했군. ☐
④ 초가집의 지붕에 있는 짚풀을 여러 겹으로 그려 울퉁불퉁해 보이게 했군. ☐
⑤ 의자 바닥 부분을 단색으로 처리함으로써 부드럽게 보이는 효과를 나타냈군. ☐

4 이 글을 바탕으로 〈보기〉를 감상한 내용으로 적절하지 않은 것은 무엇인가요?

보 기

이 작품은 드가가 오른쪽 맨 앞쪽 박스 석에 앉아 바라본 오케스트라 공연 풍경을 그린 그림이다. 그림 중앙에 드가와 절친했던 바순 연주자 데지레 디오의 연주 모습을 중심으로 오른쪽에는 등을 보이고 있는 첼로 연주자, 그 상단에는 무용수 여인들의 모습을 마치 사진을 찍듯 사실적으로 그린 작품이다.

① 드가가 가깝게 보이는 연주자일수록 크게 그리는 규칙성을 통해 시각적 통일성을 이루고 있군.
② 연주자들이 악기를 들고 있는 모습이 거의 유사하다는 점에서 지적 통일성이 부여되고 있다고 하겠군.
③ 연주자들의 의상이나 시선이 거의 유사하게 일치하고 있는 점에서 연속에 의한 통일성을 확인할 수 있군.
④ 연주자들의 연주나 무용수들의 무용 등 비슷한 행위들을 배치했다는 점에서 반복을 통한 통일성을 확인할 수 있군.
⑤ 연주자와 무용수들의 거리를 가깝게 배치하여 서로 관계를 맺고 있는 것처럼 표현함으로써 인접의 원리를 통해 통일성을 구현하고 있군.

감상하랬다고 정말 감상만 하는 건 아니지?
감상도 결국 주제 파악의 또 다른 이름이야.

생각읽기 3

훈민정음의 창제 원리와 가치

훈민정음의
제자 원리

Q 글자를 표기하는 측면에서 알파벳보다 훈민정음이 창의성이 더 발휘되었다고 볼 수 있는 근거는 무엇인가요?

훈민정음은 1443년 세종이 집현전 학자들의 도움을 받아 창제한 우리나라 고유의 글자이다. 훈민정음은 '백성을 가르치는 바른 소리'라는 뜻으로, 오늘날에는 '한글'로 불린다. 훈민정음은 자음 17자, 모음 11자를 포함해 모두 28자로 이루어졌다. 먼저 자음에서 'ㄱ, ㄴ, ㅁ, ㅅ, ㅇ'의 다섯 자를 기본자로 설정했는데, 그 발음을 내는 데 쓰이는 발음 기관을 본떠 만들었다는 데서 과학성이 증명되고 있다. 'ㅁ'을 입 모양에서, 'ㅅ'을 이[齒] 모양에서, 'ㅇ'을 목구멍 모양에서 따온 일은 그나마 단순한 편이다. 'ㄱ'을 혀뿌리가 목구멍을 막는 모양에서, 'ㄴ'을 혀가 윗잇몸에 닿는 모양에서 본떴다는 것이 그 증거가 된다. 영국의 언어학자 제프리 샘슨이 자신의 저서에서 한글을 가장 과학적이며, 이 세상 최고의 자모(字母)라 칭송하는 이유도 ㉠<u>여기</u>에 있다.

㉡<u>훈민정음의 제자 원리</u>*로는 기본 글자에 획을 더해 사용하는 가획의 원리와 기본자를 서로 합해 사용하는 합성의 원리를 들 수 있다. 훈민정음은 영어의 알파벳처럼 뿔뿔이 만든 것이 아니라 자음과 모음 28자를 만들 때 기본자를 먼저 만들고 나머지는 거기에 획을 더하거나 그것을 조합해 사용하도록 했다. 먼저 자음은 ㄱ, ㄴ, ㅁ, ㅅ, ㅇ을 기본자로 삼고, 나머지는 발음이 차츰 더 거세어짐에 따라 한 획이나 두 획을 덧붙여 만들어 나갔다. 'ㅋ'을 보면 그것이 'ㄱ'과 관련 있는 소리로 'ㄱ'보다 더 거센소리임을 짐작할 수 있고, 'ㅅ, ㅈ, ㅊ'은 서로 같은 계열의 소리임을 알 수 있다. 영어에서 알파벳 t나 d, k와 g가 동일 계열의 소리임을 보여 주는 어떤 실마리도 찾아낼 수 없는 것과 비교된다.

기본자	한 획 더한 글자	두 획 더한 글자
ㄱ	ㅋ	
ㄴ	ㄷ	ㅌ
ㅁ	ㅂ	ㅍ
ㅅ	ㅈ	ㅊ
ㅇ	ㆆ	ㅎ

모음도 '하늘'을 본떠 'ㆍ'를, '땅'을 본떠 'ㅡ'를, '사람'을 본떠 'ㅣ'를 만들어 기본자로 하고, 'ㅡ'와 'ㅣ'에 'ㆍ'를 결합한 초출자를, 초출자에 'ㆍ'를 결합한 재출자를 만들어 절묘함을 보여 준다. 다시 말하면 초출자 중 양성 모음인 'ㅏ, ㅗ'는 'ㆍ'를 오른쪽과 위쪽에 배치하고 음성 모음인 'ㅓ, ㅜ'는 'ㆍ'를 왼쪽과 아래쪽에 배치하였으며, 재출자인 이중 모음 'ㅑ, ㅕ, ㅛ, ㅠ'는 초출자와 'ㆍ'를 각각 결합해 만들었다.

기본자	기본자의 결합	초출자	재출자
ㅣ ㆍ ㅡ	ㆍ⊕ㅣ	ㅏ	ㅑ
		ㅓ	ㅕ
	ㆍ⊕ㅡ	ㅗ	ㅛ
		ㅜ	ㅠ

그런데 세종은 글자를 표기하는 데서 창의성을 더욱 발휘하여 모아쓰기를 고안해 낸다. 음운 문자라면 으레 알파벳처럼 '책상'을 'ㅊㅐㄱㅅㅏㅇ'처럼 한 음운씩 적어야 하는데, 훈민정음

은 이와 달리 음운을 모아서 표기했다. 예를 들어 초성 · 중성을 합쳐서 '가', 초성 · 중성 · 종성을 합쳐서 '강'으로 표기하는 방식인데, 훈민정음이 자음이나 모음에 바탕을 둔 음운 문자이면서 음절 단위로 표기하는 음절 문자의 성격을 함께 지니고 있다고 한 이유를 ㉢여기서 발견할 수 있다. 훈민정음의 모아쓰기 원칙은 독서의 능률을 높이는 좋은 방식이다. 영어처럼 풀어 써도 사람들은 무의식적으로 음절 단위로 끊어 읽는다고 한다. 그런데 한글은 미리 음절 단위로 끊어 읽도록 했다는 점에서 너무나 큰 배려인 셈이다. 한글은 실질적인 의미를 지닌 말에 조사나 어미가 붙어 쓰이는데, 예를 들어 '젊어서', '젊으니', '젊도록' 등처럼 실질적인 의미를 지닌 말에 어미를 붙여 쓴다. 이때 '젊–'과 같이 한눈에 들어오도록 한 모아쓰기는 매우 절묘한 표기 방식이 아닐 수 없다.

* 제자 원리: '글자를 만드는 기본 원리.'를 가리키는 말로, '제자해(制字解)'라고도 함. 특히 훈민정음에서는 자음이나 모음 등 음운을 어떤 원칙을 통해 만들었는가에 관한 원리를 말한다.

0 **이 글의 제목으로 가장 적절한 것을 고르세요.**

① 훈민정음의 제자 원리를 통해 살펴본 우리 글자의 우수성 ☐
② 훈민정음의 창제 과정에 나타난 세종의 뛰어난 학문적 업적 ☐
③ 훈민정음 창제를 위한 집현전 학자들의 집요한 노력의 과정 ☐
④ 훈민정음을 백성들이 쉽게 사용하게 하기 위한 다양한 노력 ☐
⑤ 훈민정음이라는 말이 지닌 의미와 제정을 위해 기울인 노력 ☐

글의 제목을 정하기 위해서는 먼저 글에서 어떤 내용을 설명하고 있는지, 중심 화제를 떠올려야 된다고 했지?

중심 화제가 무엇인지 파악했다면 그다음엔 중심 화제의 어떤 점을 설명하고 있는지 살펴볼까?

1 **'훈민정음'에 대한 이해로 적절하지 않은 것은 무엇인가요?**

① '백성을 가르치는 바른 소리'라는 뜻을 지니고 있다.
② 자음 17자, 모음 11자를 포함해 28개로 이루어진 글자이다.
③ 창제 당시부터 한글이라는 명칭이 병행되어 쓰이고 있었다.
④ 실질적인 의미를 지닌 말에 조사나 어미가 붙는 형식으로 쓰인다.
⑤ 음절 단위로 글자를 표기하고 있어서 독서의 능률을 높일 수 있다.

2 **㉠의 이유로 가장 적절한 것은 무엇일까요?**

① 실제로 발음이 되는 소리를 정확히 구별해 냈으므로
② 말소리를 내는 기관과 관련해 글자를 만들어 냈으므로
③ 자음과 모음을 결합하는 방식으로 언어를 창조했으므로
④ 실질적인 의미를 지닌 말에 형식적인 말을 덧붙였으므로
⑤ 음운과 음절을 구분하는 언어 방식을 백성들에게 제시했으므로

3 **㉡에 대한 이해로 적절하지 않은 것은 무엇인가요?**

① 자음 글자는 소리가 거세게 날수록 획을 더해 표기했다.
② 기본자에 획을 더한 자음 글자끼리는 동일 계열임을 알 수 있다.
③ 모음 글자는 하늘, 땅, 사람을 본떠 'ㆍ', 'ㅡ', 'ㅣ'를 기본자로 만들었다.
④ 모음 글자에서 초출자는 기본자인 'ㅡ'와 'ㅣ'에 'ㆍ'를 각각 합해 만들었다.
⑤ 모음 글자에서 재출자는 초출자에 'ㆍ'를 두 개씩 더해서 글자를 만들었다.

자음과 모음의 기본자가 무엇인지부터 정리해 보자.

4 **〈보기〉를 고려할 때, ㉢의 내용으로 가장 적절한 것은 무엇인가요?**

보 기

우리 글자를 컴퓨터의 키보드로 치면 흥미로운 사실을 발견할 수 있다. 한 예로 '달력'을 치려면 자판을 여섯 번 눌러야 하지만 지우려면 두 번만 누르면 되기 때문에 빠른 정보 처리가 요구되는 디지털 시대에 큰 강점이 될 수 있다.

① 음운을 표기할 때 여러 음운을 나열하는 방식
② 우리 글자를 발음할 때 음운 단위로 읽는 방식
③ 음운을 자음과 모음으로 나누어 체계화하는 방식
④ 의미가 있는 말과 의미가 없는 말을 결합하는 방식
⑤ 각 음운을 모아 써서 하나의 음절로 표기하는 방식

생각읽기 4

식물 속 물은 어떻게 이동할까

물의 이동 원리

Q 식물에서 물이 이동하는 원리에는 어떤 것이 있을까요?

식물은 잎에서 광합성을 통해 생장에 필요한 양분을 만들어 내는데, 물은 바로 그 원료가 된다. 일반적으로 물은 높은 곳에서 낮은 곳으로 흐른다. 지구 중심으로부터 중력을 받기 때문이다. 그러나 식물은 지구 중심과는 반대 방향으로 자란다. 따라서 식물이 줄기 끝에 달려 있는 잎에 물을 공급하려면 중력의 반대 방향으로 물을 끌어올려야 한다. 식물은 어떤 힘을 이용하여 뿌리에서부터 잎까지 물을 끌어올릴까? 식물이 물을 뿌리에서 흡수하여 잎까지 보내는 데는 삼투 현상, 모세관 현상, 증산 작용으로 생긴 힘 등이 복합적으로 작용한다.

호박이나 수세미의 잎을 모두 떼어 내고 뿌리와 줄기만 남긴 채 자른 후 뿌리 끝을 물에 넣어 보면, 잘린 줄기 끝에서는 물이 힘차게 솟아오르지는 않지만 계속해서 올라온다. 이렇게 물이 뿌리를 통해 올라오는 일은 삼투압과 관련 있다. 식물은 뿌리털을 둘러싼 세포막을 경계로 안쪽은 땅에 비해 여러 가지 유기물과 무기물들이 더 많이 섞여 있어서 뿌리 바깥쪽보다 용액의 농도가 높다. 다시 말해 뿌리털 안은 농도가 높은 반면, 흙 속에 포함되어 있는 물은 농도가 낮다. 이때 농도의 균형을 맞추기 위해 흙 속에 있는 물 분자는 뿌리털의 세포막을 거쳐 물 분자가 상대적으로 적은 뿌리 내부로 들어온다. 이처럼 농도가 낮은 흙 속의 물이 농도가 높은 뿌리 쪽으로 이동하는 것을 삼투 현상이라고 한다. 잎이나 줄기가 없는 상태에서 뿌리만 있어도 삼투 현상에 의해 물을 이동시키는 힘이 생기는데, 이를 뿌리압이라고 한다. 즉 뿌리압이란 뿌리에서 물이 흡수될 때 밀고 들어오는 압력에 의해 물이 상승하는 것을 말한다.

그러면 물은 식물의 줄기를 따라 잎까지 어떻게 이동할까? 이 작용은 모세관 현상과 관련 있다. 물이 담긴 그릇에 가는 유리관(모세관)을 꽂아 보면 유리관을 따라 물이 올라가는 것을 관찰할 수 있다. 이처럼 가는 관과 같은 통로를 따라 액체가 올라가거나 내려가는 것을 모세관 현상이라고 한다. 모세관 현상은 물 분자와 모세관 벽의 분자가 결합하려는 힘이 물 분자끼리 결합하려는 힘보다 더 크기 때문에 일어난다. 따라서 관이 가늘수록 물이 올라가는 높이가 높아진다. 식물체 안에는 뿌리에서 줄기를 거쳐 잎까지 연결된 물관이 있다. 물관은 물이 지나가는 통로인데, 지름이 약 75㎛로 매우 가늘다. 이처럼 식물은 물관의 지름이 매우 작기 때문에 모세관 현상으로 물을 끌어올리는 힘이 생긴다. 모세관 현상에 의한 수분 상승은 물의 응집력과 수축력에 의해 나타난다. ㉠<u>모세관 안에 물의 양이 적을수록, 즉 모세관이 좁을수록 수분이 더 높이 상승한다.</u>

한편 식물의 잎에서는 증산 작용이 일어나는데, 이는 나무 그늘이 만들어 주는 시원함과 관련 있다. 나무의 잎에서는 물을 수증기 상태로 공기 중으로 내보내는데, 이때 물이 주위의 열을 흡수하기 때문에 나무의 그늘 아래가 시원한 것이다. 식물의 잎에는 기공이라는 작은 구멍이 있다. 크기가 1㎠인 잎에는 약 5만 개나 되는 기공이 있으며, 그 대부분은 잎의 뒤쪽에 있다. 이 기공을 통해 공기가 들락날락하거나 잎의 물을 공기 중으로 날려 보내기도 한다. 이처럼 식물체 내의 수분이 잎의 기공을 통하여 수증기 상태로 증발하는 현상을 증산 작용이라고 한다. 즉 증산 작용은 물을 식물체 밖으로 내보내는 작용으로, 뿌리에서 흡수된 물이 줄기를 거쳐 잎까지 올라가는 원동력이다. 잎의 세포에서는 물이 공기 중으로 증발하면서 아래쪽의 물 분자를 끌어올리는 현상이 일어난다. 즉 물 분자들은 서로 잡아당기는 힘으로써 연결되는데, 이는 물기둥을 형성하는 것과 같다. 사슬처럼 연결된 물기둥의 한쪽 끝을 이루는 물 분자가 잎의 기공을 통해 빠져나가면 아래쪽 물 분자가 끌어올려지는 것이다. 증산 작용에 의한 힘은 식물이 물을 끌어올리는 요인 중 가장 큰 힘이다.

0 **이 글에서 답을 찾을 수 있는 질문이 무엇인지 고르세요.**

① 식물은 어떤 힘을 이용하여 뿌리에서부터 잎까지 물을 끌어올릴까? ☐
② 식물이 잎에서 광합성을 할 때에는 어떤 기관들이 작용하고 있을까? ☐
③ 식물이 생장하기 위해서 반드시 필요한 양분에는 어떤 것이 있을까? ☐
④ 식물체에서 물 이동과 관련된 기관들은 어떤 구조로 되어 있을까? ☐
⑤ 식물체 내 물의 성질이 식물의 생장에 미치는 영향에는 무엇이 있을까? ☐

각 질문에 해당하는 답변 내용이 글에 들어 있는지 확인해 봐. 이때 질문의 요지가 무엇인지 파악하는 것이 중요해. 질문의 요지와 관련된 내용을 글에서 찾아야 하니까!

1 **이 글의 내용과 일치하지 않는 것은 무엇인가요?**

① 식물이 광합성을 통해 생장에 필요한 양분을 만들어 내는 데 물이 원료가 된다.
② 물이 높은 곳에서 낮은 곳으로 흐르는 것은 지구 중력의 영향을 받기 때문이다.
③ 식물은 물관의 지름이 클수록 모세관 현상으로 물을 끌어올리는 힘이 더 많이 생긴다.
④ 기공은 대부분 잎의 뒤쪽에 있으며, 많은 양의 물이 기공을 통해 공기 중으로 빠져 나간다.
⑤ 나무의 그늘 아래가 시원한 것은 잎에서 물이 수증기 상태로 나가면서 주위의 열을 흡수하기 때문이다.

2 **이 글을 읽고 난 뒤, 〈보기〉의 자료에 대해 친구들과 토론하려고 합니다. 자료에 대한 해석이 적절하지 않은 학생은 누구인가요?**

보 기

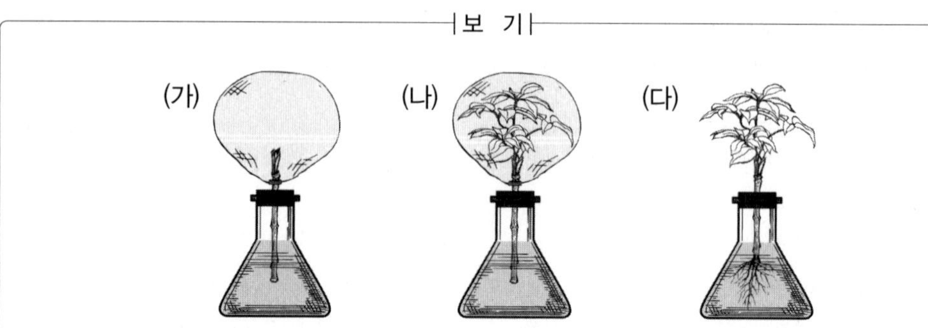

크기와 종류가 동일한 식물 세 가지를 물이 있는 용기에 담아 동일한 조건에서 관찰하였다. 단, (가)는 줄기에, (나)는 줄기와 잎에 각각 비닐을 씌웠고, (다)는 비닐을 씌우지 않고 뿌리, 줄기, 잎을 그대로 두었다.

① 학생 1: (가)의 줄기 끝에서는 물이 계속해서 올라오는 모습을 관찰할 수 있습니다.
② 학생 2: (가)보다는 (나)에서 비닐의 안쪽 면에 물방울이 더 많이 맺히게 될 것입니다.
③ 학생 3: (가)의 용기에 담긴 물이 (나), (다)의 용기에 담긴 물보다 더 많이 줄어들게 될 것입니다.
④ 학생 4: (가)와 달리 (나), (다)는 잎의 세포에서 물이 공기 중으로 증발하면서 아래쪽의 물 분자를 끌어올리는 현상이 일어나게 됩니다.
⑤ 학생 5: (가)와 달리 (나), (다)는 기공을 통해 공기가 식물의 내외로 출입하는 현상이 일어나게 됩니다.

3 ㉠의 이유로 가장 적절한 것은 무엇인가요?

① 물관이 가늘수록 뿌리에서 줄기를 거쳐 잎까지 많은 양의 물을 이동시킬 수 있기 때문에
② 모세관 벽의 분자 크기보다 물 분자의 크기가 커서 물 이동이 훨씬 쉽게 일어나기 때문에
③ 식물체 내에 수분이 많을수록 잎의 기공을 통과해 물관에 이르는 시간이 짧게 걸리기 때문에
④ 가는 관과 같은 물관의 통로를 따라 물 분자가 올라가다가 기공을 통과하면서 이동 속도가 빨라지기 때문에
⑤ 모세관이 가늘수록 물 분자와 모세관 벽의 분자가 결합하려는 힘이 물 분자끼리 결합하려는 힘보다 더 커지기 때문에

4 이 글을 참고하여 〈보기〉를 이해한 내용으로 가장 적절한 것은 무엇인가요?

보 기

작물은 잦은 가뭄을 겪게 되면 영양과 생식 성장에 장애가 발생해 제대로 자라지 못하고 열매도 부실하다. 하지만 가뭄으로 축 늘어진 작물에 물을 직접 주는 것은 옳지 않다. 같은 이유로 광합성을 하지 않는 저녁에는 물을 많이 주는 일도 없어야 하는데, 뿌리가 물에 잠기게 되면 오히려 물이 뿌리를 통해 식물체로 이동하기 어렵기 때문이다.

① 뿌리압의 기능이 향상되어 잎에 중력의 반대 방향으로 물이 끌어올려지기 때문이군.
② 뿌리에서 물 분자가 뿌리 내부로 이동하는 삼투 현상이 제대로 발생하지 못하기 때문이군.
③ 뿌리털을 둘러싼 세포막을 경계로 안쪽이 뿌리 바깥쪽보다 용액 농도가 더 높기 때문이군.
④ 식물체 줄기를 관통해 위치해 있는 물관이 가늘수록 물이 올라가는 높이가 달라지기 때문이군.
⑤ 서로 잡아당기는 힘으로 연결된 잎의 세포에 있는 물 분자들이 물기둥을 형성하지 못하기 때문이군.

생각읽기 5

이누이트의 지혜가 담긴 이글루

이글루의 과학적 원리

Q 이글루에 담긴 과학적 원리에는 어떤 것들이 있나요?

글쓴이는 왜 스스로 묻고 답할까
글쓴이가 던지는 질문에 주목하자!
질문 속에 중심 화제가 나타나니까~
► 원리로 생각읽기 92쪽

이누이트(에스키모) 하면 연상되는 것 중의 하나가 이글루이다. 그들의 주거 시설에는 빙설을 이용한 집 외에도 목재나 가죽으로 만든 천막 등이 있다. 원래 이글루라는 말은 이러한 주거 시설의 총칭이었으나, 눈으로 만든 집이 외지인의 시선을 끌자 그것만 일컫는 말이 되었다. 이글루는 눈을 벽돌 모양으로 잘라서 반구 모양으로 쌓은 것이다. 그런데 이렇게 ㉠눈 벽돌로 만든 집이 어떻게 얼음집으로 변할까? 또 이글루에서는 어떻게 난방을 할까?

일단 눈 벽돌로 이글루를 만든 후에 이글루 안에서 불을 피워 온도를 높인다. 온도가 올라가면 눈이 녹으면서 벽의 빈틈을 메워 준다. 이때 어느 정도 눈이 녹으면 출입구를 열어 물이 얼도록 한다. 이 과정을 반복하면서 눈 벽돌집을 얼음집으로 변하게 한다. 이 과정에서 눈 사이에 들어 있던 공기는 빠져나가지 못하고 얼음 속에 갇히게 된다. 이글루가 뿌옇게 보이는 것도 미처 빠져나가지 못한 기체에 부딪힌 빛의 산란 때문이다.

이글루 안은 밖보다 온도가 높다. 그 이유 중 하나는 이글루가 단위 면적당 태양 에너지를 지면보다 많이 받기 때문이다. 이것은 적도 지방이 극지방보다 태양 빛을 더 많이 받는 것과 같은 이치이다. 다른 이유로 일부 과학자들은 온실 효과를 든다. 지구에 들어오는 태양 복사 에너지*의 대부분은 자외선, 가시광선 영역의 단파이지만, 지구가 열을 외부로 방출하는 복사 에너지는 적외선 영역의 장파이다. 단파는 지구의 대기를 통과하지만 복사파인 장파는 지구의 대기에 의해 흡수되어, 이 때문에 지구의 온도가 일정하게 유지된다. 이를 온실 효과라고 하는데, 온실 유리가 복사파를 차단하는 것과 같다는 데서 유래되었다. 이글루도 내부에서 외부로 나가는 장파인 복사파가 얼음에 의해 차단되어서 이글루 안이 따뜻한 것이다. 그리고 입구를 바람이 불어오는 반대 방향으로 만들어 실내 온도를 유지하게 만든다.

한편, 이글루 안이 추울 때 이누이트는 바닥에 물을 뿌린다. 마당에 물을 뿌리면 시원해지는 것을 경험한 사람은 이에 대해 의문을 품을 것이다. 여름철 마당에 뿌린 물은 증발되면서 열을 흡수하기 때문에 시원해지는 것이지만, 이글루 바닥에 뿌린 물은 곧 얼면서 열을 방출하기 때문에 실내 온도가 올라간다. 물의 물리적 변화 과정에서 열의 흡수와 방출이 일어나기 때문이다. 이때 찬물보다 뜨거운 물을 뿌리는 것이 더 효과적이다. 바닥에 뿌려진 뜨거운 물은 온도가 높고 표면적이 넓어져서 증발이 빨리 일어나고, 증발로 인해 물의 양이 줄어들어 같은 양의 찬물보다 어는 온도까지 빨리 도달하기 때문이다.

[A] 이누이트가 융해와 응고, 복사, 기화 등의 과학적 원리를 이해하고 이글루를 짓지는 않았을 것이다. 그러나 그들은 ㉡접착제를 사용하지 않고도 눈으로 구조물을 만들었으며, 또한 물을 이용하여 난방을 하였다. 이렇듯 이글루에는 극한 지역에서 살아가는 사람들이 경험을 통해 터득한 삶의 지혜가 담겨 있다.

* 복사 에너지: 물체에서 방출되는 전자기파의 에너지.

0 학교 신문에 이 글을 싣고자 합니다. 이 글의 [A]와 다음 '전문'을 고려하여 표제를 완성해 보세요.

○○ 중학교 신문

표제 ______________________

부제 생활 속 경험에서 우러나온 지혜가 담겨

전문 이누이트들은 과학적 지식을 배우거나 알지 못했어도 오랜 동안의 생활을 통해 스스로 터득하고 깨달은 바를 활용해 이글루의 난방을 유지해 왔다.

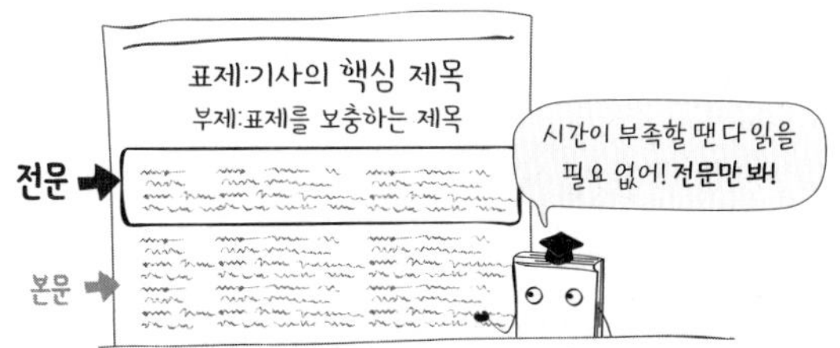

기사문의 **본문 앞에서 내용을 요약한 부분**을 말해. 리드 기사라고도 불러.
전문은 육하 원칙에 따라 표제나 부제의 내용을 좀 더 구체적으로 알리는 기능을 하지.

1 **글쓴이가 이 글을 쓸 때 가장 유의했을 사항으로 적절한 것을 고르세요.**

① 대립되는 의견을 절충하여 새로운 의견을 제시한다. ☐
② 어떤 대상이 변화하는 과정을 시간 순으로 설명한다. ☐
③ 기존의 주장에 대해 잘못된 점을 구체적으로 지적한다. ☐
④ 어떤 사실의 문제점을 분석한 다음 해결책을 제시한다. ☐
⑤ 특정한 정보를 이해하기 쉽고 자세하게 풀어서 설명한다. ☐

어떤 내용인지 궁금해? 글쓴이가 쉽게 풀어서 설명해 줄거야!

2 **㉠과 관련된 대답으로 적절하지 <u>않은</u> 것은 무엇인가요?**

① 이글루 안에 불을 피워 눈 벽돌을 녹이고 문을 열어 다시 얼리는 과정을 반복하여 얼음집으로 변하게 한다.
② 단위 면적당 태양 복사 에너지를 지면보다 많이 받아 난방이 이루어진다.
③ 이글루의 내부에서 외부로 나가는 지구 복사 에너지가 얼음에 의해 갇히면서 난방이 이루어진다.
④ 온실 효과를 차단하여 이글루의 온도를 일정하게 유지하는 데 힘씀으로써 난방이 이루어지게 한다.
⑤ 이글루 안이 추울 때 뜨거운 물을 곳곳에 뿌려서 물의 기화 원리를 이용해 난방이 이루어지게 한다.

3 이 글을 고려할 때, 이글루에서 ㉡의 역할을 하는 것은 무엇인가요?

① 목재나 가죽으로 만든 천막
② 이글루 안이 추울 때 바닥에 뿌리는 물
③ 이글루 안에서 불을 피웠을 때 녹아내린 눈
④ 벽돌 모양으로 잘라서 반구 모양으로 쌓은 이글루의 눈
⑤ 이글루 안에서 미처 빠져나가지 못하고 기체에 부딪힌 빛

4 이 글을 바탕으로 〈보기〉를 이해한 내용으로 적절하지 않은 것은 무엇인가요?

보 기

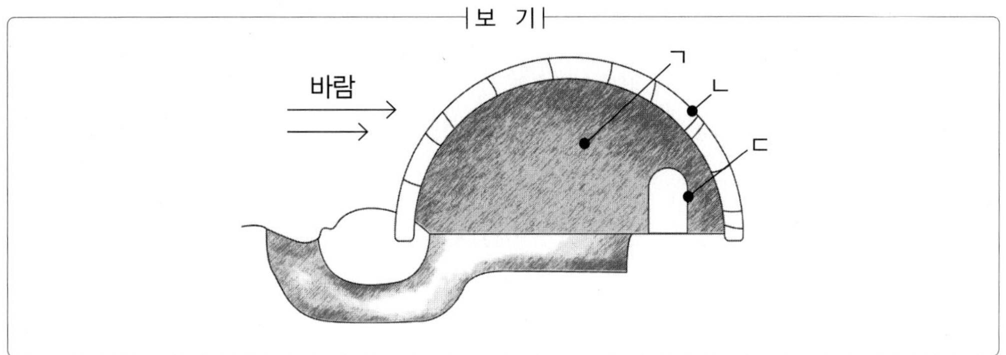

① 이글루 밖보다 ㄱ이 온도가 높은 것은 태양 에너지와 관련 있군.
② ㄱ에서 이글루 밖으로 복사파가 나가지 못하는 것은 ㄴ 때문이군.
③ ㄷ을 바람이 불어오는 반대 방향으로 만들어 ㄱ의 온도를 유지하게 만들었군.
④ ㄴ의 표면에 뿌린 물은 열을 흡수하는 작용을 함으로써 ㄱ의 온도를 높게 만드는군.
⑤ ㄴ이 뿌옇게 보이는 것은 얼음 속에 갇힌 공기에 빛이 부딪혀 산란이 일어나기 때문이군.

원리로 생각읽기 4

글쓴이는 왜 스스로 묻고 답할까

글쓴이가 자문자답하는 이유

플라톤은 왜 스스로 묻고 답하는 걸까요?

글을 쓰는 사람은 독자에게 글의 주제나 내용을 효과적으로 전달하기 위해 다양한 서술 방식을 활용합니다. 그중에서 글의 앞부분에서는 글을 평서문으로 전개하다가 묻고 답하는 방식을 많이 활용합니다. 질문을 통해 중심 화제를 제시하고 앞으로 이어질 내용을 간접적으로 드러냄으로써 독자의 관심과 집중을 유도할 수 있기 때문입니다.

묻고 답하는 방식은 글에서 **잔잔한 물에 던져져 파문을 일으키는 돌멩이**와 같은 기능을 합니다. 묻고 답하는 방식을 활용하면 글의 단조로운 전개를 피할 수 있을 뿐 아니라, 글의 중심 내용에 대한 독자들의 관심을 환기할 수 있기 때문이죠. 그러므로 묻고 답하는 방식을 활용하면 글의 핵심 화제가 무엇인지 주목하게 되어 독자들은 글 내용을 더욱 집중해서 독해할 수 있습니다.

88쪽 지문

이누이트(에스키모) 하면 연상되는 것 중의 하나가 이글루이다. 그들의 주거 시설에는 빙설을 이용한 집 외에도 목재나 가죽으로 만든 천막 등이 있다. 원래 이글루라는 말은 이러한 주거 시설의 총칭이었으나, 눈으로 만든 집이 외지인의 시선을 끌자 그것만 일컫는 말이 되었다. 이글루는 눈을 벽돌 모양으로 잘라서 반구 모양으로 쌓은 것이다. 그런데 이렇게 ㉠눈 벽돌로 만든 집이 어떻게 얼음집으로 변할까? 또 이글루에서는 어떻게 난방을 할까?

일단 눈 벽돌로 이글루를 만든 ... 온도가 올라가면 눈이 녹으면서 벽의 빈틈을 ... 얼어 물이 얼도록 한다. 이 과정을 반복하면 ... 눈 사이에 들어 있던 공기는 빠져나가지 못하고 얼음 속에 갇히게 된다. 이글루가 뿌옇게 보이는 것도 미처 빠져나가지 못한 기체에 부딪힌 빛의 산란 때문이다.

첫 문단에서 글쓴이가 던지는 질문에 주목하자.
글쓴이의 질문 속에 중심 화제가 나타나니까~

독해연습 1 **아래 문단을 읽고, 물음에 답하세요.**

(가) 초고층 빌딩의 엘리베이터가 빠르게 이동할 수 있는 비결이 무엇일까. 초고층 빌딩에 설치된 엘리베이터는 로프에 가해지는 무게가 100톤에 이르기 때문에 이것을 끌어올리려면 로프를 당겨 엘리베이터를 수직으로 움직이게 하는 권상기의 견인력이 매우 커야 한다.

(나) (   ) 민주주의 체제에서도 사회 복지에 대한 강제성이 성립될 수 있다. 특정한 사회 복지 제공에 자발적으로 협력하는 사람들에게 경제적 동기를 부여하여 '선택적 이득'이 돌아가게 함으로써 협력을 유도하는 방법이 있다.

1 (가)에서 질문하는 문장을 찾아 핵심 화제가 무엇인지 써 보세요.

2 (나)가 자문자답의 형식이 되도록 (   ) 안에 들어갈 알맞은 의문문을 써 보세요.

독해연습 2 **아래 문단을 읽고, 물음에 답하세요.**

(가) (   ) 단재 신채호는 20세기 초 역사적 조건하에서는 조선이 부국강병을 바탕으로 하는 근대 민족 국가 수립이 절실하다고 인식했다. 역사적 혼란기에서 부국강병을 이룬 근대 민족 국가만이 외세에 흔들리지 않는 독립 국가로서 존재할 수 있다고 생각했던 것이다.

(나) 석탄 액화 기술은 석탄을 고온 및 고압의 반응 조건하에서 수소를 첨가시켜 액체 연료로 전환시키는 기술을 말한다. 그렇다면 고체인 석탄을 액화시키는 이유는 무엇일까? 생성물의 수소/탄소 비를 1.5~2.0 정도로 증가시켜 에너지 밀도가 높고 수송 및 보관이 용이하도록 한 것이다.

1 (가)의 (   ) 안에 들어갈 알맞은 문장을 질문의 형식으로 써 보세요.

2 (나)에서 묻고 답하는 방식을 활용하여 설명하려고 한 글의 핵심 정보는 무엇인지 써 보세요.

생각읽기 6

희망의 사회 윤리, '똘레랑스'

똘레랑스의 원리

Q '똘레랑스'의 근본정신은 무엇인가요?

'관용'으로 번역되는 똘레랑스라는 말은 '견디다', '참다'를 뜻하는 라틴어 'tolerare'에서 나왔다. 서구 사회에서 인종, 문화, 종교, 계층의 차이는 격렬한 갈등의 씨앗을 뿌렸고, 그로 인해 많은 희생을 치렀다. 이 과정에서 생겨난 것이 똘레랑스다. 1572년 기독교 구교(가톨릭)와 신교(위그노)의 갈등으로 파리에서만 3,000여 명, 파리 전역에서 2만여 명의 신교도가 구교도에 의해 희생되었고, 이후에도 그 갈등과 피해는 악순환을 불러왔다. 상황이 이렇다 보니 유럽의 지식인들은 사태를 진정시키기 위해 입을 모아 서로의 차이를 받아들일 것을, 즉 똘레랑스를 이야기하기 시작했다. 그 뒤 종교 간의 갈등이 진정되면서 똘레랑스를 외치는 목소리는 종교를 넘어 점차 사회 전반으로 퍼졌다.

이러한 역사적 배경을 지닌 똘레랑스는 몇 가지 원리들이 바탕을 이루고 있다. 이 원리들은 개별적이고 독립적인 것이 아니라 서로 밀접하게 연관되어 있는데, 그 근본정신은 인간의 완전함에 대한 부정이다. 우선 똘레랑스는 자기 생각만 고집하는 편협함을 버릴 것을 요구한다. 그래서 프랑스의 사회학자 필리프 사시에는 '똘레랑스는 자기중심주의*의 포기'라고 말한다. 자기라는 중심을 버릴 때 또 다른 자아인 타자를 받아들이고 그 목소리를 들을 수 있다는 것이다.

㉠하지만 똘레랑스가 모든 차이와 다양성을 조건 없이 받아들이는 것은 아니다. 필리프 사시에는 똘레랑스가 정착하려면 차이의 질서뿐만 아니라 다른 것들의 평화적인 공존을 전제하는 유사성의 질서도 있어야 한다고 보았다. 다르다는 것은 소중하지만 단순히 '차이'만을 존중할 경우 똘레랑스는 모든 폭력적인 행위마저 차이의 표현으로 인정할 위험에 빠질 수 있기 때문이다. 그래서 똘레랑스 속에도 앵똘레랑스가 필요하다. 일반적으로 '앵똘레랑스'는 인종, 피부색, 종교, 계층 등을 포함한 사회적 문제를 이유로 타인의 행동이나 신념을 받아들이지 않는 비이성적이고 정당하지 않은 반대를 가리킨다. 하지만 '똘레랑스 속에 담긴 앵똘레랑스'는 이성적인 반대를 뜻한다. '도덕적인 의무인 앵똘레랑스'와 '억압적인 앵똘레랑스'를 구분하는 기준은 '이성'이다.

똘레랑스의 또 다른 원리는 ㉡토론이다. 아무리 뛰어나고 비판적인 천재라 할지라도 자신의 이성과 경험만으로 오류를 바로잡을 수는 없다. 인간의 경험이란 한계가 있고 경험을 해석하는 방식 또한 제각각이므로 경험과 의견을 교환하는 토론이 반드시 필요하다. 타인과의 이성적인 토론은 내 견해의 부족한 점을 보충해 주고 상대방의 의견도 보완해 준다. 말과 설득이 아닌 다른 수단, 즉 폭력이나 강제력을 사용한다면 그것은 자신의 믿음이 진리일 수 없음을, 남을 설득할 능력이 자기에게 없음을 스스로 인정하는 것이다.

사회 정의를 추구하는 적극적인 관용인 똘레랑스는 정의의 여신 아스트라이아를 닮았다. 한 손엔 사물의 옳고 그름을 판단하는 저울을, 다른 손엔 불의를 응징하는 칼을 들고, 편견을 피하기 위해 눈을 가린 여신의 모습은 똘레랑스를 구체적으로 보여 준다. 똘레랑스는 토론과 설득보다는 힘의 논리가 앞서는 사회, 차이와 다양성이 인정되지 않는 사회, 이성과 배치되는 억압적인 앵똘레랑스가 주도하는 사회에 희망의 빛을 비출 수 있는 사회 윤리이다.

* 자기중심주의: 자기 또는 자기가 소속한 집단 이외의 일에 대하여 무관심한 태도나 방침.

0 **이 글에서 글쓴이가 말하려고 하는 핵심 화제가 무엇인지 고르세요.**

① 똘레랑스의 전개 양상과 유형 ☐
② 똘레랑스의 원리와 사회적 의의 ☐
③ 똘레랑스의 형성 배경과 성립 과정 ☐
④ 똘레랑스의 본질적 성격과 장단점 ☐
⑤ 똘레랑스의 특성과 후대에 미친 영향 ☐

1 이 글의 서술 방식으로 적절하지 않은 것을 고르세요.

① 구체적인 수치를 제시해 사실을 뒷받침한다. ☐
② 화제의 출현 배경을 밝혀 독자의 이해를 돕는다. ☐
③ 화제의 뜻풀이와 어원을 밝혀 독자의 관심을 유도한다. ☐
④ 열거의 방법으로 화제를 분석하며 내용을 전개한다. ☐
⑤ 기존의 통념을 제시하고 반박하면서 자신의 주장을 펼친다. ☐

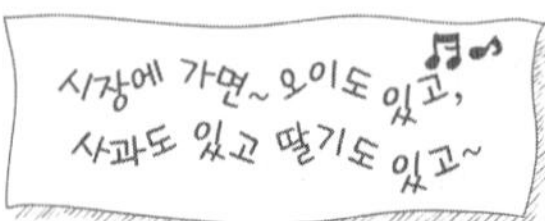

여러 가지 예나 사실을 낱낱이 죽 늘어놓는 게 열거야!

2 이 글을 바탕으로 할 때, 〈보기〉를 잘못 이해한 것은 무엇인가요?

보 기

파리의 지하철 노조는 노동자들의 권익과 복지 실현을 위한 의사 표시로 대규모 파업을 벌이는 일이 빈번하다. 노조가 파업을 결의하면 비노조원들까지 합세해 지하철 전체가 완전히 정지하여 파리 시내의 교통은 마비 상태에 이르고, 때로는 과격 시위까지 벌어져 많은 시민들이 불편을 겪는다. 이에 대한 시민들의 반응은 다양한데, 파업에 참여하는 노동자들에 대해 폭도라며 비난하는 시민이 있는가 하면, 우리가 불편을 겪는다고 지하철 노동자의 파업권을 제한하는 데 동의하면 언젠가는 그 제한의 목소리가 바로 우리에게도 닥칠 것이라고 생각하는 시민도 있다.

① 파업이 똘레랑스의 대상이라면 열린 마음으로 서로의 입장에 대해 대화를 하려는 태도를 가져야 할 거야.
② 노조가 파업을 결의하고 비노조원까지 합세하는 일은 다르다는 것을 소중하게 여기기보다는 단순히 '차이'만을 존중한 결과라 하겠군.
③ 노조원들이 과격 시위를 벌이는 것까지 똘레랑스로 본다면 모든 폭력적인 행위마저 차이의 표현으로 인정하는 위험에 빠지게 될 거야.
④ 파업을 하는 노동자들을 폭도라고 하며 비난을 하는 사람들은 타인의 행동이나 신념을 받아들이지 않는 앵똘레랑스의 태도를 가진 것으로 볼 수 있어.
⑤ 파리 시민들이 노동자의 파업권을 제한하는 일에 반대하고 자신들의 불편함을 감수하는 일은 자기라는 중심을 버리고 또 다른 자아인 타자를 받아들이는 태도에 가깝군.

3 ㉠을 이해한 내용으로 가장 적절한 것은 무엇인가요?

① 차이와 다양성은 인정하더라도 보편적이고 이성적인 기준이 있어야 함.
② 유사성의 질서를 확립하기 위해 다양한 사회적 문제에 대한 분석을 시도함.
③ 타인의 행동이나 신념을 받아들이지 않을 때를 대비해 대책을 강구해야 함.
④ 비이성적이고 정당하지 않은 반대를 꺾기 위해 폭력적인 행위도 고려해야 함.
⑤ 인종, 피부색, 종교, 계층 등의 분야에 따라 차이를 조정하는 기준을 세워야 함.

4 ㉡이 필요한 이유로 가장 적절한 것을 고르세요.

① 자신의 주장을 다른 사람에게 관철함. ▢
② 경험을 교환하여 서로의 생각을 보완함. ▢
③ 자신의 경험을 보완하여 천재성을 북돋움. ▢
④ 상대의 잘못을 분석해 비판적 능력을 함양함. ▢
⑤ 자신의 믿음이 진리임을 확고하게 굳히도록 함. ▢

생각의 구조화 MIND MAP

Q 다음은 생각을 읽을 수 있는 지문 구조도를 퍼즐로 나타낸 것입니다. 앞에서 읽은 글의 내용을 떠올리며 생각읽기 1~6에 해당하는 퍼즐을 선으로 연결해 보세요.

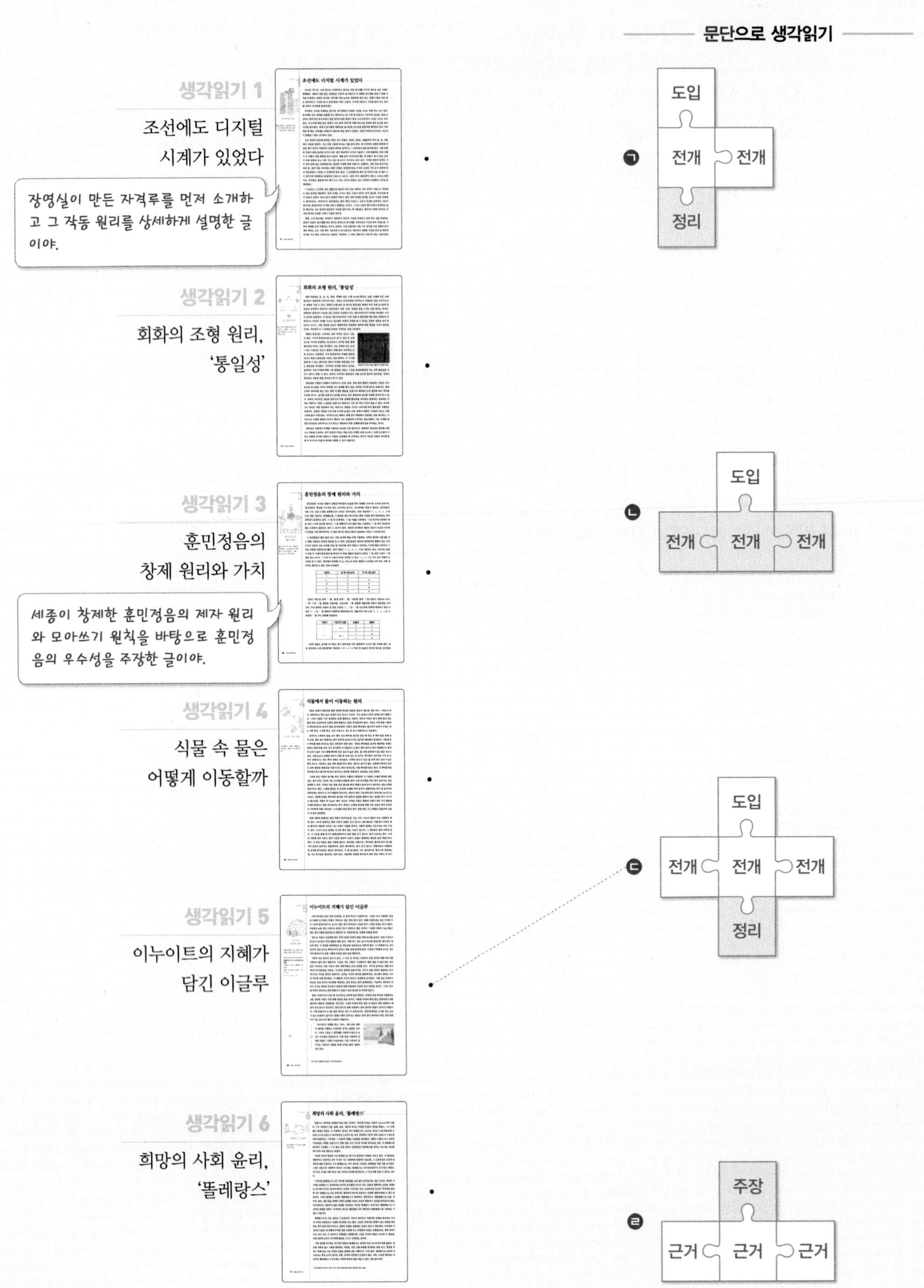

한 문장으로 생각읽기

1 장영실이 만든 □□□는 물시계에 자동으로 시간을 알려 주는 장치를 더해 만든 것으로, 디지털 방식을 도입한 기계식 시계로서 15세기의 첨단 기술로 평가받고 있다.

2 회화의 □□□은 화면의 여러 조형 요소들에 일관성을 부여하여 질서를 갖추게 하는 조형 원리이다.

3 훈민정음의 □□ □□인 가획의 원리와 합성의 원리, 그리고 모아쓰기 원칙을 통해 세종이 창제한 훈민정음의 우수성을 확인할 수 있다.

4 식물이 뿌리에서 물을 흡수하여 잎까지 보내는 데에는 □□ 현상, 모세관 현상, 증산 작용 등이 복합적으로 작용한다.

5 □□□가 얼음집이 되고, 난방을 하는 과학적 원리에는 이누이트들의 삶의 지혜가 담겨 있다.

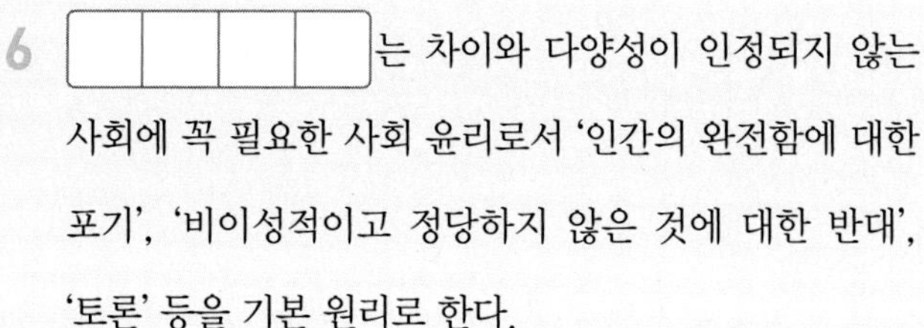

6 □□□□는 차이와 다양성이 인정되지 않는 사회에 꼭 필요한 사회 윤리로서 '인간의 완전함에 대한 포기', '비이성적이고 정당하지 않은 것에 대한 반대', '토론' 등을 기본 원리로 한다.

한 단어로 생각읽기

인간은 왜 원리를 생각할까?

"겉만 봐서는 그 속을 알기 어렵다"

무언가를 내 손으로 직접 만들어 본 경험이 있나요? 새로운 장난감을 조립하거나 전자 제품의 속을 들여다보는 순간, 우리가 깨닫게 되는 것이 있습니다. 내 주변의 모든 도구와 기계들이 실로 경이로운 원리로 작동하고 있다는 것을요. 많은 사물들이 과학적·기술적 법칙에 따라 특정한 원리를 가지고 움직입니다. 서로 다른 것처럼 보이는 도구나 물체가 같은 원리로 이루어진 경우도 있고, 겉으로 간단해 보이는 물건이지만 그 속에 복잡한 원리가 숨어 있을 수도 있어요. 과학이나 기술에만 해당하는 이야기일까요? 인간 사회가, 우주가 작동하는 원리는 이와 다를까요?

기계의 움직임을 보기 위해서는 기계 겉면만 열면 되지만,
왜 그렇게 움직이는지를 이해하려면
그 원리를 알아야 합니다.
– 정재승 (KAIST 바이오 및 뇌공학과 교수)

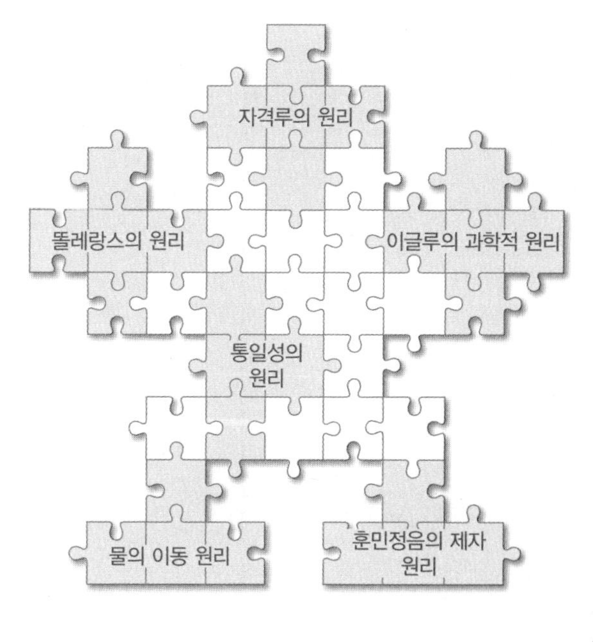

생각의 발견

04 패러다임

패러다임을 말하다!

'패러다임'이라는 말은 다수의 사람이 옳다고 믿는 생각의 틀을 의미합니다. 여기서 중요한 것은 사람들이 '옳다고 믿는다'는 점입니다. 그런데 시간이 흐르면서 새로운 사실을 발견하거나, 새로운 현상이 나타나면 사람들의 생각도 변하게 됩니다. 그리고 옳다고 믿는 생각의 틀, 즉 패러다임이 달라지기도 하죠. 이는 패러다임에 변화 혹은 전환이 발생하는 것으로 볼 수 있습니다. 그러면 패러다임은 어떻게 형성되고, 구체적으로 어떤 것들이 있으며, 어떻게 변화했는지에 대해 알아보도록 할까요?

토마스 쿤의 패러다임 이야기

패러다임의 정립 과정

Q 라부아지에가 기존의 연소 이론에 의문을 갖게 된 이유는 무엇인가요?

글쓴이는 왜 통념을 제시할까
통념에 대한 반박은 글의 중심 생각이기도 하니까!
► 원리로 생각읽기 106쪽

(가) 패러다임이란 한 시대 사람들의 사고를 지배하고 있는 이론적 틀이나 개념의 집합체를 뜻하는 말로 과학 철학자인 토마스 쿤이 새롭게 제시하여 널리 쓰이는 개념이다. 쿤은 패러다임 속에서 진행되는 연구 활동을 정상 과학이라고 하였으며, 기존의 패러다임에서는 예상하지 못했던 현상을 변칙 사례라고 하였다. 쿤은 정상 과학이 변칙 사례를 설명해 내기도 하나 중요한 변칙 사례가 미해결 상태로 남으면 새로운 패러다임으로의 급격한 대체 과정, 즉 과학 혁명이 일어난다고 보았다. 그러나 쿤은 옛 패러다임과 새로운 패러다임 중 어떤 패러다임이 더 우월한지는 판단할 수 없다고 주장하였다.

(나) 18세기 말 라부아지에가 새로운 연소 이론을 확립하기 전까지의 패러다임은 플로지스톤이라는 개념으로 연소 현상을 설명하는 것이었다. 그리스어로 '불꽃'을 뜻하는 플로지스톤은 18세기 초 베허와 슈탈이 제안한 개념으로, 가연성 물질이나 금속에 포함되어 있을 것이라고 생각했던 물질이다. 베허와 슈탈은 종이, 숯, 황처럼 잘 타는 물질에 플로지스톤이 많이 포함되어 있으며, 연소는 물질에 포함되어 있던 플로지스톤이 방출되는 과정이라고 주장하였다. 연소 현상뿐만 아니라 금속이 녹스는 현상, 음식이 소화되는 생화학 작용 등 다양한 반응을 플로지스톤 이론을 통해 이해할 수 있었으며, 18세기 후반까지 대부분의 과학자들은 플로지스톤 패러다임 안에서 여러 과학 현상을 설명했다.

(다) 그런데 라부아지에는 금속이 녹슬 때 질량이 변화한다는 사실에 주목하며 플로지스톤 이론에 의문을 가졌다. 라부아지에는 연소 현상에서도 그러한 질량 변화가 있을 것이라고 보고 정밀하게 질량을 측정할 수 있는 기구를 동원해 실험을 시행하였다. 라부아지에는 밀폐된 유리병 안에서 인과 황을 가열한 후 이를 가열 전과 비교해 보았더니 인과 황의 질량이 늘어난다는 사실을 확인하였고, 이때 질량이 증가한 양은 유리병 속 기체의 질량이 감소한 양과 같음을 확인하였다. 라부아지에는 연소 반응에서 발생하거나 소모되는 기체를 모아 정확히 질량을 측정하면 반응 전후의 총 질량은 변화가 없다는 사실을 근거로, 연소는 플로지스톤을 잃는 것이 아니라 공기 중의 산소와 결합하는 현상이라고 주장하였다.

(라) 이후 ㉠플로지스톤 학파는 ㉡기존 패러다임 안에서 자신들의 이론을 일부 수정하여 ㉢라부아지에의 이론을 반박하기도 하였으나 정확한 질량 측정을 기반으로 한 라부아지에의 핵심적인 문제 제기에는 명확한 답을 할 수 없었다. 결국 ㉣플로지스톤으로 연소 현상을 이해하려는 패러다임은 사라지고, ㉤연소를 산소와의 결합으로 이해하는 새로운 패러다임이 자리 잡게 되었다. 또한 물질의 성질을 추상적으로 설명하는 것에서, 정밀한 측정 도구를 활용하여 실험 과정을 정량화하는 것으로 화학 연구의 패러다임이 바뀌었다.

(마) 쿤은 과학사의 이러한 장면들을 통해 과학적 진보는 혁명적인 것이라고 주장하였다. 정상 과학의 시기에는 패러다임이라는 인식의 틀 안에서 퍼즐을 맞추는 활동을 수행하는 것일 뿐 새로운 과학 지식을 만들어 내지는 못한다고 본 것이다. 더 나아가 쿤은, 하나의 이론 체계를 받아들인다는 것은 그것의 개념, 법칙, 가정을 포함한 패러다임 전체를 믿는 행위이므로 새로운 패러다임을 옛것과 비교하여 어떤 패러다임이 더 우월한 것인지 평가할 논리적 기준은 있을 수 없다고 보았다. 쿤의 과학 혁명 가설은 과학의 발전을 새롭게 바라보는 통찰력 있는 관점으로서 많은 과학자들로 하여금 기존 패러다임으로 설명되지 않는 변칙 사례들에 주목하게 하였다.

0 **다음은 '패러다임'을 주제어로 하는 백과사전의 일부입니다. ⓐ, ⓑ, ⓒ에 들어갈 알맞은 말을 쓰세요.**

패러다임(paradigm)
- 개념: 한 시대 사람들의 (ⓐ)를 지배하고 있는 이론적 틀이나 개념의 집합체.
- 유래: 과학 철학자인 (ⓑ)이 1960년대 출간한 책에서 처음으로 제시됨.
- 내용: (ⓒ)과 변칙 사례의 관계를 바탕으로 과학 혁명의 과정을 설명함.

1 (가)를 바탕으로 '쿤'의 이론을 이해한 내용으로 적절하지 않은 것은 무엇인가요?

① 정상 과학이 변칙 사례를 설명해 낼 수도 있다.
② 패러다임 간의 우열을 판단하는 것은 쉽지 않다.
③ 과학 혁명은 정상 과학이 변칙 사례를 설명할 때 일어난다.
④ 변칙 사례는 기존의 패러다임에서 예상하지 못했던 현상이다.
⑤ 변칙 사례의 해결 여부에 따라 새로운 패러다임으로의 대체 여부가 결정된다.

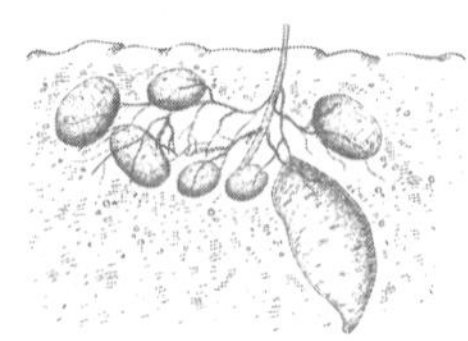

감자 줄기에 고구마가 달렸네!
변칙 사례란 원칙에서 벗어난 경우를 말해!

2 (나), (다)를 읽고 추론할 수 있는 내용으로 적절하지 않은 것은 무엇인가요?

① 18세기 초에 플로지스톤으로 연소 현상을 설명하는 것은 정상 과학이었다.
② 베허와 슈탈은 플로지스톤이 가연성 물질이나 금속에 포함되어 있는 것이라 생각하였다.
③ 라부아지에는 금속이 녹스는 현상에 주목하여 플로지스톤 이론의 문제점을 제기하였다.
④ 라부아지에는 연소가 플로지스톤을 방출하는 과정이 아니라는 것을 실험을 통해 입증하였다.
⑤ 쿤의 이론에 따르면 라부아지에의 주장은 정상 과학의 패러다임 안에서 설명할 수 있는 변칙 사례에 해당한다.

추론이란 글의 내용에 미루어 짐작할 수 있는 것을 말해. '이 글에서 알 수 있는~', '이 글에서 이끌어 낼 수 있는~', '이 글을 통해 짐작(추론)할 수 있는~'과 같은 방식으로 물어보는 문제가 추론 문제에 해당돼.

3 (라)의 ㉠~㉤ 중 주장하는 내용이 같은 것끼리 바르게 짝지어진 것은 무엇인가요?

① ㉠, ㉡ / ㉢, ㉣, ㉤
② ㉠, ㉢ / ㉡, ㉣, ㉤
③ ㉠, ㉡, ㉣ / ㉢, ㉤
④ ㉠, ㉢, ㉤ / ㉡, ㉣
⑤ ㉠, ㉣, ㉤ / ㉡, ㉢

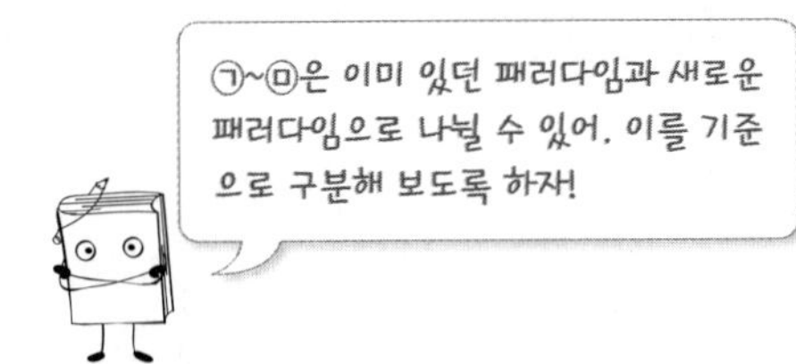

4 〈보기〉의 밑줄 친 사람들의 입장에서 (마)를 비판한 내용으로 가장 적절한 것은 무엇인가요?

보 기

과학자들은 하나의 이론이 승리하여 새로운 패러다임으로 확립되기까지 기존의 패러다임을 포기하지 않는다. 물론 <u>어떤 사람들</u>은 이론에 모순되는 관찰들, 다시 말해서 이론이 옳지 않다는 것을 보여 주는 반례(反例)들을 앞에 놓고서도 기존의 과학 이론을 포기하지 않는 과학자들의 태도는 도저히 합리적이라고 볼 수 없다고 생각한다.

① 과학적 진보가 과학 혁명을 통해서 이루어진다고 생각하는 것은 비합리적인 생각이야.
② 기존의 패러다임을 포기하지 않아도 새로운 이론을 증명해 내는 것은 충분히 가능해.
③ 여러 반례들을 앞에 놓고서도 기존의 패러다임을 고수하는 것은 정상 과학 시기의 패러다임이 더 진보적이기 때문이지 않을까?
④ 새로운 패러다임이 형성되었다는 것은 이전의 패러다임에 오류가 있다는 것이므로 새로운 패러다임이 더 우월하다고 말할 수 있지 않을까?
⑤ 정상 과학의 시기에 새로운 과학 지식을 만들어 내는 것은 기존의 과학 패러다임 틀 안에서 퍼즐을 맞추듯 새로운 지식을 기존의 이론에 끼워 맞추는 활동을 수행하는 것과 같아.

통념에 대한 반박은 효과적인 설명 전략이다

다음 장면에서 알 수 있는 당시 사람들의 일반적인 통념은 무엇이었나요?

'통념(通念)'이란 널리 통하는 개념이라는 뜻으로, 사람들이 일반적으로 가지고 있는 생각을 의미합니다. 사람들은 통념이 잘못되었다는 것을 알게 되거나, 통념에서 벗어난 생각을 접하게 되면 일종의 심리적인 충격을 받게 되는데, 이때 생기는 심리적 충격은 대상에 관심을 집중하게 만들고 이후 제시될 주장에 대한 호기심과 지적 흥미를 불러일으키기도 합니다. 우주의 중심은 태양이라고 외쳤던 갈릴레이의 주장이 천동설이 지배적이었던 당시 사회에 큰 충격을 주었던 것처럼 말이죠.

글쓴이는 왜 글에서 통념을 제시할까요? 바로 이러한 심리적 특성을 이용해서 독자들로 하여금 자신의 생각에 관심을 갖게 하기 위해서입니다. 이러한 글쓰기 전략을 사용하면, **'통념 제시 – 통념에 대한 반박 – 중심 화제 제시'의 순서**로 글 내용이 구성되는 거죠. 대체로 글의 첫 문단에서 중심 화제를 제시할 때 이러한 전략을 많이 사용합니다. 따라서 통념이 제시된 글을 만난다면, 여러분들은 통념을 부정하고 이후 나오는 중심 화제에 주목하여 글을 읽어야겠죠?

102쪽 지문

18세기 말 라부아지에가 새로운 연소 이론을 확립하기 전까지의 패러다임은 플로지스톤이라는 개념으로 연소 현상을 설명하는 것이었다. 그리스어로 '불꽃'을 뜻하는 플로지스톤은 18세기 초 베허와 슈탈이 제안한 개념으 가연성 물질이나 금속에 포함되어 있을 것이라 럼 잘 타는 물질에 플로지스톤이 많이 포함 스톤이 방출되는 과정이라고 주장하였다. 연소 현상뿐만 아니라 금속이 녹스는 현상, 음식이 소화되는 생화학 작용 등 다양한 반응을 플로지스톤 이론을 통해 이해할 수 있었으며, 18세기 후반까지 대부분의 과학자들은 플로지스톤 패러다임 안에서 여러 과학 현상을 설명했다.

통념이 제시되면, 통념에 대한 반박이 나오고, 글의 중심 화제가 곧 나올 것임을 알 수 있다!

정답: 천동설(우리가 살고 있는 지구가 우주의 중심이다.)

독해연습 1 **아래 문단을 읽고, 물음에 답하세요.**

그리스어인 '에우다이모니아(eudaimonia)'는 일반적으로 '행복'이라고 번역된다. 현대인들은 행복을 물질적인 것을 통해 느끼는 안락이나 단순한 쾌감과 동일시하는 경향이 있다. 그러나 아리스토텔레스는 에우다이모니아를 현대인들이 생각하는 행복과는 다르게 설명한다. 그는 에우다이모니아를 인간 고유의 기능인 이성을 발휘하여 그것을 완전하게 실현한 상태라고 규정하였다.

1 위 글의 중심 화제는 무엇인가요?

2 위 글의 글쓴이가 부정적으로 생각한 통념은 무엇인지 써 보세요.

독해연습 2 **아래 문단을 읽고, 물음에 답하세요.**

사람들은 흔히 이성적인 사고로 자신의 마음을 쉽게 다스릴 수 있다고 생각하지만, 실제로는 자신의 마음을 다스리는 것은 쉽지가 않다. 나의 마음은 나도 모르게 흘러가는 경우가 많은데, 그 이유는 우리의 마음이 이성이 아닌 무언가에 의해 영향을 받기 때문이다. 그렇다면 마음을 지배하는 그 무언가는 무엇일까? 이 무언가를 처음으로 발견한 사람이 정신분석학의 아버지 지그문트 프로이트이다.

(중략)

프로이트는 쉽게 드러나지 않는 무의식이 의식을 지배하고 있다고 보았다. 무의식은 의식에 의해 억압되어 잘 드러나지 않지만, 우리가 알지 못하는 사이 계속해서 우리의 마음에 영향을 끼쳐서 우리의 마음을 지배한다고 보았던 것이다.

1 위 글에서 사람들이 가지고 있는 통념은 무엇인가요?

2 1의 통념에 대한 글쓴이의 반박 의견은 무엇인지 찾아 써 보세요.

생각읽기 2

1582년, 그레고리력의 등장

패러다임의 충돌

Q 그레고리력이 오늘날까지 널리 사용될 수 있었던 이유는 무엇인가요?

1582년 10월 4일의 다음날이 1582년 10월 15일이 되었다. 10일이 사라지면서 혼란이 예상되었으나 교황청은 과감한 조치를 단행했던 것이다. 이로써 ㉠그레고리력이 시행된 국가에서는 이듬해 춘분인 3월 21일에 밤과 낮의 길이가 같아졌다. 그레고리력은 코페르니쿠스의 지동설이 무시당하고 여전히 천동설이 지배적이었던 시절에 부활절을 정확하게 지키려는 필요에 의해 제정되었다. 그 전까지 유럽에서는 ㉡율리우스력이 사용되고 있었다. 카이사르가 제정한 태양력의 일종인 율리우스력은 제정 당시에 알려진 1년 길이의 평균값인 365일 6시간에 근거하여 평년은 365일, 4년마다 돌아오는 윤년은 366일로 정했다. 율리우스력의 4년은 실제보다 길었기에 절기는 조금씩 앞당겨져 16세기 후반에는 춘분이 3월 11일에 도래했다. 이것은 춘분을 지나서 첫 보름달이 뜬 후 첫 번째 일요일을 부활절로 정한 교회의 전통적 규정에서 볼 때, 부활절을 정확하게 지키지 못하는 문제를 낳았다. 그것이 교황 그레고리우스 13세가 역법 개혁을 명령한 이유였다.

그레고리력의 기초를 놓은 인물은 릴리우스였다. 그는 당시 천문학자들의 생각처럼 복잡한 천체 운동을 반영하여 역법을 고안하면 일반인들이 어려워할 것이라 보고, 율리우스력처럼 눈에 보이는 태양의 운동만을 근거로 1년의 길이를 정할 것을 제안했다. 그런데 무엇을 1년의 길이로 볼 것인가가 문제였다. 릴리우스는 반세기 전에 코페르니쿠스가 지구의 공전 주기인 항성년을 1년으로 본 것을 알고 있었다.

[A] 항성년은 오른쪽 [그림]처럼 태양과 지구와 어떤 항성이 일직선에 놓였다가 다시 그렇게 될 때까지의 시간이다. 그러나 릴리우스는 교회의 요구에 따라 절기에 부합하는 역법을 창출하고자 했기에 항성년을 1년의 길이로 삼을 수 없었다. 그는 춘분과 다음 춘분 사이의 시간 간격인 회귀년이 항성년보다 짧다는 것을 알고 있었기 때문이었다. 항성년과 회귀년의 차이는 춘분 때의 지구 위치가 공전 궤도상에서 매년 조금씩 달라지는 현상 때문에 생긴다.

[그림]

릴리우스는 이 현상의 원인에 관련된 논쟁을 접어 두고, 당시 가장 정확한 천문 데이터를 모아 놓은 알폰소 표에 제시된 회귀년 길이의 평균값을 채택하자고 했다. 그 값은 365일 5시간 49분 16초였고, 이 값을 채용하면 새 역법은 율리우스력보다 134년에 하루가 짧아지게 되어 있었다. 릴리우스는 연도가 4의 배수인 해를 ⓐ윤년으로 삼아 하루를 더하는 율리우스력의 방식을 받아들이되, 100의 배수인 해는 평년으로, 400의 배수인 해는 다시 윤년으로 하는 규칙을 추가할 것을 제안했다. 이것은 1만 년에 3일이 절기와 차이가 생기는 정도였다. 이리하여 그레고리력은 과학적 논쟁에 휘말리지 않으면서도 절기에 더 잘 들어맞는 특성을 갖게 되었다. 그 결과 새 역법은 종교적 필요를 떠나 일상생활의 감각과도 잘 맞아서 오늘날까지 널리 사용되고 있다.

0 **이 글과 〈보기〉를 함께 읽은 후의 반응으로 적절하지 <u>않은</u> 것은 무엇인가요?**

보 기

보름달이 돌아오는 주기를 기준으로 하여 만든 역법인 음력에서는 30일과 29일이 든 달을 번갈아 써서, 평년은 한 해가 열두 달로 354일이다. 그런데 이것은 지구의 공전 주기와 많이 다르므로, 윤달을 추가하여 열세 달이 한 해가 되는 윤년을 대략 19년에 일곱 번씩 두게 된다. 전통적으로 동양에서는 이런 방식으로 역법을 만들고 대략 15일 간격의 24절기를 태양의 움직임에 따라 정해 놓음으로써 계절의 변화를 쉽게 알 수 있게 하였다. 이러한 역법을 '태음태양력'이라고 한다.

① 부활절을 정할 때는 음력처럼 달의 모양을 고려했군.
② 동서양 모두 역법을 만들기 위해 천체의 운행을 고려했군.
③ 서양의 태양력에서도 보름달이 돌아오는 주기를 고려했군.
④ 그레고리력의 1년은 태음태양력의 열두 달과 일치하지 않는군.
⑤ 윤달이 첨가된 태음태양력의 윤년은 율리우스력의 윤년보다 길겠군.

1 이 글의 내용과 일치하는 것은 무엇인가요?

① 두 역법 사이의 10일의 오차는 조금씩 나누어 몇 년에 걸쳐 수정되었다.
② 과학계의 반대에도 불구하고 역법 개혁안이 권력에 의해 강제되었다.
③ 릴리우스는 교회의 요구에 부응하여 역법 개혁안을 마련했다.
④ 릴리우스는 천문 현상의 원인 규명에 큰 관심을 가졌다.
⑤ 그레고리력이 선포된 시점에는 지동설이 지배적이었다.

2 ㉠과 ㉡을 비교한 설명으로 적절한 것은 무엇인가요?

① ㉠과 ㉡에서 서기 1700년은 모두 윤년이다.
② ㉠은 ㉡보다 더 정확한 관측치를 토대로 제정되었다.
③ ㉠을 쓰면 ㉡을 쓸 때보다 윤년이 더 자주 돌아온다.
④ ㉡은 ㉠보다 절기에 더 잘 들어맞는다.
⑤ ㉡은 ㉠보다 나중에 제정되었지만 더 보편적으로 쓰인다.

3

[A]를 이해하기 위해 〈보기〉를 활용할 때 ㉮~㉰에 해당하는 것은 무엇인가요?

| 보 기 |

○○시에 있는 원형 전망대 식당은 그 식당의 중심을 축으로 조금씩 회전한다. ㉮ 철수는 창밖의 폭포에 가장 가까운 창가 식탁에서 일어나 전망대의 회전 방향과 반대 방향으로 창가를 따라 걸었다. 철수가 한 바퀴를 돌아 그 식탁으로 돌아오는 데 ㉯ 57초가 걸렸는데, 폭포에 가장 가까운 창가 위치까지 돌아오는 데에는 ㉰ 60초가 걸렸다.

	㉮	㉯	㉰
①	항성	항성년	회귀년
②	항성	회귀년	항성년
③	지구	회귀년	회귀년
④	지구	항성년	회귀년
⑤	지구	회귀년	항성년

㉮의 위치, ㉯와 ㉰의 차이를 살펴봐. 그리고 [A]의 [그림]에서 ㉮와 유사한 위치에 있는 것을 찾고, ㉯와 ㉰의 차이를 항성년과 회귀년의 차이에 대입해 보도록 해.

4

ⓐ의 '으로'와 쓰임이 가장 가까운 것은 무엇인가요?

① 이 안경테는 플라스틱으로 만들어서 가볍다.
② 그 문제는 가능하면 토론으로 해결하자.
③ 그가 동창회의 차기 회장으로 뽑혔다.
④ 사장은 간부들을 현장으로 불렀다.
⑤ 지난겨울에는 독감으로 고생했다.

생각읽기 3

음원 수익 배분 방식의 변화

패러다임의 변화

Q 비례 배분 방식이 음원 사재기 유혹의 원인이 되는 이유는 무엇인가요?

대중음악의 인기를 가늠하는 수단 중 하나가 ㉠'차트'다. 차트는 음반 판매량, 라디오 방송 횟수 등을 기반으로 순위를 매기다 최근엔 시대 변화에 따라 디지털 음원 스트리밍 다운로드, 유튜브 조회 수 등도 반영하고 있다. 특히 주요 음원 서비스에서 제공하는 디지털 음원 차트를 보면 음악이나 가수의 인기를 짐작할 수 있다. 하지만 최근 몇 년 동안 불거진 음원 사재기 의혹 때문에 디지털 음원 차트는 신뢰를 잃어 가고 있다.

사재기 논란이 끊이지 않는 이유는 현행 음원 수익 배분 방식에서 찾을 수 있다. 현재 국내 음원 서비스 업체들은 대부분 '비례 배분 방식'으로 음원 스트리밍 수익을 나눈다. 이는 정액제 이용자들이 낸 돈을 모두 합해 총수익을 계산한 뒤, 이를 전체 음원 스트리밍 가운데 특정 음원 스트리밍이 차지하는 비율에 따라 수익을 나누는 방식이다. 이렇게 하면 음반 판매나 음원 다운로드 수익을 직접 해당 음악인에게 분배할 때보다 상위권과 하위권의 격차가 더욱 커진다. 차트 상위권 곡들이 더 많은 돈을 가져가는 반면, 차트에 진입하지 못하는 인디, 재즈, 클래식 등 비주류 음악은 수익이 더 떨어지는 것이다. 이렇듯 음원 차트 상위권에만 들면 막대한 수익을 올릴 수 있기 때문에 큰돈을 써서라도 높은 순위에 진입시키려는 사재기의 유혹이 끊이지 않는다. 이는 외국 음원 서비스 업체의 경우도 마찬가지다. 미국 버클리 음대의 조지 하워드 교수는 이를 두고 "유명 아티스트는 자기 몫보다 훨씬 더 많이 가져간다. 인터넷이 민주화를 가져올 거라 기대했지만, 실제로는 기존 지위만 더 강화된 셈"이라고 꼬집었다.

이런 가운데 음원 수익 방식의 새로운 패러다임을 찾아야 한다는 제안이 주목을 받고 있다. ㉡'이용자 중심 배분 방식'은 이러한 맥락에서 제안된 새로운 방식이다. 이를 통해 차트 상위권자에게만 돈이 몰리는 빈익빈 부익부 현상을 완화하고, 더 나아가 음원 차트에 의존하는 이용 습관을 개선하자는 것이다. '이용자 중심 배분 방식'은 이용자가 낸 돈이 그가 들은 음악의 아티스트에게 직접 돌아가도록 하는 방식이다. 예컨대 한 이용자가 한 달 동안 인디 음악인 A의 곡을 70번, 재즈 뮤지션 B의 곡을 30번 들었다 치자. 기존의 방식대로라면 이용자가 낸 이용료의 대부분이 그가 듣지도 않은 차트 상위권의 인기 가수에게 간다. 하지만 이용자 중심 배분 방식을 적용하면 이용자가 낸 돈의 70%는 A에게, 30%는 B에게 돌아간다. 핀란드에서 2017년 스트리밍 서비스 이용자를 대상으로 연구한 결과를 보면, 비례 배분 방식에서는 상위 0.4% 음원이 전체 저작권료의 10%를 가져간 반면, 이용자 중심 배분 방식에서는 상위 0.4% 음원이 전체 저작권료의 5.6%를 가져가는 것으로 나타났다. 즉 이 방식에 따르면 현행 비례 배분 방식의 문제가 다소 해소됨을 확인할 수 있다.

프랑스의 문화 훈장까지 받은 유명 음반 제작자 에마뉘엘 드뷔르텔 또한 이용자 중심 배분 방식을 도입할 것을 촉구하면서 "이용자 중심으로 정산하면 현재 스트리밍 사이트에서 횡행*하고 있는 '페이크 스트리밍'(사재기)이 줄고, 아티스트의 수익 흐름이 더 원활하게 바뀔 것이며, 다양한 장르의 음악 확산에도 도움이 될 수 있을 것"이라고 주장했다. 결국 프랑스의 한 음원 서비스 업체는 2020년 상반기 중에 이용자 중심 배분 방식을 도입하겠다고 밝혔다. 국내에서도 이용자 중심 배분 방식을 도입하려는 움직임이 있다. 어떤 변화이든지 간에 창작자들 개개인의 노력이 인정받고, 이용자들의 권리가 향상되어 합리적인 방식으로 진보할 수 있기를 바란다.

* 횡행: 아무 거리낌 없이 제멋대로 행동함.

0 다음은 한 음원 회사의 광고 문구입니다. 이 글의 내용을 바탕으로 할 때, (   )에 들어갈 내용에 해당하지 않는 것은 무엇인가요?

> **국내 최대 음원 사이트 '○○'은 다릅니다.**
> **이용자 중심으로 음원 수익을 배분합니다.**
>
> 하나. ○○에는 (   )을 줄 세우는 (   )가 없습니다.
> 둘, (   )가 낸 돈은 그가 들은 음악의 아티스트에게 직접 지불됩니다.
> 셋, 그래서 ○○에는 음원 (   )가 없습니다.

① 음악
② 차트
③ 이용자
④ 사재기
⑤ 스트리밍

광고 문구의 '이용자 중심으로 음원 수익을 배분합니다.'로 보아 '이용자 중심 배분 방식'에 대한 내용이 빈칸에 들어가야겠지?

1 **이 글의 내용 전개 방식으로 가장 적절한 것은 무엇인가요?**

① 두 방식의 차이점을 토대로 내용을 전개하고 있다.
② 두 방식의 인과 관계를 증명하며 내용을 전개하고 있다.
③ 한 방식의 입장에서 다른 하나의 방식을 수용하고 있다.
④ 두 방식의 등장 배경을 비교하며 새로운 방식의 문제점을 드러내고 있다.
⑤ 두 방식이 갖는 한계를 바탕으로 새로운 대안 모색의 필요성을 역설하고 있다.

이 길도 아니야! 저 길도 아니야!
새로운 길을 찾는 게 대안이야!

2 **㉠에 대한 설명으로 적절하지 <u>않은</u> 것은 무엇인가요?**

① 가수가 자신의 인기를 파악할 수 있는 척도가 된다.
② 시대 변화에 따라 반영되는 요소가 달라지기도 한다.
③ 상위권 진입을 위해 부정한 방법이 사용되기도 한다.
④ 순위는 음원 판매 수익에 영향을 끼치는 요소가 아니다.
⑤ 최근 음원 사재기 의혹으로 인해 그 신뢰성이 떨어지고 있다.

3 ㉡을 이해한 내용으로 적절한 것을 <보기>에서 모두 골라 바르게 짝지은 것은 무엇인가요?

| 보 기 |

ⓐ 음원 수익 배분 방식의 새로운 패러다임에 해당한다.
ⓑ 현행 음원 수익 배분 방식의 한계를 극복하기 위한 대안이다.
ⓒ 이용자들이 낸 돈을 모두 합해 총수익을 계산한 뒤 차트를 토대로 수익을 나눈다.
ⓓ 이용자들이 음원 차트를 토대로 상위권에 있는 음악을 골라서 들을 수 있도록 돕는다.
ⓔ 이용자가 낸 돈이 각자 들은 해당 음악의 아티스트에게 직접 돌아가도록 하는 방법이다.

① ⓐ, ⓑ, ⓓ　　② ⓐ, ⓑ, ⓔ　　③ ⓑ, ⓒ. ⓓ
④ ⓑ, ⓓ, ⓔ　　⑤ ⓒ, ⓓ, ⓔ

4 다음은 이 글을 읽은 학생이 쓴 글입니다. (　　)에 들어갈 내용으로 가장 적절한 것은 무엇인가요?

최근 음원 사재기 의혹에 관한 여러 기사를 접하면서 왜 저런 문제가 자꾸만 생길까 궁금했었는데 이 글을 읽고 나니 이해가 되었다. 우리나라 음원 업체들이 이용자 중심 배분 방식을 도입함으로써 (　　　　　　　　　　　　　　　　　　　　) 좋겠다.

① 비례 배분 방식의 문제점을 명확히 밝히면
② 음원 수익 배분의 빈익빈 부익부 현상이 개선되었으면
③ 음원 사재기에 연루된 이들에 관한 처벌이 이루어졌으면
④ 음원 차트의 트렌드 변화를 이용자들이 빨리 파악할 수 있으면
⑤ 유명 아티스트들이 자신의 지위에 맞는 명예를 누릴 수 있었으면

앞부분에 제시된 '이용자 중심 배분 방식'의 '도입'을 염두에 두고 빈칸에 들어갈 알맞은 내용을 생각해 봐.

생각읽기 4

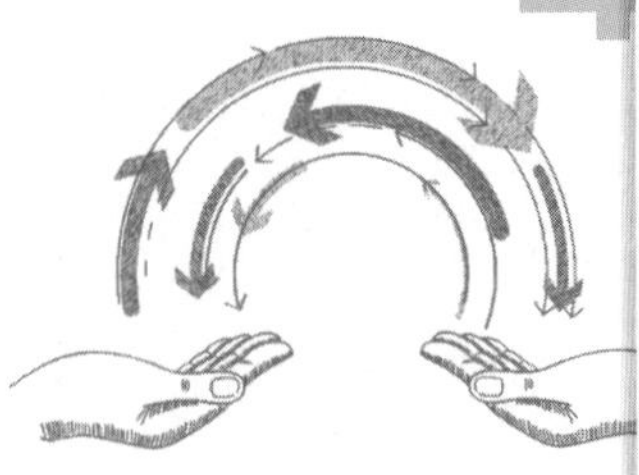

새로운 경제 패러다임

Q 경제 위기를 거치면서 사람들의 소비 패러다임은 어떻게 바뀌었나요?

소유의 시대에서 공유의 시대로

(가) 2018년 글로벌 경제를 뜨겁게 달군 키워드는 바로 '공유 경제'이다. '공유 경제'는 2008년 미국의 금융 위기를 극복하기 위해 하버드 대학교의 로렌스 레식 교수가 처음으로 사용하면서 등장하였다. 경제 위기의 시대 속에서 원하는 물건을 모두 구입할 수 없게 된 많은 사람들은 소비란 '소유'가 아니라 '사용'이라는 패러다임의 변화를 겪게 되었고, 이러한 변화가 공유 경제의 탄생으로 이어진 것이다. 공유 경제란 한 번 생산된 제품을 여럿이 공유해 쓰는 협업 소비를 기본으로 한 경제를 의미한다. 쉽게 말해, '나눠 쓰기'라는 뜻으로 자동차, 빈방, 책 등 활용도가 떨어지는 물건이나 부동산을 다른 사람들과 함께 공유함으로써 자원 활용을 극대화하는 경제 활동이다. 소유자의 입장에서는 효율을 높이고, 구매자의 입장에서는 싼 값에 이용할 수 있는 소비 형태인 셈이다. 소비 패러다임의 변화로서 등장한 공유 경제는 경제 가치의 생산과 소비 활동 모두에 커다란 변화를 만들었다.

(나) 우선 경제 가치의 창출 측면에서 보면 개인이 일상생활 속에서 수익을 창출하는 것이 가능해졌다. 자기가 가지고 있는 유휴 자원*을 이용할 수도 있고 새롭게 제품을 만들거나 투자를 통해서 자원을 확보하는 방법도 가능하다. 기업을 만들어서 경제 활동을 하기 위해서는 초기 투자비와 면허 취득 등 진입 장벽이 매우 높다. 그러나 공유 경제로 누구나 막대한 초기 비용이 없어도 일상생활에서 사업가가 될 수 있게 된 것이다. 소비 측면에서의 변화도 매우 크다. 제러미 리프킨은『소유의 종말』이라는 책에서 '소유의 시대는 가고 접근의 시대가 올 것'이라고 예견했고 그 예견은 현실이 되었다. 사서 소유하지 않고도 필요한 것을 필요할 때 필요한 만큼 사용할 수 있고, 적은 비용으로 많은 것을 편히 누릴 수 있게 되었다. 공유의 대상은 물건이나 공간뿐 아니라 무형의 시간과 지식, 기능, 경험 등과 같이 다양하다.

(다) 공유 경제는 점차 유휴 자원의 공유를 넘어 시민들이 경제의 주체가 되는 개념으로 확장되고 있다. 서로 필요한 물건을 나눠서 쓰되 지인과의 공유와 달리, 적정한 금전적 보상을 한다는 측면과 의미 있는 규모로 확대됨에 따라 공유 활동이 경제 활동이 되었다. 한국의 전통적인 품앗이나 IMF 이후 2000년대 초반의 어려운 경제 상황에서 일어났던 아나바다 운동*도 공유 경제와 맥락을 같이한다. 이 같은 나눔을 기반으로 한 경제 활동은 친환경적이며 개방적이다. 그래서 전문가들은 공유 경제를 통한 개인들의 교류가 공동체의 외연을 확장시킬 수 있을 것으로 기대한다. 하지만 공유 경제가 정말 착한기만 한 시스템일까?

(라) 서비스의 거래 현장에서 발생하는 범죄와 기존 산업 집단과의 갈등은 공유 경제가 반드시 해결해야 할 난관 중 하나이다. 소비에 대한 패러다임의 변화로 공유 경제로의 전환은 피할 수 없는 것처럼 보이지만 그렇기에 더욱 '공유'라는 단어 뒤에 숨어 놓치기 쉬운 이면을 들여다보는 것도 필요하다. 또한 선의를 갖고 필요한 것을 서로 나눈다는 이미지의 공유 경제가 실제로는 착한 경제 시스템이 아니라는 시각 또한 존재한다. 특히 공유 경제 비판자들은 자본 경제 이후의 시스템으로서 공유 경제를 바라보는 입장에 제동을 걸고 있다. 사람들이 공유를 통해 공동체의 유대를 재현하는 것이 아니라 잉여 시간까지 노동에 사로잡혀 경쟁하게 만든다는 것이다.

(마) 정리하면, 공유 경제는 피할 수 없는 세계 경제의 주요한 흐름인 동시에 우려의 대상이기도 하다. 그러나 공유 경제가 세계 경제 시스템과 인류의 생활 패턴의 변혁을 이끌었으며 오랫

동안 당연하게 여겨왔던 소유로서의 소비 패러다임을 바꿔 놓으며 새로운 미래를 만들어 가고 있는 것은 분명하다. 4차 산업 혁명의 몸통으로 불리는 공유 경제가 만들어 갈 서사에 주목하고 공유 경제를 뒷받침하는 사회적 신뢰가 형성되어야 할 것이다.

* 유휴 자원: 현재 사용되지 않는 자원.
* 아나바다 운동: 1997년도의 IMF 관리체제에서 벗어나가기 위하여 일어난 실천운동을 말한다. 아껴 쓰고, 나눠 쓰고, 바꿔 쓰고, 다시 쓰기 운동이 있다.

0 **이 글을 핵심어를 중심으로 정리한다고 할 때, 글의 주제와 가장 거리가 먼 것은 무엇인가요?**

① 공유 경제
② 유휴 자원
③ 경제 위기
④ 소비 패러다임
⑤ 일상생활 사업가

글에서 **중심이 되는 단어**를 말해. 글에서 중요하게, 자주 사용되는 말이니,
당연히 **글의 주인공인 중심 화제나 주제**를 드러내겠지?

1 이 글의 내용과 일치하지 않는 것은 무엇인가요?

① 공유 경제는 초기 투자 비용이 적어도 유휴 자원을 활용해 수익을 얻을 수 있다.
② 공유 활동이라는 측면에서 품앗이나 아나바다 운동도 공유 경제의 일종으로 볼 수 있다.
③ 나눔을 기반으로 하는 경제 활동인 공유 경제는 개인들의 활발한 교류를 촉진시킨다는 점에서는 긍정적이라고 할 수 있다.
④ 공유 경제는 선의로 필요한 것을 나누는 것을 핵심으로 하지만, 공동체 구성원들의 경쟁을 감소시킨다는 측면에서 문제가 있다.
⑤ 공유 경제의 원리에 따르면 자동차나 책, 방과 같은 유형의 물건뿐 아니라 지식이나 경험 등과 같은 무형의 것들도 공유할 수 있다.

2 이 글에서 설명하는 '공유 경제'의 사례에 해당하지 않는 것은 무엇인가요?

① 영국으로 6개월 동안 여행을 떠나게 된 유리네 가족은 서울에서 잠시 근무하게 된 중국인에게 집을 빌려 주었다.
② 지수 어머니는 갑자기 차가 필요해서 자가용을 대여해 주는 주차장에서 차를 빌리고 사용이 끝난 후 차를 주차장에 반납하였다.
③ 개인 사업을 하는 슬기 삼촌은 사무실 임대료가 비싸서 다른 사업자 몇 명과 사무실을 함께 빌려 쓰고 사무 집기 등을 공유하고 있다.
④ 윤호 아버지는 낮에는 회사에 출근하고, 퇴근 후에는 여러 명의 친구들과 함께 산악 자전거에 관련된 영상을 제작하여 업로드하며 수익을 얻고 있다.
⑤ 진서 어머니는 진서가 입다가 작아진 옷들을 대여해 수익을 얻고, 매일 다른 옷을 입어야 한다는 사춘기 딸 진서를 위해 필요한 옷을 빌려 입고 반납하는 업체를 이용하고 있다.

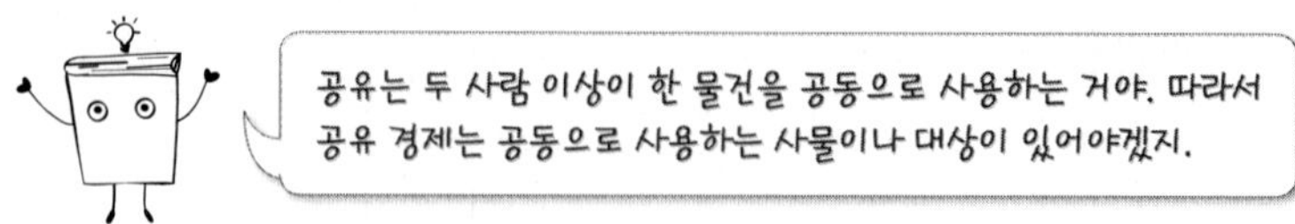

3 **(가)를 읽고 알 수 있는 내용으로 적절하지 않은 것은 무엇인가요?**

① 공유 경제의 의미
② 공유 경제가 등장한 배경
③ 공유 경제가 만든 변화의 영역
④ 공유 경제가 우리나라의 금융 위기 극복에 끼친 영향
⑤ 공유 경제의 탄생에 영향을 준 소비 패러다임의 변화 양상

4 **이 글을 〈보기〉를 참고하여 이해할 때, 독자의 반응으로 가장 적절한 것은 무엇인가요?**

보 기

세계적 전염병으로 인해 사람들 간의 거리 두기가 필요한 현실 속에서 공유에 대한 거부감이 확산되면서, 공유 경제를 상징하던 업체들이 어려움을 겪고 있다. 현재의 세계적 위기 상황이 해결된다고 하더라도 소비자 사이에 공유에 대한 거부감이 남아 있을 가능성이 높아 공유 산업에도 변화가 필요할 것으로 보인다.

① 공유 경제의 핵심이 되는 공유 패러다임에 공유 경제가 처음 시작될 때부터 얼마나 많은 한계가 있었는지 알게 되었어.
② 전염병으로 인한 세계적 위기 상황에서도 우리가 평소 중요시했던 공동체 패러다임이 위기 극복을 위한 해결책이 될 수 있음을 깨달았어.
③ 소비란 소유가 아니라 사용이라는 패러다임이 그 지위를 유지하기 위해서는 관련 업체들의 협력적인 태도가 가장 중요하다는 걸 알게 되었어.
④ 물건이나 생각을 공유한다는 공유 경제의 가치가 시대적 상황에 따라 변화된 것처럼 패러다임은 시대가 변하면 반드시 교체되어야 한다는 것을 알았어.
⑤ 현재는 공유 경제가 소비의 새로운 패러다임으로 인정받지만 상황이 변하면 공유 경제 또한 또 다른 새로운 패러다임에 그 자리를 내줄 가능성이 있음을 알았어.

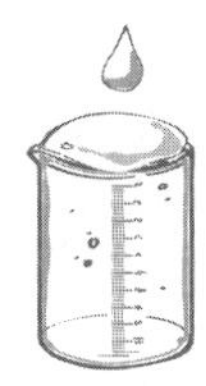

이제 그만! 넘치겠어!
여기까지가 내 한계인 거 같아.

생각읽기 5

조선 시대 실학의 탄생

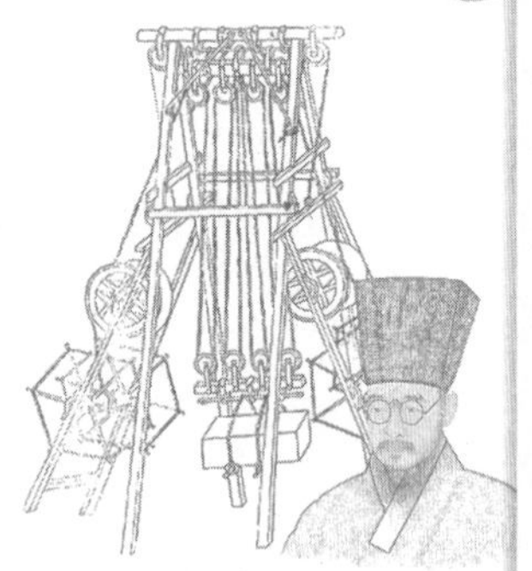

지식의 패러다임

Q '실학'의 개념에 대한 잠정적 결론은 무엇인가요?

실학은 1930년대 정인보가 정약용을 집중 ⓐ조명하며 실학을 본격적으로 연구한 이래 조선 후기 새로운 학풍을 나타내는 개념으로 사용되었다. 실학이라고 하면 오늘날 조선 후기의 실학을 가리키는 용어로 통용되지만 불과 100년 전만 하더라도 이를 의미하지는 않았다. 실학이 조선 후기의 고유한 사상이 아니며 실제 현실로서의 역사가 아닌 후대의 역사가가 만든 허구적 개념이라는 문제 제기가 나오는 것도 이 때문이다. 그러나 지금까지의 수많은 실학에 대한 연구와 논쟁을 통해 도달한 잠정적*인 결론은, 실학은 조선 왕조의 건국 이념인 성리학이 18세기 변화된 현실에 ⓑ직면하여 나타나기 시작한 새로운 지식 패러다임이라는 것이다.

실학 이전에 조선을 지배하던 사상은 성리학이었다. 성리학은 자연과 사회의 발생과 운동을 이와 기의 개념으로 설명한다. 기가 모이고 흩어지는 것에 의해 우주 만물이 생성되며, 기는 만물을 구성하는 요소가 된다. 기에 의해 구성된 우주 만물은 차별성, 등급성을 가지므로, 결국 자연, 인간, 사회가 모두 위계질서를 갖는다. 그래서 성리학의 패러다임에 따르면 관료제적 통치 질서, 신분 계급적 사회 질서, 가부장제 · 종법*제적 가족 질서는 정당하고도 완전했다. 그러나 실학이 ⓒ태동하던 시기인 18세기에는 전 세계적으로 근대로의 이행이 본격적으로 일어났다. 서구에서는 계몽사상이라 불리는 새로운 지식 패러다임이 등장하였고, 이는 곧 프랑스 혁명을 추동하는 동력이 되었다. 그리고 이 시기는 서양 세력이 동양으로 진출하는 이른바 서세동점*의 세계사적 전환기였고, 조선은 임진왜란과 병자호란이라는 양란으로 국토가 황폐화되던 시기였다. 이러한 대내외적인 어려움 속에서도 농업 생산력이 점차 회복되고 도시를 중심으로 상업이 발달하면서 변화된 시대 상황에 맞는 새로운 패러다임이 요구되었다.

실학은 개혁과 개방을 요구하는 시대 요청에 부응한 학문이었다. 소중화*주의라는 낡은 사고방식을 반성하는 한편, 국가의 총체적 개혁을 도모하는 것을 학문의 사명으로 삼았다. 17세기 중반 명 · 청 교체에 따른 화이* 질서의 해체가 그 신호탄이 되었다. "충실한 예의 질서를 이루면 어느 나라나 중화가 될 수 있다."라고 말한 18세기 대표 실학자인 이익의 말을 통해 실학 사상의 핵심을 이해할 수 있다. 조선은 조선일 뿐이라는 생각은 중국 중심의 패러다임에서 ⓓ탈피하여 조선 문화의 독자적 가치에 대한 자각이기도 했다.

17세기부터 서서히 형성된 실학적 학풍은 18세기에 본격적으로 전개되었다. 실학은 조선 후기 농업 생산력 발전에 따른 토지 소유 문제를 농민의 처지에서 해결하려고 하였고, 신분 제도, 관리 선발과 임용 등에 대한 개혁론을 중요하게 다루었으며, 상공업의 유통 및 생산 기구 등 기술 혁신을 통해 조선 사회를 변화시키려고 노력했다. 또한 성리학을 기초로 한 허위의식을 맹렬히 비판했다. 사농공상을 중심으로 한 조선 사회의 신분 차별에 대해서는 비판적이었고, 중국과 서양으로부터 ⓔ선진 문화를 수입하여 조선의 문화를 부흥하기 위해 많은 노력을 기울였다.

조선 후기 실학의 성격을 한마디로 규정한다면, '조선 문화의 독자적 자각'과 '국가 질서의 개혁'이라고 할 수 있다. 바로 이 점이 조선 후기의 실학이 다른 시기의 학문과 구별되는 특징이며, 근세 서양의 르네상스처럼 역사적 실체로서 존재했던 타당한 근거가 되는 것이다.

정답과 해설 **27쪽**

* 잠정적: 임시로 정하는 것.
* 종법: 제사의 계승과 종족의 결합을 위한 친족 제도의 기본이 되는 법.
* 서세동점(西勢東漸): 서양이 동양을 지배한다는 뜻으로, 밀려드는 외세와 열강을 이르는 말.
* 소중화(小中華): 조선 시대, 중국이 세계의 중심이라는 중화사상에 빗대어서, 조선이 세계의 중심이라고 하며 우리 민족의 우월성을 자랑한 것을 비유적으로 이르는 말.
* 화이: 중국 민족과 그 주변의 오랑캐.

0 **이 글에서 알 수 있는 조선 시대 지식 패러다임의 변화를 고려할 때, 다음 중 세상을 이해하는 패러다임이 다른 하나를 고르세요.**

① 양반은 양반만이 할 수 있는 일을 해야 한다. ▢
② 우주 안에 있는 모든 것은 위계질서를 가진다. ▢
③ 중국뿐 아니라 서양의 문화도 받아들여야 한다. ▢
④ 오랑캐가 세운 나라인 청은 조선보다 미개한 나라이다. ▢
⑤ 출신이 천하다고 해서 부모를 원망하지 말고 운명으로 여겨야 한다. ▢

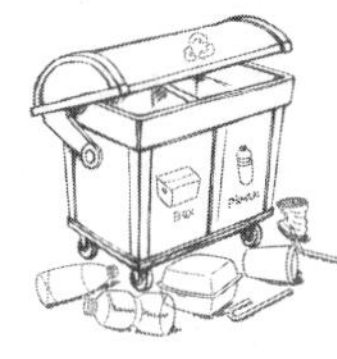

박스는 박스대로 플라스틱은 플라스틱대로
정보 분류는 정보 파악부터 시작하자!

1 **이 글에 대한 설명으로 적절하지 않은 것은 무엇인가요?**

① 실학이라는 용어를 둘러싼 논란을 소개하고 있다.
② 실학과 성리학의 공통점을 중점적으로 설명하고 있다.
③ 실학이 태동했던 당시의 세계적 상황을 제시하고 있다.
④ 실학 이전에 조선을 지배하던 지식 패러다임을 제시하고 있다.
⑤ 조선 후기 실학이 다른 시기의 학문과 구별되는 특징이 드러나 있다.

2 **이 글을 바탕으로 〈보기〉를 이해한 내용으로 적절하지 않은 것은 무엇인가요?**

보 기

정조(재위 1776~1800)는 서자 출신이라 벼슬길이 막혀 있던 박제가를 늘 곁에 두고 그의 재주를 아꼈으며, 서얼들에게도 과거를 보게 해 합격하면 벼슬을 주었고 멸시받던 서북 지방 인사들을 특별히 뽑아 벼슬을 주기도 하였다. 당시 성균관에서는 과거에 합격해 입학하면 나이 순서대로 앉는 것이 관례였는데, 이를 어기고 서얼들에게는 앉는 자리에 차별을 두어 남쪽 줄에 앉게 했다. 이를 알게 된 정조는 거듭 시정을 명령하였다. 또한 탕평책*을 써서 당색을 초월하고자 했으며, 지역감정을 어루만지고 차별받는 신분층을 거두어들였다.

정조는 규장각 서재에 '만천명월주인옹(萬川明月主人翁)'이라고 쓴 글귀를 걸어 놓고 늘 바라보았다. 그 뜻은 '모든 냇물에 골고루 비추는 밝은 달과 같은 주인 늙은이'라는 것으로, 이는 백성을 골고루 보살핀다는 의지의 표현이었다.

* 탕평책: 조선 영조 때에, 당쟁의 폐단을 없애기 위하여 각 당파에서 고르게 인재를 등용하던 정책.

① 조선은 신분이 천하다는 이유로 차별받는 사람들이 존재하던 사회였다.
② 정조는 신분에 관계없이 능력 있는 자들에게 나라에서 일할 수 있는 기회를 제공했다.
③ 성리학의 패러다임으로 세상을 이해하던 사람들은 정조의 통치 방식에 불만을 품고 있었을 것이다.
④ 지역감정을 어루만지고 천한 사람들도 모두 거두었던 정조의 노력은 실학의 등장으로 힘을 잃었을 것이다.
⑤ 정조가 늘 바라본 글귀를 통해 정조는 성리학적 신분 질서에 대해 비판적인 생각을 품고 있었을 것으로 짐작해 볼 수 있다.

3 **이 글을 읽고 난 후 '실학'을 주제로 학생들이 나눈 대화 내용입니다. 이 글의 내용을 잘못 이해한 학생은 누구인가요?**

은정: 실학은 성리학의 패러다임을 대체할 수 있는 새로운 지식 체계였다고 볼 수 있어.
지유: 맞아. 개혁과 개방이 요구되는 시대적 변화 속에서 성리학은 시대 요청에 부응할 만한 학문이 아니었기에, 새로운 패러다임으로의 변화가 필요했을 거야.
현서: 성리학이 정당성을 부여한 관료제와 신분 계급적 사회에 대해 실학은 부정적인 입장을 취했음을 알 수 있어.
서영: 맞아. 그래서 실학은 국가의 총체적 개혁을 도모하려고 했다고 이해할 수 있어. 패러다임의 측면에서 보면 서양의 계몽사상과 조선 후기의 실학은 공통점이 있다고 볼 수 있을 것 같아.
수아: 그렇지. 실학이 후대의 역사가가 만든 허구의 개념이라고 할지라도 조선 왕조의 기틀을 마련했다는 점에서는 큰 의의가 있어.

① 은정 ② 지유 ③ 현서 ④ 서영 ⑤ 수아

4 **ⓐ~ⓔ를 사용하여 만든 문장으로 적절하지 않은 것은 무엇인가요?**

① ⓐ: 이 영화는 알려지지 않은 독립 운동가들의 삶을 조명했다.
② ⓑ: 그는 다급한 상황에 직면하자 어찌할 바를 몰랐다.
③ ⓒ: 어려운 시기를 거치면서 민족의식이 태동하기 시작했다.
④ ⓓ: 지우는 선생님께 연극 동아리에서 탈피하겠다고 말씀드렸다.
⑤ ⓔ: 대통령은 선진 한국을 만들기 위해 더욱 노력하겠다고 밝혔다.

꾸준한 독해로 문맥을 꿰뚫어 보아야 어휘 문제를 정복할 수 있는 법! 문장 속에서 단어의 쓰임이 적절한지 판단해 봐.

생각읽기 6

르네상스를 이끈 메디치 가문

패러다임을 이끈 사람들

Q 메디치 가문은 어떤 방법으로 예술가와 학자들이 예술적·학문적 성과를 낼 수 있도록 도왔나요?

'중세의 가을'이라고 하는 14세기경부터 유럽 사회는 세상과 자연에 관한 패러다임에 급격한 변화를 겪는다. 14세기 이전까지 유럽 사람들은 크리스트교의 교리에 맞는 생활을 강조하였으며, 신을 떠난 생활은 상상할 수 없을 정도였다. 그런데 14세기에 들어서면서, 인간의 존엄성을 중히 여겨야 한다는 새로운 움직임이 나타났다. 이는 크리스트교의 속박에서 벗어나 사람의 개성을 존중하고, 학문과 과학 등 모든 분야의 연구를 자유롭게 하자는 운동이었다. 이러한 운동을 ㉠르네상스라고 한다. 르네상스는 학문 또는 예술의 재생, 부활이라는 의미를 담고 있는데, 고대의 그리스·로마 문화를 부흥시킴으로써 새 문화를 창출해 내려는 운동으로 그 범위가 사상, 문학, 미술, 건축 등 다방면에 걸친 것이었다. 르네상스는 5세기 로마 제국의 몰락과 함께 중세가 시작되었다고 보고, 그때부터 르네상스까지의 시기를 야만 시대, 인간성이 말살된 시대라고 규정하며 고대의 부흥을 통해 이를 극복하려고 하는 것이 특징이다.

르네상스는 이탈리아에서 시작되었다고 보는 것이 통설이다. 특히 십자군 원정으로 상업이 활발해지면서 도시민들이 차츰 경제적으로 독립하게 되고 이에 따라 중세의 봉건 제도가 무너지기 시작한 베네치아, 로마, 피렌체 등의 도시에서 르네상스는 크게 꽃을 피웠다. 이 도시들 중 '생각으로 사는 모든 사람들의 어머니 같은 도시'로 불리는 피렌체는 르네상스의 가장 큰 부흥을 일구어 낸 곳이자 많은 천재들의 고향이라고 해도 과언이 아니다. 암흑의 중세 시대에 작별을 고한 서양 문학의 장송곡인 『신곡』의 저자 단테, 르네상스 인문주의의 시발점을 장식하는 작가 페트라르카, 인간의 본성과 정치의 냉혹한 현실을 예리한 문장으로 파헤친 마키아벨리, '르네상스 만능인'으로 불린 레오나르도 다빈치, 미술과 조각 그리고 건축의 장르를 통합시킨 미켈란젤로 등이 모두 피렌체에서 태어나거나 자랐다. 또한 이들은 모두 메디치 가문으로부터 적극적인 후원을 받아서 예술적·학문적 성과를 낼 수 있었다는 점에서 공통점이 있다.

13세기부터 17세기까지 여러 부침*을 거듭하며 피렌체를 실질적으로 통치했던 메디치 가문은 시대의 패러다임이 변하고 있음을 빠르게 포착하고 그 변화를 이끌어 갔다. 메디치 가문은 2명의 교황과 2명의 프랑스 왕비를 배출한 명문가로 여러 분야의 예술가, 학자를 모아 공동 작업을 후원했다. 후원받은 예술가와 학자들은 자연스럽고 창조적인 교류를 이어 가며 각자의 역량을 최대치 이상으로 발휘했을 뿐 아니라, 시너지 효과*를 내며 르네상스 시대를 이끌어 갔다. 치밀한 미래 계획과 아낌없는 투자, 탁월한 지도력으로 피렌체를 독창적인 예술의 도시로 만든 메디치 가문이 있었기에 피렌체에서 르네상스 시대가 전성기를 맞이할 수 있었다.

메디치 가문은 인문학적·예술적 후원을 통해 르네상스 시대를 만든 것과 더불어 부의 목적을 재정립한 가문으로도 유명하다. 당시 피렌체에는 평민들의 반란이 일어났는데, 메디치 가문은 이 반란을 지지하였다. 이 사건으로 메디치 가문은 20년간 피렌체에서 정치적 역량을 상실했지만, 그들은 공동체를 중시했고 하층민에 대해서는 줄곧 우호적인 태도를 ㉡지켰다. 가문의 마지막 직계 후손인 마리아 루이사 데 메디치는 임종 때 "메디치 가문이 소유하고 있던 궁전들과 모든 작품은 피렌체 시민의 것이다."라는 유언을 남기고 가문이 소유한 모든 작품을 우피치 미술관에 기증했다. 이렇듯 메디치 가문은 르네상스를 이끌었던 주축이자, 구시대의 한계를 발견하고 새 시대의 패러다임을 연 사람들이었다.

* 부침: 세력 따위가 성하고 쇠함을 비유적으로 이르는 말.
* 시너지 효과: 여러 요인이 함께 작용하여 하나씩 작용할 때보다 더 커지는 효과.

0 **다음은 메디치 가문에 대한 설명입니다. ⓐ~ⓔ에 들어갈 말로 적절하지 <u>않은</u> 무엇인가요?**

> 메디치 가문은 크리스트교 중심으로 세상을 이해했던 (ⓐ) 시대의 패러다임이 급격히 무너지고 (ⓑ)의 존엄성과 개성을 존중해야 한다는 패러다임의 탄생을 포착하여, 시대의 (ⓒ) 변화를 이끌어 갔다. 그 결과 (ⓓ)는 (ⓔ) 시대의 중심 도시로 자리 잡을 수 있었다.

① ⓐ: 중세
② ⓑ: 인간
③ ⓒ: 패러다임
④ ⓓ: 피렌체
⑤ ⓔ: 근대

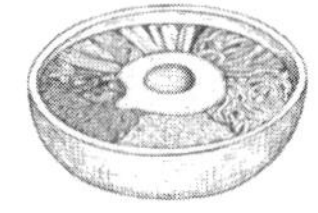

비빔밥에 필요한 재료가 뭐가 있지?
글의 화제는 바로 글의 재료야!

1 **이 글을 바탕으로 발표를 하기 위해 자료를 활용한다고 할 때, 적절하지 않은 것은 무엇인가요?**

① 14세기 이전 유럽 사람들의 삶의 모습을 보여 주는 그림 자료
② 십자군 원정이 메디치 가문의 몰락에 끼친 영향을 보여 주는 사료
③ 르네상스 시대에 메디치 가문으로부터 후원받은 예술가들의 초상화
④ 메디치 가문의 마지막 직계 후손이 우피치 미술관에 기증한 작품의 목록
⑤ 메디치 가문으로부터 후원받은 여러 분야의 사람들이 일구어 낸 결과물

2 **이 글을 참고하여 〈보기〉를 이해할 때 (   ) 안에 들어갈 내용으로 가장 적절한 것은 무엇인가요?**

보 기

메디치 효과는 서로 관련이 없을 것 같은 이질적인 아이디어와 지식을 결합해 혁신을 일으키는 현상을 일컫는 경영학 용어로, 프란스 요한슨이 2004년에 소개한 개념이다. 이는 15세기 피렌체의 메디치 가문이 (   ) 유래했다.
가전제품과 패션 브랜드와의 공동 작업과 같이 최근 기업에서는 이질적인 부서 간의 협업이나 통합을 통해 기존의 틀을 깨는 새로운 개념의 제품이나 아이디어를 창출해 내며 메디치 효과를 도모하는 경향이 활발해지고 있다.

① 정치적 역량을 상실하고 몰락의 길을 걷게 된 과정으로부터
② 여타의 귀족 가문과 다른 가풍을 가질 수밖에 없었던 역사적 사건에서
③ 르네상스 시대에 어떤 방법으로 막대한 부를 축적했는지를 설명하려는 노력으로부터
④ 공동체를 중시하고 하층민에 대해 우호적인 귀족으로 자리 잡기까지 벌어진 일련의 사건들로부터
⑤ 후원한 여러 분야의 전문가들이 창조적인 교류를 하면서 서로 융합되어 시너지 효과가 일어났다는 것에서

3 ㉠에 대해 이해한 내용으로 적절하지 않은 것은 무엇인가요?

① 인간의 존엄성을 중시하는 새로운 움직임이었다.
② 중세 시대를 야만적·비인간적 시대로 인식하였다.
③ 인간 개개인의 개성을 존중하는 것을 가치로 삼았다.
④ 크리스트교의 교리를 충실하게 지키는 삶을 추구하였다.
⑤ 과거 그리스·로마 문화를 바탕으로 새로운 문화를 형성하고자 하였다.

4 문맥상 의미가 ㉡과 가장 가까운 것은 무엇인가요?

① 자신의 분수를 지키며 사세요.
② 군인들은 목숨을 다해 조국을 지켰다.
③ 수호는 자신의 몸을 지키기 위해 노력했다.
④ 그는 오랫동안 침묵을 지킬 수밖에 없었다.
⑤ 선비들은 절개를 지키기 위해 목숨을 버리기도 했다.

㉡과 선택지의 '지키다'를 보면 모두 앞에 '~을'이라는 목적어가 제시되어 있지? 그 목적어가 ㉡ 앞의 목적어와 성격이 유사한 것을 찾아보면 ㉡과 문맥적 의미가 비슷한 것을 찾을 수 있을 거야.

Q 다음은 생각을 읽을 수 있는 지문 구조도를 퍼즐로 나타낸 것입니다. 앞에서 읽은 글의 내용을 떠올리며 생각읽기 1~6에 해당하는 퍼즐을 선으로 연결해 보세요.

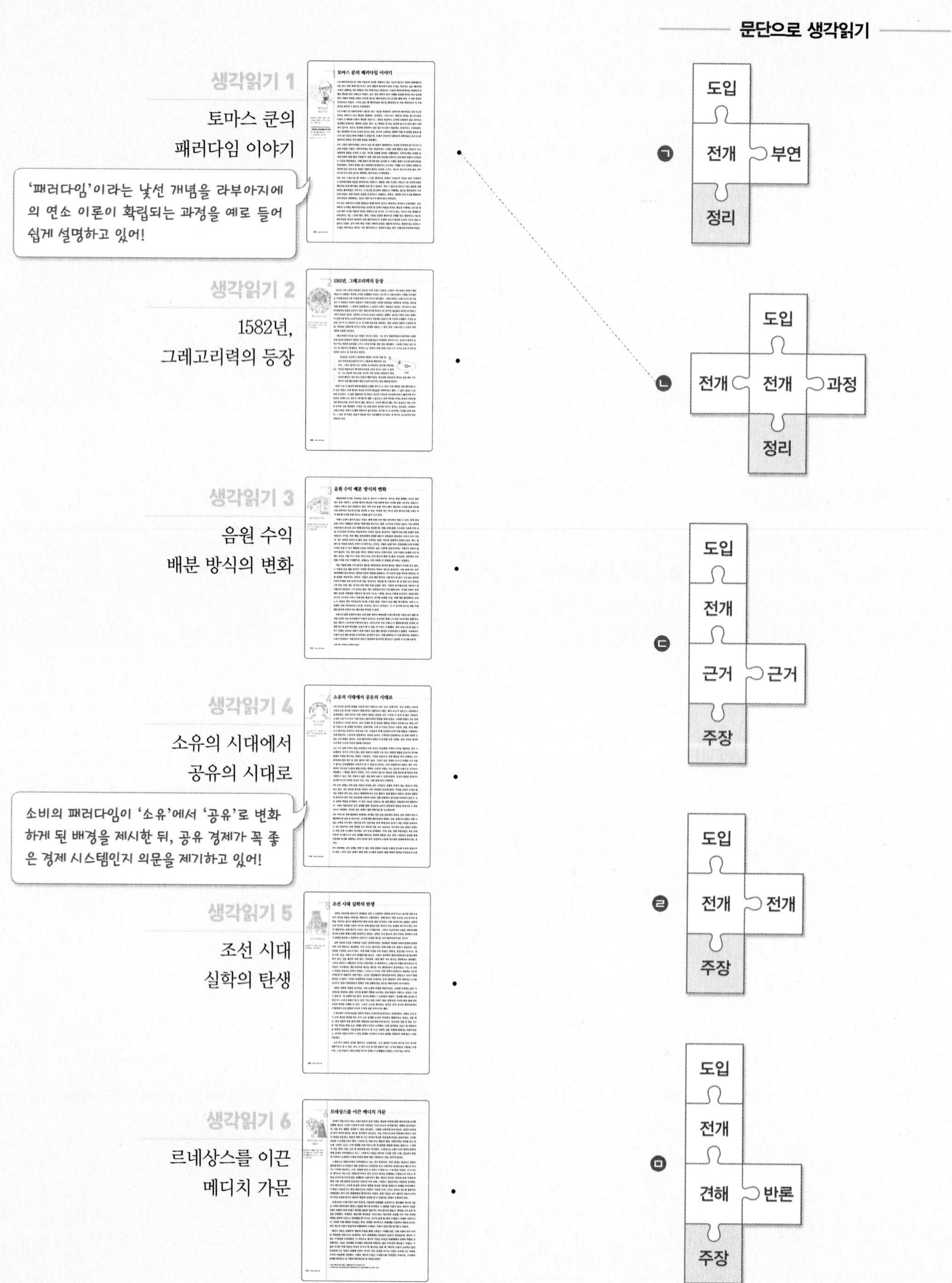

한 문장으로 생각읽기

1 토마스 쿤이 제시한 ☐☐☐☐은 연소 이론의 변화 과정처럼 정상 과학으로 변칙 사례를 설명할 수 없게 될 때 변화를 겪으며 교체된다.

2 율리우스력과 대비되는 ☐☐☐☐☐은 제정 당시에는 역법 개혁에 해당하는 것으로, 절기에 더 잘 들어맞는 역법을 만들기 위한 노력의 결과였다.

3 비례 배분 방식으로 음원 수익을 나누는 현재의 패러다임이 갖는 문제점을 해결하기 위해서는 그 대안으로 ☐☐☐ 중심 배분 방식을 도입하여야 한다.

4 세계 경제의 주요 흐름인 ☐☐ ☐☐는 적은 비용으로 원하는 물건이나 가치를 사용할 수 있다는 측면에서 경제적이고 효율적이지만, 보완과 변화가 필요하다.

5 ☐☐은 조선 시대의 지식 패러다임으로서, 문화의 독자적 가치와 가능성을 자각하고, 국가 질서의 개혁과 선진 문화 수입을 통한 조선의 문화 부흥을 위해 노력을 기울였다.

6 ☐☐☐ 가문은 중세가 끝나고 새로운 시대가 열리는 변화의 상황을 포착하고, 피렌체에서 새로운 패러다임이 자리 잡는 데 크게 기여했다.

한 단어로 생각읽기

인간은 왜 패러다임을 바꾸려 할까?

"시대가 다르면, 생각의 방향도 달라지기 때문이다"

한 시대의 인간의 사고를 지배하는 인식 체계인 패러다임을 살펴보면 사람들이 그 시대를 살아가기 위해 택한 생각의 방향을 알 수 있습니다. 또한 시대가 달라짐에 따라 그 생각들이 어떻게 변모했는지도 파악할 수 있지요.
시대가 변하면 사람들의 생각도 당연히 달라집니다. 그러므로 영원한 패러다임이란 존재할 수 없습니다. 어느 시대에는 도덕적으로 인정받던 생각이 다른 시대에는 불의한 것으로 치부될 수도 있는 것처럼요.
세상 그 어떤 것도 영원할 수 없는 것처럼 그 어떤 패러다임도 영원하지 않습니다. 하지만 패러다임을 살펴보는 것은 우리가 살아갈 이 시대와 사회를 이해하기 위한 중요한 열쇠가 된다는 사실은 변하지 않겠지요?

모든 획기적인 발전은
기존의 사고방식을 깨뜨림으로써 생겨났다.
– 토마스 쿤

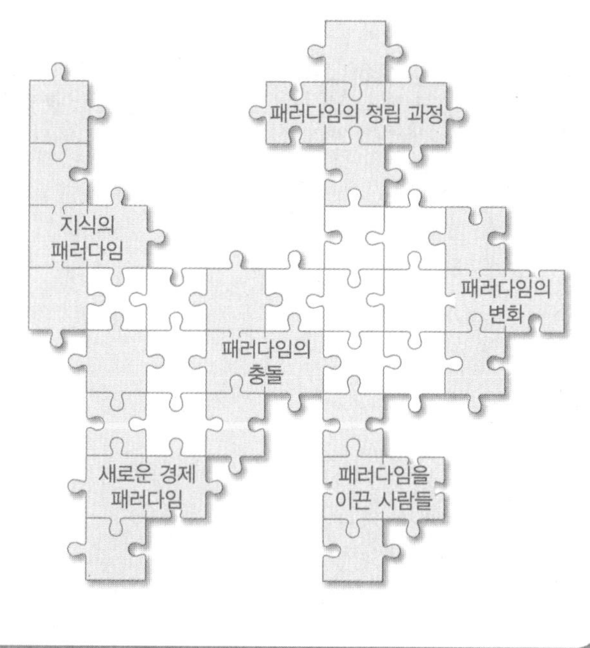

생각의 발견

05 비밀

비밀을 말하다!

비밀은 의도적으로 숨겨서 남에게 드러내거나 알리지 않는 것이기도 하지만, 아직까지 밝혀지지 않았거나 알려지지 않은 것을 의미하기도 합니다. 특히 학문의 영역에서 비밀은 후자의 의미로 사용되는데, 몰랐던 것을 알게 되었을 때 '○○의 비밀을 밝혔다.'와 같이 표현합니다. 즉, 밝혀지지 않았거나 알려지지 않은 것을 알게 되는 것은 지식의 확장과 학문의 발전을 의미하는 것이죠. 그러면 사람들은 지금까지 어떤 비밀을 어떻게 풀어왔는지에 대해 알아볼까요?

생각읽기 1

꿀벌은 어떻게 의사소통을 할까

곤충 언어의 비밀

Q 탐색벌은 동료 꿀벌들에게 어떤 방법을 사용하여 꿀의 위치를 알려 주나요?

사람과 마찬가지로 곤충들도 정교한 대화 시스템을 가지고 있다. 반딧불은 불빛의 깜박임을 가지고 짝짓기 준비가 되었음을 알리고, 개미들은 다양한 냄새로 신호를 보내 동료들에게 음식물이 있는 장소를 비롯한 약 50가지의 정보를 알린다. 벌들 역시 어느 곳에서 어떤 꿀을 딸 수 있는지 정확히 알려 준다. 이 중 '꿀벌 언어'의 발견은 1912년 생물학자들에게 회오리바람을 일으켰다. 자연 연구가인 프리슈가 꿀벌들이 놀라울 정도로 정교한 정보 교환 시스템으로 서로 의사를 교환한다는 것을 증명해 낸 것이다. 당시로서는 혁명적인 생각이었지만 프리슈는 이를 완벽하게 증명했다. 이른바 탐색벌*이 좋은 먹이가 있는 장소를 발견하면 일종의 언어와 같은 체계로 동료 벌들에게 다음 두 가지 사실을 알린다. 하나는 그 장소로 날아가 꿀을 딸 만한 가치가 충분하다는 것이며, 다른 하나는 그 장소가 어디인지 알고 있다는 것이다.

만화 주인공인 꿀벌 마야, 빌리처럼 탐색벌이 무조건 속닥대며 소식을 전하는 것은 아니다. 탐색벌은 동료 벌들에게 자신들이 발견한 꿀이나 꽃가루를 내보이며 다른 벌들이 우선 그 먹이의 질을 검토하고 평가하도록 한다. 그러고 나면 탐색벌이 춤을 추기 시작하는데, 벌집으로부터 100미터도 떨어지지 않는 곳에 그 꿀이 있다면 간단한 춤으로 의사 전달을 마친다. 하지만 비행 목적지가 100미터가 넘는 먼 곳이라면 8자 모양의 춤을 춘다. 이 꿀벌의 '엉덩이 춤'은 두 가지 중요한 정보를 포함하고 있다. 첫째, 얼마나 빨리 춤을 추느냐에 따라서 다른 벌들은 꿀이 있는 곳까지의 거리를 알 수 있다. 빠르면 빠를수록 목적지는 가까운 곳에 있는 것이다. 둘째, 춤의 방향은 먹이가 있는 장소의 상태를 말한다. 춤과 수직 방향이 만들어 내는 각도는 먹이가 있는 장소와 태양과의 각도가 일치함을 나타내며, 수직 위로 향하는 춤은 먹이가 있는 장소가 태양과 같은 방향에 있음을, 수직 아래로 향하는 춤은 장소가 태양과 반대되는 방향에 있음을 나타내기 때문이다.

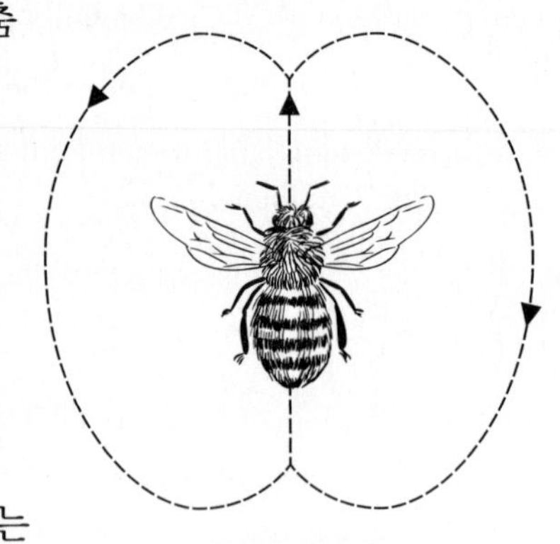
꿀벌의 8자형 춤

몇몇 연구자들에 따르면, 꿀벌의 춤은 정보 교환 시스템에서 진짜로 언어다운 '언어'가 될 수 있는 다음과 같은 여러 요건을 가지고 있다고 한다.

- 꿀벌의 춤은 소식을 전달한다. 즉 한 마리의 꿀벌이 다른 벌들에게 근처에 먹잇감이 있으니 모두 그곳으로 날아갈 이유가 충분하다는 것을 알리는 것이다.
- 꿀벌의 춤은 먼 곳에 있는 대상의 존재를 알린다. 탐색을 담당하는 암벌은 벌집에 꽃가루 한 보따리를 가지고 들어와 동료들로 하여금 즉석에서 저장하게 하는 것이 아니라, 멀리 100미터, 1,000미터 혹은 2,000미터나 떨어진 곳에 좋은 꽃가루가 다량으로 있다는 것을 알려 준다.
- 꿀벌의 춤은 기호 체계로 이루어져 있다. 벌들은 동료들의 다리를 잡아당기거나 그들이 날아가야 하는 방향으로 엉덩이를 찌르며 길을 가르쳐 주는 것이 아니라 춤의 방식과 형태를 통해 방향과 거리를 알려 준다.

그러나 꿀벌의 의사소통과 인간의 언어에는 많은 차이점이 있다. 인간의 언어는 새 단어나 문장을 무한히 만들어 다양한 정보를 전달할 수 있는 데 반해, 꿀벌의 의사소통은 아주 중요한 몇 가지 정보만을 전달할 뿐이다. 예를 들어 탐색벌은 "난 우리 꿀을 훔치려는 곰을 봤어. 모두 빨리 밖으로 날아가서 곰의 콧잔등을 쏘아 주자!"와 같은 정보를 전달하지 못한다. 벌들에게는 그러한 정보를 전달하기 위한 단어가 없기 때문이다. 다른 동물의 정보 전달 체계도 마찬가지로 모두 매우 제한적이다. 새들의 다양한 노래도 아주 단순한 기능만을 수행한다. 그들의 영역으로 경쟁자가 침범하지 못하도록 노래를 부르는 것이다. 그리고 ㉠수컷의 노래는 암컷에게 "난 세상에서 제일 훌륭한 새이고 가장 잘생긴 새이며 가장 우수한 새입니다. 나와 짝을 지어 가족을 이룹시다."라는 뜻을 담고 있다. 새들의 노래는 그 이상의 내용을 담고 있지 않다.

* 탐색벌: 먼저 나가 꿀을 찾는 역할을 하는 일벌.

글쓴이는 왜 서술어에 힘을 줄까

서술어를 통해 대상에 대한 글쓴이의 관점과 태도를 드러낼 수 있으니깐~

► 원리로 생각읽기 136쪽

0 **이 글의 내용을 바탕으로 책을 펴낸다고 할 때, 그 제목으로 적절한 것을 고르세요.**

① 꿀벌, 춤으로 자기 영역을 지키다 ☐
② 꿀벌 만능의 춤, 인간을 능가하다 ☐
③ 꿀벌의 빠른 춤으로 동료들을 속이다 ☐
④ 꿀벌, 엉덩이 춤으로 모든 것을 할 수 있다 ☐
⑤ 꿀벌의 춤, 그들만의 정보 전달 체계를 가지다 ☐

1 **이 글과 〈보기〉의 실험 결과를 분석한 내용으로 적절하지 <u>않은</u> 것은 무엇인가요?**

> 보 기
>
> 벌을 날아가게 하지 않고 꿀 소재지까지 걷게 했더니, 돌아와서 춤을 추는데 거리를 스물다섯 배로 잘못 알려 주었다. 또 벌집 자리에서 수직으로 50m 높이의 나뭇대를 세워 그 위에 꿀을 얹어 놓고 벌이 맛보게 한 뒤 벌집으로 돌아가게 했더니, 다른 벌들에게 그 위치를 알려 주지 못하였다.

① 꿀벌의 언어는 주로 꿀의 위치를 알려 주는 기능을 한다.
② 탐색벌은 탐색 방법에 따라 잘못된 정보를 전달할 수도 있다.
③ 꿀벌의 언어는 그 체계가 꿀벌 집단의 구성원 간에 서로 약속되어 있다.
④ 꿀벌의 언어로는 수평적 거리보다 수직적 거리를 더 정확하게 전달할 수 있다.
⑤ 꿀벌의 언어 체계는 도보가 아닌 비행을 통해 얻은 정보를 정확하게 전달할 수 있다.

2 **꿀벌의 춤과 대비되는 인간의 언어만이 갖는 특징으로 가장 적절한 것을 고르세요.**

① 언어에 상대가 항상 존재한다. ☐
② 언어는 주로 몸짓으로 전달된다. ☐
③ 언어는 단순한 정보 전달의 기능을 한다. ☐
④ 언어는 모든 상황에 적용할 수 있는 창조성이 있다. ☐
⑤ 언어는 특정 의미나 의사를 교환할 수 있는 체계가 있다. ☐

깃털이 검다고 해서 모두 까마귀는 아니지?
둘 사이의 차이를 밝히기 위해 서로 맞대어 비교하는 것이 대비야!

3 ㉠에 대한 설명으로 적절하지 않은 것은 무엇인가요?

① 새들의 노래가 특정한 기능만을 수행함을 뜻한다.
② 새들의 노래가 다양한 의미로 해석될 수 있음을 말한다.
③ 새들의 노래도 꿀벌의 춤과 마찬가지로 인간의 언어에 미치지 못함을 말한다.
④ 새들의 노래는 인간의 언어와 달리 정보 전달 체계가 매우 제한적임을 보여 준다.
⑤ 새들의 노래도 꿀벌의 언어처럼 중요한 몇 가지 정보만을 전달하는 역할을 함을 보여 준다.

4 이 글을 참고할 때, 〈보기〉에 대한 설명으로 적절한 것은 무엇인가요?

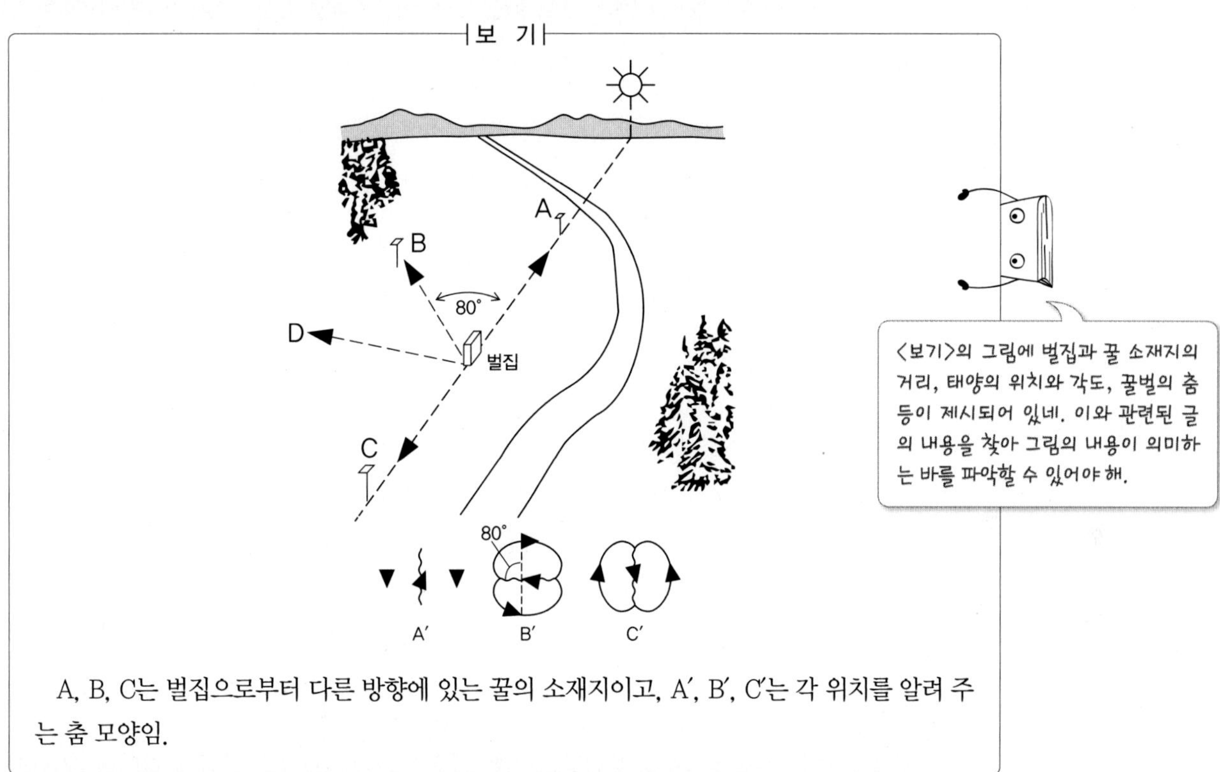

A, B, C는 벌집으로부터 다른 방향에 있는 꿀의 소재지이고, A′, B′, C′는 각 위치를 알려 주는 춤 모양임.

① A′처럼 춤을 추면서 매우 빠르게 움직이면 꿀의 소재지 A가 멀리 있다는 것을 나타낸다.
② 꿀의 소재지가 벌집과 태양을 잇는 일직선상에 있다면 꿀벌은 C′와 같이 가운데 선이 수직 아래로 향하게 춤을 춘다.
③ 벌집과 태양을 잇는 선과, 벌집과 꿀 소재지 B를 잇는 선과의 각도를 B′와 같이 가운데 선의 각도로 표시한다.
④ 꿀의 소재지가 벌집을 기준으로 태양의 방향과 정반대 쪽에 있다면 A′와 같이 가운데 선이 수직으로 위로 향하게 춤을 춘다.
⑤ D의 위치에 꿀이 있다면 꿀벌은 B′보다 각도가 좁혀진 형태로 춤을 춘다.

원리로 생각읽기 6

글쓴이는 왜 서술어에 힘을 줄까

문장의 서술어에 주목해야 하는 이유

다음 (　　) 안의 문장에서 문장 전체의 주어와 서술어를 각각 찾아볼까요?

미술에서 '키네틱 아트'는 움직임을 의미하는 그리스어 키네티코스에서 유래한 말로 움직임을 중시하거나 그것을 주요 요소로 하는 예술 작품을 뜻한다. **(키네틱 아트는 산업 혁명에서 비롯된 대량 생산과 기술의 발달로 인해 급격하게 기계 문명 사회로 변화하던 시기를 배경으로 출현하였다.)** '키네틱'이라는 단어가 조형 예술에 최초로 사용된 것은 1920년대의 일이다.

(키네틱 아트 작가들은 기계의 움직임을 예술적 요소로 수용하여 작품 전체나 일부를 움직이게 함으로써 창작 의도를 표현하고자 했다.) 이러한 움직임은 바람이나 빛과 같은 외부적인 자연의 힘이나 동력 장치와 같은 내부적인 힘에 의해 구현되었다. 또한 대상을 사실적으로 재현하는 것이 아니라 추상적 구조물처럼 보이도록 창작하였다.

우리말은 끝까지 들어 봐야 안다는 말이 있습니다. 주어 다음에 서술어가 나오는 영어와 달리 우리말은 서술어가 문장의 맨 끝에 나오기 때문입니다. 그만큼 문장에서는 서술어가 중요하다는 의미이지요.

그렇다면 문장에서 서술어는 왜 중요할까요? '학교에 갔다.', '학교에 가지 않겠어.', '학교에 왜 안 갔어?'처럼 서술어는 문장의 맨 끝에 위치하면서 다양한 정보를 담고 있는 문장 성분입니다. 또한 '꽃이(주어) 예쁘다', '철수가(주어) 연극을(목적어) 본다.'처럼 서술어가 무엇이냐에 따라 필요한 문장 성분이 결정되고, '영희(유정 명사)가 웃다', '선생님(높임의 대상)을 존경하다'처럼 서술어가 특정한 어휘나 체언을 요구하기도 합니다. 즉, 글쓴이는 **서술어**를 통해 **글에서 전달하고자 하는 다양한 정보나 의도를 표현**하고 있는 것입니다.

133쪽 지문

그러나 꿀벌의 의사소통과 인간의 언어에는 많은 차이점이 있다. 인간의 언어는 새 단어나 문장을 무한히 만들어 다양한 정보를 전달할 수 있는 데 반해, 꿀벌의 의사소통은 아주 중요한 몇 가지 정보만을 전달할 뿐이다. 예를 들어 탐색벌은 "난 우리 꿀을 훔치려는 곰을 봤어. 모두 빨리 밖으로 날아가서 곰의 콧잔등을 쏘아 주자!"와 같은 정보를 전달하지 못한다. 벌들에게는 그러한 정보를 전달하기 위한 단어가 없기 때문이다. 다른 동물의 정보 전달 체계도 마찬가지로 모두 매우 제[illegible]다. 그들의 영역으로 경쟁자가 침범[illegible]는 암컷에게 "난 세상에서 제일 [illegible] 나와 짝을 지어 가족을 이룹시다."라는 뜻을 담고 있다. 새들의 노래는 **그 이상의 내용을 담고 있지 않다.**

다양한 정보와 의도를 담고 있는 서술어!
서술어를 보면 대상에 대한 글쓴이의 태도를 알 수 있다!

정답: 키네틱 아트는(주어), 출현하였다(서술어) / 키네틱 아트 작가들은(주어), 표현하고자 했다(서술어)

독해연습 1 **아래 문장을 읽고, 물음에 답하세요.**

> (가) 자신을 표현할 수 있는 여러 가지 조건 중에서 가장 핵심적인 세 가지 요소는 시각적 요소, 음성적 요소, 언어적 요소이다.
>
> (나) 1933년 해리 벡이 제작한 런던의 새로운 지하철 노선도는 그것이 재현된 지역의 실제 지리와는 아무런 관계를 맺지 않는다는 점에서 확연하게 구별되었다.

1 (가)의 문장에서 전체 서술어를 찾아보세요.

2 (나)의 전체 주어와 전체 서술어를 찾아보고, 전체 서술어가 필요로 하는 문장 성분이 문장에 모두 갖추어져 있는지 확인해 보세요.

독해연습 2 **아래 문단을 읽고, 물음에 답하세요.**

> (가) 양적 완화 정책은 경기 부양의 효과를 가져올 수 있지만 잠재적인 위험성도 내포하고 있다. 정부가 민간의 위험 요소들을 책임지는 부분을 통해 도덕적 해이가 발생할 수 있으며, 정책이 목표했던 수준을 넘어선 인플레이션을 초래하여 자산 가격이 지나치게 상승할 수도 있다. **(따라서 정부가 양적 완화로부터 정상적인 통화 정책으로 회귀하는 출구 전략을 시행할 때에는 [   ] 매우 신중하게 선택해야 한다.)**
>
> (나) 비밀 관리는 영업 비밀 보유자의 경제력에 영향을 받을 수밖에 없으므로 그 정도를 획일적으로 적용할 경우 중소기업의 영업 비밀은 보호받지 못하게 될 우려가 있어 중소기업의 경쟁력을 약화시키는 결과를 낳을 수 있다. 또한 영업 비밀의 인정 요건을 엄격하게 정할수록 영업 비밀로 보호받지 못하는 정보들을 증가시키거나, 영업 비밀을 부당하게 취득한 경우가 있다 하더라도 처벌하기 어렵게 하는 것과 같은 부작용을 [발생시킬 수도 있다].

1 (가)의 (   ) 안에서 전체 문장의 서술어를 찾아보고, [   ]에 필요한 단어를 써 보세요.

2 (나)의 [발생시킬 수도 있다]를 '발생시킨다'로 표현했을 때, 두 서술어의 의미상의 차이점을 써 보세요.

생각읽기 2

마방진 이야기

마방진의 비밀

Q 중국에서는 '낙서'에 어떤 의미가 담겨 있다고 생각하였나요?

1부터 n의 제곱(n^2)까지의 연속된 자연수를 가로, 세로, 대각선의 합이 같아지도록 정사각형 모양으로 배열한 것을 n행 n열 마방진이라고 한다. 정사각형 모양의 숫자 배열을 '방진'이라고 하니, '마방진(魔方陣)'은 '마술적인 성질을 가진 정사각형의 숫자 배열'이라고 할 수 있다.

4	9	2
3	5	7
8	1	6

'낙서'의 마방진

지금까지 수많은 형태의 마방진이 만들어지고 이를 이론화하려는 연구들이 있었다. 그중에서도 역사상 가장 먼저 출현한 마방진은 3행 3열의 마방진일 것이다. 전설에 따르면 하나라의 우임금은 황하의 범람을 막기 위해 제방 공사를 하던 중, 강 한복판에서 등에 이상한 그림이 새겨진 거북을 만났다. 거북의 등에 새겨진 '낙서(洛書)'라고 불리는 이 그림에는 1부터 9까지의 숫자가 배열되어 있었는데, 어느 방향으로 더해도 합은 15가 되었다. 이때부터 중국에서는 '낙서'가 세상의 비밀과 진리를 함축*하고 있다고 믿기 시작했다. 낙서를 주역의 원리가 함축된 그림으로 인식하기도 했고, 우주의 진리를 표상*하는 그림으로 생각하기도 했다. 그러나 마방진은 비밀스럽게 전수되어서 기록으로 남은 것은 거의 없다. 중국의 '낙서' 이후 유물로 남은 마방진은 뒤러의 4행 4열 마방진이다. 16세기 초 독일의 뒤러는 자신의 관 뚜껑에 「멜랑콜리아 I」이라는 판화를 남겼는데, 거기에 4행 4열의 마방진이 새겨져 있다. 이 마방진의 맨 아랫줄 가운데 두 칸의 숫자는 15와 14로 이루어져 있었는데, 이를 연속해서 쓰면 그가 죽은 해인 1514년을 가리키도록 한 교묘한 방진이었다. 이처럼 마방진이 가진 교묘하고 신비한 특성은 글자 그대로 마술적인 느낌을 갖게 한다. 그렇기 때문에 마방진은 고대부터 자연 철학자들의 관심의 대상이 되었고, 근대의 수학자들도 관심을 가졌다.

마방진은 그림의 구도를 잡는 원칙을 제공하기도 한다. 특히 마방진에는 가로와 세로 줄에 서로 다른 요소들을 중복되지 않게 배치하는 '라틴 방진'이 있는데, 이 방진은 실험 설계의 하나인 '라틴 방진 설계'의 방법론을 제공한다. 그뿐만 아니라 예로부터 마방진은 마력을 가진 것으로 여겨져, 중세의 이슬람에서는 전쟁에 나갈 때 마방진을 부적으로 쓰기도 했다. 마방진의 매력 때문에 요즘에도 마방진을 취미로 연구하는 동호인들이 많이 있다.

최근 들어 전문 수학자들 사이에서 마방진이 연구되면서 고급 수학과 관련이 있다는 점이 조금씩 드러나고 있다. 특히 수학자 알렌 아들러는 방진의 원리를 이론화해서 컴퓨터를 동원해 3차원 입체 마방진을 고안하기도 했다. 그러나 5천 년 역사 동안 수많은 수학자들이 연구했음에도 여전히 마방진 전체를 아우르는 명쾌한 수학적인 해답을 얻지는 못하고 있다.

* 함축: 말이나 글이 많은 뜻을 담고 있음.
* 표상: 대표로 삼을 만큼 상징적인 것.

0 **이 글에서 언급하지 않은 내용을 고르세요.**

① 마방진의 개념 ☐
② 마방진의 기원 ☐
③ 마방진의 폐해 ☐
④ 마방진의 종류 ☐
⑤ 마방진의 ~~응용~~ ☐

1 **이 글에서 사용된 글쓰기 전략을 〈보기〉에서 골라 알맞게 묶은 것은 무엇인가요?**

보 기

ㄱ. 대상의 변화 양상을 단계별로 나누어 제시한다.
ㄴ. 상반된 견해를 제시하고 절충적 대안을 모색한다.
ㄷ. 구체적인 예를 제시하여 대상의 특성을 설명한다.
ㄹ. 핵심 용어를 정의의 방식을 활용해 설명하여 독자의 이해를 돕는다.

① ㄱ, ㄴ ② ㄱ, ㄹ ③ ㄴ, ㄷ ④ ㄴ, ㄹ ⑤ ㄷ, ㄹ

이 글에서 현대 수학의 과제에 대해 언급한 부분이 있는지 확인하고, 이를 바탕으로 선택지의 내용이 적절한지 판단해 봐.

2 **이 글을 읽고 생각해 볼 수 있는 현대 수학의 과제로 가장 적절한 것은 무엇인가요?**

① 마방진 놀잇감을 많이 만들어 수학의 원리를 터득해 내야 한다.
② 마방진 전체에 적용할 수 있는 일반적인 원리와 공식을 밝혀내야 한다.
③ 컴퓨터를 활용해 평면 방진을 뛰어넘는 입체 마방진을 정교하게 고안해야 한다.
④ 마방진의 오묘한 숫자 배열을 통해 여전히 풀리지 않는 우주의 비밀을 규명해야 한다.
⑤ 동서양 수학자들이 마방진을 통해 어떻게 수학을 연구하고 생활화했는지를 보여 주어야 한다.

끝이 아니야!
앞으로 더 해야 할 과제가 남았다구!

3 이 글을 참고하여 〈보기〉의 그림에 대해 평가한 내용으로 가장 적절한 것은 무엇인가요?

보 기

다음은 뒤러의 동판화「멜랑콜리아 I」에 그려져 있는 마방진이다. 당시 사람들은 3행 3열 마방진은 우울함의 상징인 '새턴(Saturn)'에, 4행 4열 마방진은 활력의 상징인 '주피터(Jupiter)'에 연결된다고 믿었다. 그래서 뒤러는 사색에 열중한 나머지 우울한 기질이 생긴 예술가나 수학자의 머리를 쉬게 하기 위해서는 '주피터'의 도움이 필요하다고 생각하고, 4행 4열 마방진을 이 그림에 그려 넣은 것이다.

16	3	2	13
5	10	11	8
9	6	7	12
4	15	14	1

① 이 그림에는 마방진이 교묘하고 신비한 힘을 가지고 있다는 믿음이 반영되어 있군.

② 이 그림의 마방진은 균형과 조화를 추구하기 위한 그림의 구도를 잡는 원칙을 제공하고 있군.

③ 이 그림의 마방진은 감성을 중시하는 미술과 이성 · 논리를 중시하는 수학을 결합하여 얻은 산물인 셈이군.

④ 이 그림의 마방진을 통해 뒤러는 수학과 천문학이 자연의 질서와 아름다움을 보여 주는 학문이라는 점을 강조하고 있군.

⑤ 이 그림의 마방진은 각 행과 열, 대각선이 모두 짝수와 홀수의 합으로 표시되어 있는데, 이는 중세 서양에서도 주역이 중시되었다는 증거이군.

생각읽기 3

만리장성은 무너지지 않는다

만리장성의 비밀

Q 만리장성의 벽돌에 붙은 접착 물질은 무엇으로 만들어졌나요?

기원전 221년 한, 위, 조, 연, 제, 초나라를 멸망시키고 중국 역사상 최초로 통일 국가를 세운 진나라 시황제는 새로운 국가들이 생기는 것을 막기 위해 기존의 방어 시설을 파괴해 버리고, 흉노족을 방어할 목적으로 북방 지역에 거대한 장성을 짓도록 명령했다. 중국에서는 옛날부터 지금까지 대규모의 성을 '장성'이라고 불렀다. 기원전 215년 진시황제의 명령으로 시작된 만리장성 건설은 10년이 넘는 기간 동안 계속되었는데, 언제 공사가 끝났는지에 대해서는 정확하게 알려지지 않았다. 전해 내려오는 이야기에 따르면 군사와 백성을 합해 약 30만 명의 사람들이 ㉠만리장성 건설에 동원되었다고 한다.

만리장성은 지구촌에 건설된 수많은 인공 구조물 가운데 가장 큰 규모를 자랑하는 거대한 성이다. 험준한 산과 협곡은 물론이고 사막까지 이어진 거대한 만리장성은 현재 동쪽 산하이관에서 서쪽으로 자위관까지 약 3,000km가 보존되어 있다. 만리장성을 건설하는 데 시간이 얼마나 걸렸으며 얼마나 많은 사람이 동원되었는지에 대해서는 정확한 자료가 없다. 만리장성에 관한 책은 저마다 내용이 다른데, 계속해서 고치고 덧붙여 짓는 과정이 이루어졌기 때문이다. 만리장성에 대한 자료 가운데 가장 믿을 수 있는 것은 사마천이 쓴 역사책『사기』에 남아 있는 기록이다.『사기』에는 동쪽 랴오둥에서 서쪽 린타오까지 건설된 장성의 길이가 '만여 리'라고 기록되어 있다. 실제 이 구간은 4,050km로 중국의 거리 단위로 따지면 만 리가 조금 넘는다.

규모뿐만 아니라 ㉡만리장성은 여러 면에서 사람들을 놀라게 만든다. 공사 기간, 동원된 인원, 건축술, 그리고 수많은 사연까지 만리장성에는 놀라운 점이 무척 많다. 그중에서도 가장 놀라운 비밀은 최근 연구에서 발표된, 만리장성 보수 중 발견한 벽돌에 붙은 접착 물질이 찹쌀과 동일하다는 것이다. 처음에 장성은 돌이 풍부한 일부 지역을 제외하고는 대부분 흙을 다지거나 흙으로 만든 벽돌로 건축했다. 이때 찹쌀 죽과 모르타르(시멘트와 물을 섞은 규토질 물질)를 혼합한 고강도의 '찹쌀 모르타르'를 사용했다. 찹쌀이 건축에 도움이 됨을 확인하기 위해 연구팀은 석회 모르타르에 다양한 비율의 찹쌀을 추가해 그 성능을 일반 석회 모르타르와 비교했다. 그 결과 찹쌀을 섞은 모르타르가 석회만 사용한 모르타르보다 강도가 강하고 내수성이 뛰어남을 밝혀냈다. 이 같은 특성으로 인해 고대 석조 건축물을 만드는 데 찹쌀이 적절한 재료로 쓰였음을 알 수 있었다. 연구팀은 "찹쌀 모르타르는 유기 원료와 무기 원료를 혼합해 만든 세계 최초 복합 모르타르이며 찹쌀 모르타르는 역사상 가장 뛰어난 기술 중 하나"라고 말했다.

중국의 만리장성

만리장성 외에도 찹쌀 모르타르는 중국 고대에 무덤이나 탑, 성벽 등에 이용됐으며 아직도 그 흔적이 남아 있는 일부 고대 건축물은 찹쌀 덕분에 불도저로 무너뜨리는 것도 어려울 정도의 높은 내구성을 갖추고 있다. 이는 전분에 포함되는 다당류인 아밀로펙틴이 건축물에 강도를 높이는 주성분으로써 모르타르에 있는 무기질의 탄산칼슘의 노화를 억제하고 미세 구조를 생산하였기 때문이다. 천 년이 지나도 끄떡없는 만리장성의 비밀이 바로 여기에 있다.

0 **이 글을 바탕으로 '만리장성'에 대한 안내문을 작성한다고 할 때, 안내문에 들어갈 내용으로 적절한 것은 무엇인가요?**

① 만리장성과 장성은 다른 것이다.
② 만리장성은 10년 동안 만들어졌다.
③ 만리장성에 대한 역사적 기록은 전혀 없다.
④ 만리장성은 중국의 거리 단위로 만 리를 넘는다.
⑤ 현재 우리가 보는 만리장성은 진시황 때 완성되었다.

어떤 **내용을 소개해 알려 주는 글**을 안내문이라고 해.
주로 사실을 중심으로 정보를 전달하는 글의 한 종류라고 생각하면 돼.

1 **이 글을 바탕으로 할 때, 다음 질문에 대한 답변으로 가장 적절한 것은 무엇인가요?**

> Q: 어떻게 천 년이 지나도 만리장성이 보존될 수 있었나요?
> A: ______________________________

① 기존 시설을 없애고 여러 차례 새롭게 지었기 때문이다.
② 찹쌀 모르타르와 같은 재료로 내구성을 높였기 때문이다.
③ 흙으로 된 만리장성은 없어졌지만 돌로 된 것은 남아 있다.
④ 중국 황제들의 적극적인 노력으로 지금까지 보존된 것이다.
⑤ 만리장성이 오래되었다는 기록이 있지만 실제로는 기록보다 오래되지 않았다.

질문의 요지를 정확하게 파악할 수 있어야 해. 만리장성이 오래 보존된 이유를 이 글에서 잘 설명하고 있으니, 글의 내용을 정확하게 파악해야겠지.

2 **이 글에서 알 수 있는 ㉠의 본래 목적은 무엇인가요?**

① 황제의 권위를 높이기 위해서
② 외적의 침입을 방어하기 위해서
③ 국가의 통일을 앞당기기 위해서
④ 재료의 우수성을 실험하기 위해서
⑤ 수많은 노동력을 동원하기 위해서

3 **독자와 관련지어 볼 때, 이 글에서 ⓒ이 하는 역할로 가장 적절한 것은 무엇인가요?**

① 독자들의 배경지식에 문제가 있음을 지적한다.
② 독자들의 흥미를 높이는 다양한 사실을 제시한다.
③ 독자들의 생각에 공감을 나타내며 반응을 유도한다.
④ 독자들이 만리장성에 대한 생각을 바꾸도록 설득한다.
⑤ 독자들이 만리장성에 대해 모르고 있음을 다시 강조한다.

생각읽기 4

동서양 미술에 담긴 비밀 코드

동서양 미술의 비밀

Q 고대의 조각품을 올바르게 감상하기 위해 일차적으로 이해해야 하는 것은 무엇인가요?

(가) 고대의 조각품을 올바르게 감상하기 위해서는 감상의 고전적인 ⓐ척도(尺度)가 필요하다. 동서양의 고대 조각품들은 대부분 그 당시 사람들의 종교적 이상을 실현시킨 것이기 때문이다. 따라서 일차적으로 고대 조각품이 상징하는 그 무엇에 대한 숭배심을 이해해야 한다. 그럴 때 그것은 단순히 돌로 만들어진 물질의 의미를 넘어서게 된다. 우리가 고대의 조각품을 볼 때, 직감적으로 미적 정서가 촉발*되는 것은 사실이다. 그러나 미적 정서를 중심으로 작품을 감상하게 된 것은 훨씬 후대에 와서야 가능해진 것으로, 고대의 조각품은 보는 이로 하여금 '신성함', '거룩함' 등과 같은 ⓑ초월(超越)적인 느낌을 갖도록 하기 위해 존재했다.

(나) 19세기 초 지중해 연안의 한 동굴에서 발견된 ㉠「밀로의 비너스」가 고대 조각품의 좋은 사례가 된다. 발견 당시 이것은 굴 안의 북쪽 벽 앞에 서 있었고, 그 앞에는 제단으로 보이는 큰 돌 주위에 토기들이 여기저기 흩어져 있었다. 이로 미루어 그리스 시대의 인체 조각상은 동양의 불상처럼 신전에 모셔졌으며, 당시 사람들의 종교적 숭배의 대상이었음을 알 수 있다. 이러한 사실은 현대의 조각품을 감상하는 방법으로 고대 그리스의 조각품을 바라보아서는 안 된다는 점을 시사*한다.

(다) 이 조각상에 나타난 그들의 인체 탐구 정신은 지극히 사실적이면서도 이상화된 것이었다. 이는 서구 미술의 근본정신이 되었다. 동양에서는 자연물이 표현의 주된 대상이었던 데 반하여, 서구에서는 자연물보다는 주로 인체를 표현의 대상으로 삼았던 것이다. 그런데 서구인들은 그 많은 소재 중에서 하필이면 왜 인간을 주된 대상으로 삼았을까? 그것은 인간이 만물의 척도라는 그들의 독특한 사상에서 비롯된다. 즉 인간의 몸에는 다른 어떤 피조물에서도 찾아볼 수 없는 황금 비례가 있는데, 이 비례가 만물을 재는 기준이 된 것이다. 다시 말해, 인체를 탐구하는 것은 그 속에 신이 인간을 창조한 모든 비밀이 숨어 있다고 보았기 때문이다. 이런 맥락에서 아리스토텔레스는 예술은 인간을 모방하는 것이라고 주장하였다. 이것이 바로 서구의 미술가들이 누드를 평생의 소재로 삼게 한 ⓒ불후(不朽)의 사상이 되고 있다.

(라) 한편, 동양의 화가들은 ⓓ유구(悠久)한 세월 동안 산·물·나무·동물·곤충·꽃 등과 같은 자연의 물상을 단골 소재로 삼았다. 동양에서는 그림을 그리는 일을 사생(寫生)이라고 일컬어 왔다. 사생은 산수나 화조*처럼 자연을 그리는 일을 말한다. 이것은 자연물을 있는 그대로 모방한다는 의미와는 다르다. 그들이 그리고자 하는 목적은 단순히 자연물의 외형을 재현하는 데 있는 것이 아니었다. 그 대상이 어떻게 스스로 살아서 움직이는가를 탐구하고 또 이러한 자연의 비밀이 무엇인지를 파악함으로써 인간의 본성을 탐구했던 것이다. 즉 동양 미술은 자연의 탐구를 통하여 인간의 ⓔ본성(本性)을 확인하려 했던 것이다.

(마) 이렇듯 서구와 동양의 미술은 얼핏 보아 서로 다르고 대립적인 것 같지만, 궁극적인 정신의 지향점은 일치한다. 자연은 인간과 별개의 것이 아니라, 자연이 곧 인간이고 인간이 또한 자연이기 때문이다.

* 촉발: 어떤 일을 당하여 감정, 충동 따위가 일어남. 또는 그렇게 되게 함.
* 시사: 어떤 것을 미리 간접적으로 표현해 줌.
* 화조: 꽃과 새를 아울러 이르는 말.

0 **이 글을 바탕으로 동서양의 미술을 안내하는 게시물을 작성하려고 할 때, (가)~(마)를 요약한 내용으로 적절한 것은 무엇인가요?**

(가): 동양과 서양의 고대 조각품을 감상하는 태도는 각기 달라야 한다.
(나): 현대 조각품을 감상하는 방법은 고대 조각품을 감상하는 방법과 같다.
(다): 서양의 미술은 인체를 주된 표현의 대상으로 삼았다.
(라): 동양의 미술은 자연을 있는 그대로 모방하려고 했다.
(마): 서양과 동양의 미술은 궁극적인 정신의 지향점이 다르다.

① (가) ② (나) ③ (다) ④ (라) ⑤ (마)

문단별로 핵심이 되는 내용을 확인하는 문제야.
각 문단의 중심 문장을 찾아보도록 해.

1 ㉠의 사례에서 알 수 있는 것은 무엇인가요?

① 서양 화가들의 숭배 대상
② 동양 화가들의 주된 사생 대상
③ 고대인들이 조각품을 바라보는 태도
④ 서양에서도 불상을 숭배했다는 사실
⑤ 고대와 현대의 조각 예술 재료의 차이점

2 이 글을 바탕으로 할 때, 서양의 고대 인체 조각상을 감상하는 태도로 적절하지 않은 것은 무엇인가요?

① 무엇에 대한 숭배심을 드러낸 것인지를 따져 본다.
② 조각상을 통해 재현하고자 했던 이상형을 찾아본다.
③ 조각상에 드러난 종교적인 인식이 무엇인지 탐구한다.
④ 조각상에 표현된 조각가의 주관적 정서를 중심으로 감상한다.
⑤ 인체의 황금 비율을 통해 드러내려고 한 의미가 무엇인지 생각해 본다.

3 이 글과 〈보기〉를 바탕으로 동양의 산수화에 대해 토론할 때, 그 이해가 적절하지 않은 학생은 누구인가요?

보 기

우리나라를 포함한 동양의 산수화는 자연의 표현인 동시에 인간이 자연에 대해 지니고 있는 자연관의 반영이기도 하다. 따라서 산수화는 이 두 가지 복합적인 성격을 띠고 있다. 농경을 주로 하였던 우리나라나 중국을 비롯한 동양인들에게 자연이란 매우 소중하고 절대적인 것이었다. 또한 무생명의 존재로서가 아니라 인간처럼 살아서 생동하는 존재로 인식되었다. 이 때문에 자연을 표현한 산수화는 기운생동(氣韻生動)* 해야만 한다는 생각이 전제되었다. 자연과 인간의 이러한 밀접한 관계 때문에 중국과 우리나라에서는 일찍부터 산수화가 그려지기 시작하여 오늘날에 이르기까지 그 전통이 이어져 오고 있다.

* 기운생동(氣韻生動): 동양화에서 쓰는 육법의 하나. 천지만물이 지니는 생생한 느낌을 표현하는 것을 말한다.

학생 1 동양의 산수화에는 자연이 살아 움직이는 존재라는 생각이 담겨 있어. ······ ①
학생 2 자연과 인간의 관계를 담아낸 동양 산수화의 전통은 오래 지속되었어. ······ ②
학생 3 동양의 산수화에는 자연을 인간과 별개의 대상으로 인식한 자연관이 반영되어 있어. ······ ③
학생 4 동양의 산수화는 단순히 자연물을 있는 그대로 모방하는 데 목적이 있지는 않았어. ······ ④
학생 5 동양의 산수화에서는 자연을 소중하고 절대적인 것으로 여겼던 사고방식을 엿볼 수 있어. ······ ⑤

4 ⓐ~ⓔ의 사전적 의미로 알맞지 않은 것은 무엇인가요?

① ⓐ: 평가하거나 측정할 때의 기준.
② ⓑ: 어떠한 한계나 표준을 뛰어넘음.
③ ⓒ: 영원토록 변하거나 없어지지 아니함.
④ ⓓ: 멀지 않고 짧음.
⑤ ⓔ: 사람이 본디부터 가진 성질.

생각읽기 5

새들이 경계음을 내는 이유

일탈 행동의 비밀

Q 새들이 경계음을 내는 이유는 무엇인가요?

(가) 친구를 위해서 생명을 버리거나 위험을 감수하는 것은 이타적 행동임에 틀림없다. 대부분의 작은 새는 매와 같은 포식자*가 날아가는 것을 보면 독특한 '경계음'을 내는데, 이 소리를 듣고 무리 전체가 위험을 피하게 된다. 경계음을 내는 새는 포식자의 주의를 자신에게 끌게 하므로 특히 위험에 처할 수 있다. 그것은 다른 새들보다 위험이 좀 더 많은 것에 지나지 않으나 이 또한 어떤 생물체가 자기를 희생하여 또 다른 상태의 실재* 행복을 증진시키기 위해 행동했으므로 이타적이라고 할 수 있다.

(나) '케이비(cave)'라는 것은 '조심하라'는 의미의 라틴어에서 온 말로 선생님이 가까이 올 경우 학생들이 학급 친구들에게 알리는 데 아직도 쓰인다. '케이비 이론'은 위험에 처했을 때 덤불 속에 몸을 숨겨 위장하는 습성을 가진 새들에게 해당된다. ㉠만약 새의 한 무리가 초원에서 먹이를 찾고 있다고 상상해 보자. 멀리 매 한 마리가 날아오고 있다. 매는 아직 새 무리를 목격하지 못했고, 그들 쪽으로 곧장 날아오지는 않고 있으나 그의 예리한 눈이 언제 그 무리를 발견하여 공격할지 모르는 위험이 있다. 이때 무리 속의 한 마리가 매를 발견했으나 다른 새는 아직 보지 못했다면 어떻게 될까? 눈이 좋은 이 개체는 즉시 덤불 속으로 숨을 수가 있다. 그러나 그렇게 해도 소용이 없다. 그의 동료들이 아직 주위에서 제멋대로 돌아다니고 있기 때문이다. 그들 중의 한 마리라도 매의 주의를 끌게 되면 무리 전체가 위험에 처해질 것이다. 단순히 이기적인 입장에서 보더라도 맨 처음 매를 발견한 개체의 최선의 선택은 동료에게 빨리 경고 신호를 보내 그들이 자기도 모르는 사이에 매를 불러들일 가능성을 될 수 있는 한 줄이는 것이다.

(다) 또 다른 이론은 '대열을 이탈하지 마라' 이론이다. 이 이론은 포식자가 접근하면 날아가서 큰 나무 속으로 숨어 버리는 새에게 적합하다. 먹이를 먹고 있던 무리 중의 한 마리가 포식자를 발견했을 때를 다시 한 번 상상해 보자. ㉡그는 어떻게 행동해야 할까? 그는 동료들에게 경고하지 않고 혼자만 숨을 수도 있다. 그러나 이렇게 되면 그는 외톨이가 되어 버린다. 이미 무리의 익명의 일원이 아니므로 혼자 고립된다. 매는 실제로 무리를 이탈한 비둘기를 노린다고 알려져 있으나 그렇지 않다고 해도 무리를 이탈하는 것은 자살 행위로 이어진다고 볼 수 있다.

(라) 맨 처음 무리를 이탈하는 개체는 비록 부분적이라도 군집*의 일부라는 이점을 상실하게 된다. 그렇다면 대열을 이탈해서는 안 된다고 할 때 매를 발견한 새는 도대체 어떻게 해야 할까? 아마도 그는 아무 일도 일어나지 않은 것처럼 평소대로 행동하며 무리의 일원으로 있을 것이다. 그러나 이러한 행동에는 큰 위험이 따른다. 그는 여전히 공격받기 쉬운 장소에 있기 때문에 나무 위에 숨는 것이 훨씬 안전할 것이다. 최선책은 날아올라 나무 위에 숨는 것이며 그때에는 다른 동료들도 함께 같이 날도록 부추길 필요가 있다. 이렇게 되면 그는 무리를 이탈한 못난이가 되지도 않고, 또한 군집의 일부라는 이점을 상실하지 않고서도 엄폐물* 속으로 날아드는 이점을 얻을 것이다.

(마) 경계음을 내는 개체가 무리의 다른 개체에 대해 취하는 행위를 '조작'이라는 말로 표현한다. 분명히 경계음을 내는 행위는 무리의 순수한 이익을 가져올 것으로 보인다. 따라서 경계음을 내는 개체가 스스로를 위험에 빠뜨린다는 설명이 모순이라고 생각할지도 모른다. 그러나 경계음을 내지 않으면 그는 더 큰 위험에 몸을 던지는 꼴이 될 것이기 때문에 실제로는 모순되

지 않는다. 경계음을 냈기 때문에 분명히 죽는 개체도 있을 것이다. 발신 지점을 알아내기 쉬운 음을 낸 개체는 특히 죽기 쉬웠을 것이다. 그러나 경계음을 내지 않았기 때문에 죽는 개체는 더 많이 있었다. 케이비 이론과 '대열을 이탈하지 마라' 이론은 그 이유를 설명하는 방법 중 하나이다.

* 포식자: 다른 동물을 먹이로 하는 동물.
* 실재: 실제로 존재함.
* 군집: 사람이나 건물 따위가 한 곳에 모임.
* 엄폐물: 야전에서, 적의 사격이나 관측으로부터 아군을 보호하는 데에 쓰이는 자연적 또는 인공적 장애물.

0 **이 글의 내용을 과학 블로그에 올린다고 할 때, 제목과 부제로 적절한 것은 무엇인가요?**

① 먼저 숨어라!
– 이기적인 유전자
② 멀리 도망쳐라!
– 동물의 이기적인 욕망
③ 무리 짓지 마라!
– 포식자가 포착하는 행동
④ 경계음을 내라!
– 알고 보면 이타적인 행동
⑤ 대열을 벗어나라!
– 포식자로부터 벗어나기 위한 행동

이 글에서 주로 다루고 있는 화제를 압축적으로 드러내면서 독자의 흥미를 끌 만한 제목이 무엇일지 생각해 봐.

1 **이 글에서 사용된 서술 방법끼리 묶인 것은 무엇인가요?**

보 기
ㄱ. 용어가 나온 유래를 설명하고 있다. ㄴ. 구체적 사례를 가정하고 이를 통해 예측하는 내용을 제시하고 있다. ㄷ. 특정 행동에 대한 실험과 그 결과를 함께 설명한 이론을 소개하고 있다. ㄹ. 여러 가지 사항을 하나의 기준에 따라 종류별로 나누어서 설명하고 있다.

서술상의 특징, 서술 방식, 내용 전개 방법 모두 비슷한 걸 묻는 거야. 전체 문단 간의 관계 파악이 먼저!

① ㄱ, ㄴ ② ㄱ, ㄷ ③ ㄴ, ㄷ ④ ㄴ, ㄹ ⑤ ㄷ, ㄹ

2 **㉠의 상황에 대한 설명으로 적절하지 않은 것은 무엇인가요?**

① 먼저 숨는 개체는 위험에서 완전히 벗어날 수 있다.
② 동료에게 경고 신호를 보내는 것이 최선의 선택이다.
③ 매는 포식자이고, 언제든 새의 무리를 공격할 수 있다.
④ 한 마리의 새가 눈에 띄어도 전체 개체가 위험할 수 있다.
⑤ 무리 지어 다닐 경우 개체의 행동이 전체에 영향을 미친다.

3 ‘대열을 이탈하지 마라’ 이론에 따를 때, ㉡의 답변으로 적절한 행동은 무엇인가요?

① 즉시 덤불 속으로 숨는다.
② 주위에서 제멋대로 돌아다닌다.
③ 동료에게 경고 신호를 보내고 함께 숨는다.
④ 동료에게 경고하지 않고 혼자 날아가서 숨는다.
⑤ 아무 일도 없는 것처럼 행동하며 대열을 이탈한다.

4 (마)에서 말하는 모순 의 상황으로 적절한 것은 무엇인가요?

① 경계음으로 포식자를 내쫓는다.
② 경계음으로 포식자의 시선을 돌린다.
③ 경계음을 내는 개체가 훨씬 안전하다.
④ 경계음을 내는 개체가 가장 위험하다.
⑤ 경계음을 내는 행위가 무리를 위태롭게 한다.

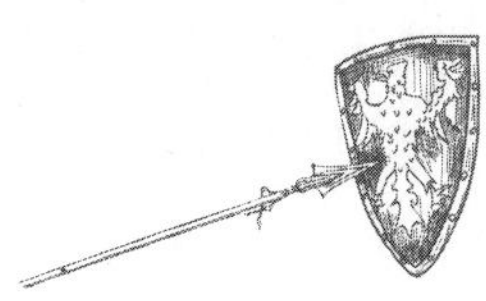

모든 것을 다 뚫는 창과 모든 것을 다 막는 방패.
모순은 앞뒤가 서로 맞지 않는 말이나 행동을 이르는 말이야!

생각읽기 6

뇌, 욕망의 비밀을 풀다

소비의 비밀

Q 제품 구매를 결정할 때, 뇌가 무의식적으로 작업하는 것이 효율적인 이유는 무엇인가요?

매장 진열대에서 제조업체는 다르지만 똑같은 상품들을 두고 구매 결정을 해야 할 때 소비자는 직관적인 결정을 한다. 고객에게 왜 그 상품을 구매했는지를 물어보면, 명확한 이유를 대답하지 못한다. 하지만 그 고객이 내린 결정은 결코 우연이 아니다. 그의 뇌 속에는 마치 텔레비전을 보다가 받아들인 광고 메시지처럼 브랜드와 상품에 대한 자신만의 고유한 경험이 무의식 속에 저장되어 있는 것이다. 물론 이때 의식적 '자아'는 그 광고 메시지가 뇌에 어떻게 저장됐는지 알지 못한다. 제품에 대한 부정적인 경험이 없는 경우라면 고객의 머릿속에서 인지도가 높은 제품과 브랜드는 '구매-자동-메모리'에 저장된다.

뇌가 의식에 정보를 제공하려고 애를 쓰지 않고 무의식적으로 행동하는 이유에는 세 가지가 있다. 첫째, 정보가 의식을 거치지 않고 바로 동기나 감정 등의 무의식에 따라 행동으로 전환되면 반응이 훨씬 빨리 일어난다. 이는 특히 위험한 상황에서 큰 도움이 된다. 둘째, 우리의 뇌 속에 저장된 경험에는 이미 검증된 해결책을 포함하고 있다. 검증된 해결책이 이미 존재하는데 오래 고민할 이유가 없지 않을까? 셋째, 의식은 굉장히 비용이 많이 들어가는 과정이다. 의식의 비용은 바로 에너지이다. 뇌가 우리 몸무게에서 차지하는 비율은 2%에 불과하지만 뇌의 에너지 소비량은 상당하며, 우리가 집중하거나 의식적으로 심사숙고할 때면 에너지의 20%까지 소비한다. 그런데 뇌가 의식을 잠시 꺼 두고 무의식의 자동 모드로 작동한다면 5%로 줄어든다. 에너지를 엄청나게 소비하는 집중적인 사고는 대부분 신피질*에서 일어난다. 에너지를 절약하기 위해서 우리 뇌는 되도록 많은 것을 자동화하려고 한다.

소비자는 상품 진열대 앞을 지나갈 때 상품을 그냥 집어서 '깊이 생각하지 않고' 장바구니에 넣을 확률이 높다. ㉠뇌단층 촬영 장치로 관찰하면 잘 알려진 단어는 뇌의 신피질의 전방 부위 활동을 감소시키지만, 잘 모르는 단어는 반대로 그 활동을 증가시켰다. 신피질이 절약 모드로 전환되었지만, 그럼에도 잘 알려진 단어는 훨씬 잘 기억되었다. 마찬가지로 잘 알려진 제품은 잘 모르는 제품에 비해 신피질의 전방 부위가 절약 모드로 전환되었다.

정보를 의식적으로 처리할 때는 에너지 소모가 많은 편이다. 이때 소비자의 뇌는 되도록 에너지를 절약하며 작업하려고 노력한다. 소비자에게 흘러들어 오는 모든 정보 중 뇌가 의식으로 전달하는 정보는 극히 일부분이다. 신경 정보 학자들은 고객이 1초당 40비트의 정보만 자신의 의식에 보내는 것으로 추정하고 있다. 결국 정보의 0.00004%만 고객의 의식에 들어가는 셈이다. 따라서 의식은 정보 전체가 아니라 그중 일부를 선별한 결과일 뿐이다. 뇌의 진정한 독창성은 정보를 인식하는 능력에 있는 게 아니라, 무의식적으로 정보를 처리하고 저장하는 능력과 행동으로 전환하는 능력에 있는 것이다. 고객들은 날마다 무수히 많은 광고 메시지에 노출된다. 뇌는 이 메시지들을 무의식적으로 처리하기 때문에 대부분은 의식이 지각하지 못한다. 그래서 소비자는 매장의 진열대 앞에서 무의식적으로 손을 뻗어 제품을 구매한다.

다음으로 우리의 의식은 구매 행위에서 의미를 찾으려 한다. 그래서 뇌와 무의식에서 실제로 일어난 일과는 아무런 관계가 없는 이야기들을 꾸며 낸다. 심리학자들의 연구에 따르면 의식은 그 자체가 행동에 관여하지 않았음에도 나중에 행위와 행동에 의미를 부여한다. 결국 ㉡"우리는 '우리가 원하는 것'을 하는 것이 아니라, '우리가 하는 것'을 원한다." 소비자는 광고를 비롯해 외부에서 유입되는 수많은 정보가 자신의 행동에 많은 영향을 끼친다는 사실을 알지 못한다. 문제는 소비자의 의식이 이 사실에 대해 아무것도, 진짜 아무것도 눈치채지 못한다는 것이다. 한 시장 연구원이 소비자에게 설문 조사를 하면, 소비자들은 본인이 얼마나 신중하게 고민해서 이 제품을 의식적으로 구매했는지 확신에 찬 어조로 말한다. 그러나 소비자는 자신의 의식이 나중에 이 이야기를 꾸며 냈다는 것, 그리고 완전히 다른 논리로 무의식적 프로그램에 복종했다는 사실은 전혀 알지 못한다.

* 신피질: 대뇌 겉질에서 가장 최근에 진화하여 형성된 부분. 여섯 층의 구조를 이루며 사람 뇌의 거의 대부분을 이룬다.

0 **이 글을 읽고 〈보기〉와 같은 소비자의 구매 행태 조사에서 주로 나올 수 있는 대답을 예측한 것으로 적절한 것을 고르세요.**

보 기

Q: 왜 이 물건을 구매하셨나요?

A: ____________________

① 익숙한 물건에 끌렸어요. ☐
② 광고에서 봤던 인상에 따라 결정했어요. ☐
③ 이것저것을 고려해서 신중하게 선택했어요. ☐
④ 어떻게 구매했는지는 잘 기억이 나지 않아요. ☐
⑤ 아무 생각 없이 진열대에 보이는 물건을 그냥 집었어요. ☐

1 **뇌가 의식에 정보를 제공하지 않고 무의식적으로 행동하는 이유로 적절하지 않은 것을 고르세요.**

① 위험한 상황에서 무의식적인 반응이 생존에 도움이 된다. ▢
② 무의식 속에 저장된 지식이나 경험을 활용하는 것이 시간이 덜 걸린다. ▢
③ 뇌가 자동 모드로 작동하면 심사숙고할 때보다 의식의 비용이 줄어든다. ▢
④ 뇌 속에 문제 해결에 도움이 되는 해결책이 존재하면 고민할 이유가 없다. ▢
⑤ 뇌가 무의식적으로 작동하려면 근육에 사용되는 것보다 훨씬 더 많은 에너지가 필요하다. ▢

2 **고객이 내린 결정의 전제가 되는 내용을 〈보기〉에서 골라 바르게 묶은 것은 무엇인가요?**

보 기
ㄱ. 고객의 모든 행동이 의식에 따라 결정되는 것은 아니다.
ㄴ. 고객의 무의식은 객관적이고 정확한 정보만을 제공한다.
ㄷ. 고객 행동의 명확한 이유는 알 수 없지만 의식에 따라 이루어진 것이다.
ㄹ. 고객의 머릿속에는 제품과 브랜드에 대한 자신만의 고유한 경험이 저장되어 있다.

① ㄱ, ㄴ ② ㄱ, ㄷ ③ ㄱ, ㄹ ④ ㄴ, ㄷ ⑤ ㄷ, ㄹ

3 ㉠의 결과를 통해 미루어 알 수 없는 내용을 고르세요.

① 제품에 따른 뇌의 반응 ▢
② 신피질의 활성화 정도와 기억의 관계 ▢
③ 정보에 따른 뇌의 신피질의 활성화 정도 ▢
④ 새로운 정보를 받아들일 때의 뇌의 반응 ▢
⑤ 소비자의 부정적 경험이 뇌에 미치는 영향 ▢

4 ㉡에 대한 설명으로 적절하지 않은 것은 무엇인가요?

① '우리가 하는 것'은 무의식적으로 결정된 행위이다.
② '우리가 원하는 것'과 '우리가 하는 것'이 일치하지 않을 수 있다.
③ 우리는 구매 행위가 '우리가 원하는 것'을 한 것이라고 착각한다.
④ 구매 행위에서 '우리가 원하는 것'이 실제 '우리가 하는 것'에 큰 영향이 미친다.
⑤ '우리가 하는 것'이 우리의 의식에 따라 이루어진 것이라고 생각하는 경향이 있다.

생각의 구조화 MIND MAP

Q 다음은 생각을 읽을 수 있는 지문 구조도를 퍼즐로 나타낸 것입니다. 앞에서 읽은 글의 내용을 떠올리며 생각읽기 1~6에 해당하는 퍼즐을 선으로 연결해 보세요.

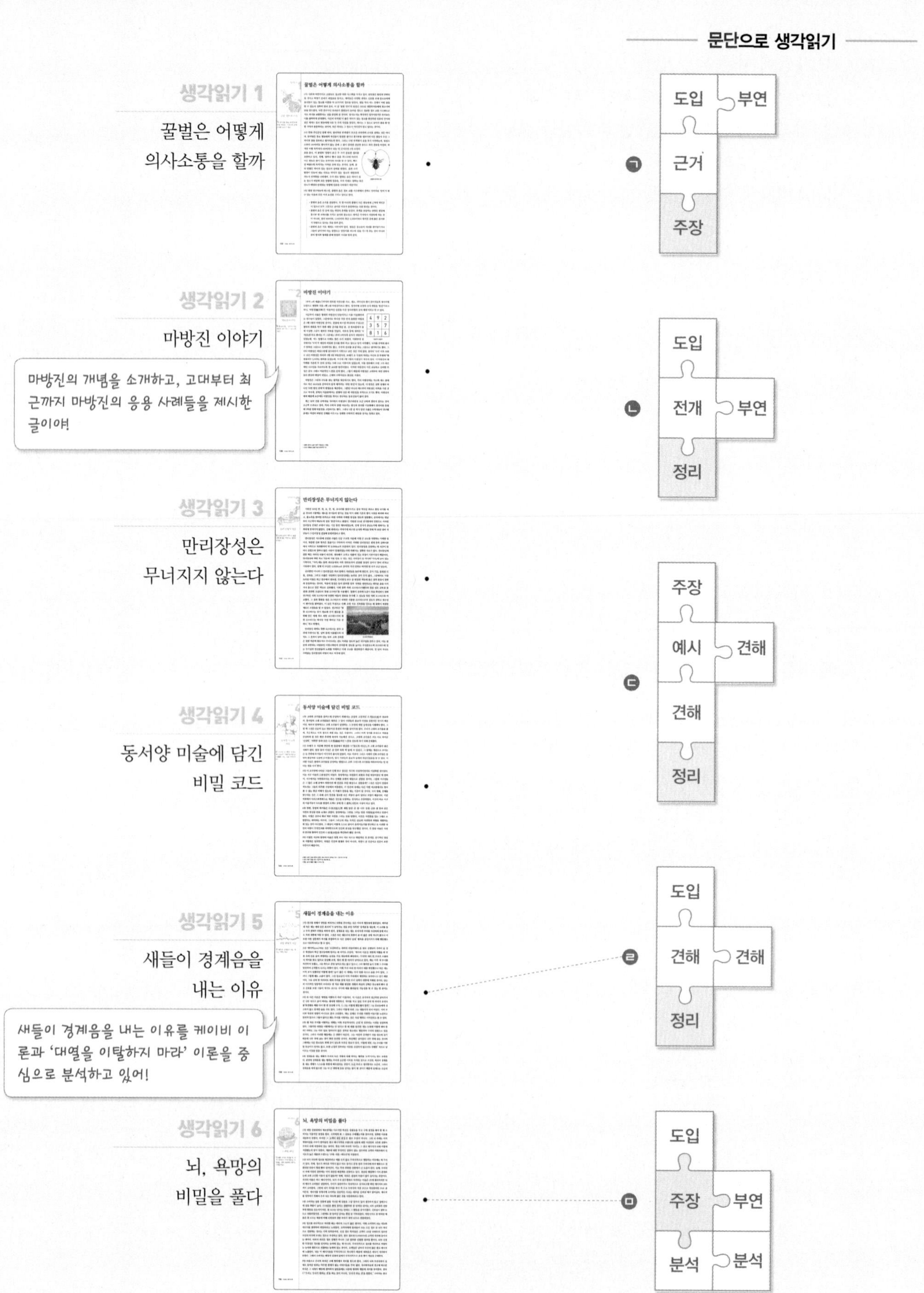

한 문장으로 생각읽기

1 [|] 언어는 춤의 빠르기와 방향 등을 통해 꿀의 소재지를 알려 주는 등 제한적인 정보를 전달하는 체계로 이루어져 있다.

2 고대부터 사람들은 [| |]에 비밀과 진리를 함축한 신비한 힘이 있다고 믿었는데, 수많은 학자들이 이 비밀을 밝히려 했지만 여전히 명쾌한 해답을 얻지 못하고 있다.

3 [| | |]은 찹쌀 모르타르를 사용하여 건축함으로써 높은 내구성을 갖추었기 때문에 오늘날까지 무너지지 않고 유지될 수 있었다.

4 서양 미술은 이상화된 [|]를 표현의 대상으로 삼아 신이 인간을 창조한 비밀을 탐구하였고, 동양 미술은 자연의 비밀을 파악함으로써 인간의 본성을 확인하려 하였다.

5 새들의 일탈 행동인 경계음은 집단(무리)의 생존을 위한 어쩔 수 없는 선택으로, 자신을 희생하고 집단을 돕는 [| |]인 행위이다.

6 자신만의 고유한 경험이 무의식에 저장된 경우, 구매에 대한 결정을 할 때 우리 뇌는 의식에 정보를 제공하려고 애쓰기보다는 [| |]적으로 작동하려고 한다.

한 단어로 생각읽기

인간은 왜 비밀에 빠져드는가?

"세상이 준비되기 전에 일어난 일들을 첫 번째로 알고 싶기 때문이다"

세상에는 우리가 아직 모르거나 밝히지 못한 비밀들로 가득 차 있습니다. 현미경 속 작은 세상부터 우리가 사용하는 숫자에도, 별과 행성의 비밀을 푼 코페르니쿠스의 지동설에도 놀라운 비밀들이 숨어 있습니다.
작고 소소한 것에서부터 아주 거대한 비밀까지 비밀의 세계는 가히 무한합니다. 세상에는 또 어떤 놀라운 비밀이 숨어 있을까요?

위대함의 비밀은 간단하다.
계속해서 같은 분야의 그 누구보다도 열심히 하라.
– 윌프레드 A. 피터슨

생각의 발견

06 본질

본질을 말하다!

한번쯤은 "눈에 보이는 게 다가 아니야."라는 말을 들어본 적이 있을 겁니다. 어떤 대상이나 현상을 바라볼 때 '눈에 보이는 것'을 중심으로 생각하기 쉬운데, 이런 생각은 대상이나 현상을 정확하게 꿰뚫어 보지 못합니다. 그래서 대상이나 현상을 정확하게 이해하기 위해서는 '눈에 보이지 않는 것'을 볼 수 있어야 합니다. 이 '눈에 보이지 않는 것'이 곧 대상이 가지고 있는 본래의 성질, 즉 본질이라고 합니다. 그러면 본질이란 무엇인지, 대상에는 어떤 본질이 있는지, 그리고 본질을 알기 위해 사람들은 어떤 노력들을 해 왔는지에 대해 알아볼까요?

생각읽기 1

본질이란 무엇인가

본질의 의미

Q 본질이란 사물의 어떤 특성을 의미하나요?

'본질이란 무엇인가'라는 질문은 서양 철학의 핵심적 질문이다. 탈레스가 세계의 본질을 '물'이라고 이야기했을 때부터 서양 철학은 거의 모든 것들에 대해 ⓐ불변하는 측면과 그렇지 않은 측면을 탐구하기 시작했다. 본질은 어떤 사물의 불변하는 측면 혹은 그 사물을 다른 사물과 구별시켜 주는 특성을 의미하는데, ㉠본질주의자는 이러한 사물 본연의 핵심적인 측면을 중시한다. 예를 들어 책상의 본질적 기능이 책을 놓고 보는 것이라면, 책상에서 밥을 먹는 것은 비본질적 행위이고 이러한 비본질적 행위는 잘못된 것이라고 본다.

그런데 본질주의자들이 강조하는 사물의 본질이란 사실 사후적*으로 ⓑ구성된 것이라 할 수 있다. 책상 자체가 원래 '책을 놓고 보는 것'이라는 본질을 미리 갖고 있었던 것이 아니라, 인간이 책상에서 책을 보거나 글을 쓰면서, 즉 책상에 대해 인간이 경험적으로 행동을 해 보고 난 후에 책상의 본질을 그렇게 ⓒ규정한 것이라 할 수 있기 때문이다.

㉡비트겐슈타인의 말을 인용하여 책상의 본질에 대해 생각해 보자. 비트겐슈타인은 『철학적 탐구』라는 저서에서 " '그럼에도 불구하고 그건 이러해.'라고 나는 되풀이해서 중얼거린다. 만일 내가 나의 시선을 이 사실에다 그저 아주 명확하게 맞출 수만 있다면, 나는 틀림없이 사물의 본질을 파악할 수 있을 것 같은 느낌이 든다."라고 말했다. 책상을 보고서 책상은 이렇게 사용되어야 한다고 되풀이해서 중얼거리는 것은 사후적 구성의 논리가 작동되는 것이라 할 수 있으며, 어떤 사물의 본질을 파악한 것만 같은 느낌은 사후적 구성의 반복을 통해 책상의 본질을 파악할 수 있다고 ⓓ착각한 것이라 할 수 있다. 비트겐슈타인은 또한 그의 저서에서 '본질적이니 비본질적이니 하는 것들이 언제나 명료하게 분리되어 있지는 않다.'라고 말한다. 램프의 본질적 기능은 빛을 내는 것이지만 방을 장식하는 기능을 할 수도 있다. 빛을 내는 것이 램프의 본질적 기능이라고 믿으며 램프의 사용 목적에 편집증*적으로 집착할 경우, 자신이 믿고 있는 본질을 어기는 타자에 대해 보수적인 태도를 보일 수 있다.

글쓴이는 왜 사례를 들어 설명할까

개념과 함께 나오는 사례에 주목하자!
사례는 개념 이해를 돕는 친구니까~

► 원리로 생각읽기 166쪽

파이프를 그린 화가 마그리트의 「이미지의 배반」이라는 그림을 예로 들어 보자. 마그리트는 파이프를 닮은 형상을 그리고 그 아래에 '이것은 파이프가 아니다.'라고 써 놓았다. 사람들은 그동안의 경험에 의해 그림 속 형상을 파이프로 인식할 것이지만, '이것은 파이프가 아니다.'라는 글자는 사람들의 인식을 배반하게 만든다. 이 그림을 본질에 대한 문제와 연결해 보면, 우리가 알고 있는 본질이 불변하는 것이 아니라 사후적 구성에 의해 획득되는 것임을 알 수 있다. 결국 본질주의자들이 강조한 사물의 본질은 단지 인간의 가치가 ⓔ투영된 것에 지나지 않는다.

마그리트, 「이미지의 배반」

* 사후적: 일이 끝난 뒤에 일어나는. 또는 그런 것.
* 편집증: 체계가 서고 조직화된 이유를 가진 망상을 계속 고집하는 정신병.

0 **이 글을 바탕으로 '본질주의자'의 주장에 대해 비판한다고 할 때, 가장 적절한 것을 고르세요.**

① 본질주의자는 사물의 본질과 비본질을 명료하게 구분하지 못한다. ☐
② 본질주의자는 사물의 본질이 변하는 속성을 가지고 있다고 이해한다. ☐
③ 본질주의자의 주장과 달리 사물의 본질은 사용 목적에 따라 정의된다. ☐
④ 본질주의자가 말한 사물의 본질은 경험에 의해 획득된 것에 불과하다. ☐
⑤ 본질주의자가 주장한 본질과 비본질은 모두 경험 이전에만 알 수 있다. ☐

1 이 글에 대한 설명으로 적절한 것은 무엇인가요?

① 구체적 수치를 통해 대상을 구분하고 있다.
② 대상의 개념을 정의하고 그 원리를 설명하고 있다.
③ 현상이 진행되는 과정을 단계별로 보여 주고 있다.
④ 비유적 진술을 활용하여 대상에 대한 이해를 돕고 있다.
⑤ 전문가의 견해를 인용하여 대상에 대한 의문을 해결하고 있다.

2 〈보기〉에 대한 ㉠과 ㉡의 반응으로 가장 적절한 것은 무엇인가요?

보 기

동양의 불교 사상에서는 오래전부터 공(空)을 이야기해 왔다. 불교에서 본질이라는 것은 '자기 동일성'을 의미하는 '자성(自性)'으로 불린다. 이런 자성이 존재하지 않는다는 것, 다시 말해 '무자성'이야말로 불교에서 가장 강조해 온 '공'의 핵심적인 의미이다. 불교의 공은 본질을 맹신하는 집착을 치유하기 위해 제안된 개념이다.

〈보기〉에 제시된 '자성'과 '무자성'의 개념이 '본질'과 어떤 관련이 있는지를 판단할 수 있어야 해.

① ㉠: 〈보기〉의 '자성'은 인간 개인이 생각하는 가치가 투영된 것이라고 볼 수 있군.
② ㉠: 〈보기〉의 '자기 동일성'은 오랜 수양을 통해 획득할 수 있는 후천적인 것이라고 볼 수 있군.
③ ㉡: 〈보기〉의 '공'은 경험적 행동을 통해 얻은 본질의 가치를 강조하는 것이라 할 수 있군.
④ ㉡: 〈보기〉의 '무자성'의 경지는 대상의 본질을 정확하게 파악할 수 있는 경지라고 할 수 있군.
⑤ ㉡: 〈보기〉의 '본질을 맹신하는 집착'은 사후적 구성의 반복에 의한 집착에서 비롯된다고 볼 수 있군.

3 ⓐ~ⓔ의 사전적 의미로 알맞지 않은 것은 무엇인가요?

① ⓐ: 서로 다른 일이나 사물을 구별하여 가르는
② ⓑ: 몇 가지 부분이나 요소들이 모여 일정한 전체가 짜여 이루어진
③ ⓒ: 내용이나 성격, 의미 따위를 밝혀 정한
④ ⓓ: 어떤 사물이나 사실을 실제와 다르게 지각하거나 생각하는
⑤ ⓔ: 다른 것에 반영되어 나타나는

원리로 생각읽기 **7**

글쓴이는 왜 사례를 들어 설명할까

사례는 글을 이해하는 도구가 된다

다음 글에서 사례를 들어 설명하고자 하는 개념은 무엇일까요?

미역국을 끓이기 위해서 마른 미역을 물에 넣고 불리는 것, 오이 무침을 만들기 위해서 오이에 소금을 뿌려서 절여 두는 것, 이 둘에는 동일한 과학 원리인 '삼투 현상'이 작용한다. 마른 미역을 구성하는 세포의 세포질은 물보다 농도가 짙으므로 마른 미역에 물을 넣으면 삼투 현상에 따라 물이 미역 세포 안으로 이동하여 부풀어 오른다. 반대로 오이에 소금을 뿌리면 오이 세포보다 오이 표면에 녹은 소금물의 농도가 짙으므로 오이 세포 안의 수분이 빠져나와 물기가 흥건해지고 오이는 꼬들꼬들해진다.

우리가 앞으로 접하게 될 수능 독해 지문은 국어 시험이 맞나 싶을 정도로 전문적인 내용을 담고 있어서 한 번에 글을 읽고 그 의미를 파악하는 일이 결코 쉽지 않습니다. 그러나 다행인 것은 그러한 지문에는 이해의 실마리를 찾을 수 있는 몇 가지 장치가 되어 있는 경우가 많습니다. 그중 하나가 바로 '구체적인 사례 들기'입니다.

사례의 사전적 의미는 '어떤 일이 전에 실제로 일어난 예'입니다. 즉 사례를 들어서 설명하면 복잡하고 어려워서 무슨 내용인지 명확히 알 수 없는 모호한 개념이, 실제로 일어난 혹은 실제로 일어날 법한 구체적인 상황에 적용됩니다. 아무리 어려운 내용이라도 한 번쯤 경험했을 법한 상황 속에서 설명되면 좀 더 쉽게 다가오는 법입니다. 글쓴이가 사례를 들어 설명하는 이유가 바로 여기에 있습니다. 글쓴이는 **어떤 이론이나 자신의 주장을 조금 더 친절하게 독자들에게 알려 주기 위해 구체적인 사례를 활용**하는 거죠. 그러면 독자는 글로 설명된 이론이 실제 상황에서 어떻게 적용이 되는지를 사례를 통해 쉽게 이해하게 되고, 글쓴이의 생각을 더 정확하게 파악할 수 있게 되는 것입니다.

162쪽 지문

파이프를 그린 화가 마그리트의 「이미지의 배반」이라는 그림을 예로 들어 보자. 마그리트는 파이프를 [illegible] 형상을 그리고 그 아래에 '이것은 파이프가 아니다.' [illegible] 림 속 형상 [illegible] 니다.'라는 글자는 사람들의 인식을 배반하게 만든다. 이 그림을 본질에 대한 문제와 연결해 보면, 우리가 알고 있는 본질이 불변하는 것이 아니라 사후적 구성에 의해 획득되는 것임을 알 수 있다. 결국 본질주의자들이 강조한 사물의 본질은 단지 인간의 가치가 ⓔ투영된 것에 지나지 않는다.

마그리트, 「이미지의 배반」

낯선 개념과 사례가 함께 나오면, 사례는 개념 이해를 돕는 친구라고 생각하자!

정답: 삼투 현상

독해연습 1 **아래 문장을 읽고, 물음에 답하세요.**

> (가) 선거 때 어떤 후보에게 탈세 의혹이 있다는 신문 보도를 보았다고 하자. 그때 사람들은 후보를 선택하는 데에 자신보다 다른 독자들이 더 크게 영향을 받을 것이라고 여긴다.
> (나) 이러한 현상을 데이비슨은 '제3자 효과'라고 하였다.

1 글쓴이의 의도를 고려하여 다음 (   )에 들어갈 말로 적절한 것을 써 보세요.

> 글쓴이는 (나)에 제시된 '제3자 효과'라는 현상을 독자들이 쉽게 이해할 수 있도록, (가)에서 (   )를 들어 설명하고 있다.

독해연습 2 **아래 문단을 읽고, 물음에 답하세요.**

> (가) '재정위'는 방향 기억이 헝클어진 상황에서도 장소의 기하학적 특징을 활용하여 방향을 다시 찾는 방법이다. 예를 들어, 직사각형 방에 갇힌 배고픈 흰쥐에게 특정 장소에만 먹이를 두고 찾게 하면, 긴 벽이 오른쪽에 있었는지와 같은 공간적 정보만을 활용하여 먹이를 찾는다. 이런 정보는 흰쥐의 방향 감각을 혼란시킨 상황에서도 보존되는데, 흰쥐는 재정위 과정에서 장소 기억 관련 정보를 무시한다. 하지만 최근 연구에 따르면, 원숭이는 재정위 과정에서 벽 색깔과 같은 장소 기억 정보도 함께 활용한다는 점이 밝혀졌다.
> (나) '경로 적분'은 곤충과 새의 가장 기본적인 길 찾기 방법으로 이를 활용하는 능력은 타고나는 것으로 알려졌다. 예를 들어 먹이를 찾아 길을 나선 사하라 사막의 사막개미는 집 근처를 이리저리 탐색하다가 일단 먹이를 찾으면 집을 향해 거의 일직선으로 돌아온다. 사막개미는 장소 기억 능력이 있지만 눈에 띄는 지형지물이 거의 없는 사막에서는 장소 기억을 사용할 수 없기 때문에 경로 적분을 활용한다. 사막개미의 이러한 놀라운 집 찾기는 집을 출발하여 먹이를 찾아 이동하면서 자신의 위치에서 집 방향을 계속하여 다시 계산함으로써 가능하다.

1 '재정위'와 '경로 적분'의 공통점이 무엇인지 써 보세요.

2 다음은 (가), (나)의 내용 전개 방식의 공통점을 설명한 것입니다. (   )에 들어갈 적절한 내용을 써 보세요.

> (가)와 (나)는 문단의 처음에 동물들이 방향을 찾는 방법을 설명한 후, (   ).

생각읽기 2

미니멀리즘 조형

예술의 본질

Q 미니멀리즘 조형물에 잘 나타나는 두 가지 원리는 무엇인가요?

(가) 제2차 세계 대전 이후 전쟁으로 인한 불안, 인간 소외 등 예술적 정서나 의미를 과도하게 표현하려는 예술적 경향이 나타났다. 이에 비해 미니멀리즘(minimalism)은 간결하고 절제된 표현 기법으로 대상의 본질을 표현하려는 예술적 경향을 지닌다.

(나) 이 사조는 예술 표현이 단순할수록 오히려 현실 세계를 더 쉽게 표현할 수 있다는 '단순성의 원리'와 인간의 지각은 총체적*으로 이해된다는 '확장성의 원리'에 바탕을 두고 있다. 이러한 예술 양상은 음악에서는 변함없는 강세 및 빠르기로, 건축에서는 단순한 색채 및 재료의 사용과 기하학적 구성으로 나타난다.

(다) 이러한 단순성과 확장성의 원리는 특히 조형물에서 잘 나타난다. 미니멀리즘에 의한 조형의 특징은 다음과 같다. 첫째, 매개의 최소화를 통한 '단순성의 원리'를 지향한다. ㉠매개의 최소화는 ㉡작품의 재료, 소재, 형태 등 작품 표현에 사용되는 매개 요소를 변형하거나 가공*하지 않고 원재료에 가깝게 사용하는 것을 말한다. 이는 원재료를 그대로 사용하는 구상*, 일상의 사물을 그대로 사용하는 오브제* 트루베에 의한 구상, 단순한 기하학적 형태에 의한 구상 등으로 표현된다. 작품에서 매개 요소가 최소화되면 감상자가 떠올릴 수 있는 대상은 오히려 더 많아지고, 감상자의 마음속에 잠재하고 있는 이미지를 보편적인 형상으로 떠올리기가 더 쉬워진다. 즉 작품에 사용되는 매개가 적고 단순할수록 감상자는 그것을 즉각적으로 인지할 수 있고, 감상자의 인식 속의 보편적 형상과 일치시키기가 더 쉽다는 것이다.

(라) 둘째, 미니멀리즘에 의한 조형은 기하 추상에 의한 '확장성의 원리'를 추구한다. 미니멀리즘 조형물이 놓인 공간은 작품의 배경으로만 존재하는 것이 아니다. 작품이 놓인 공간은 감상자로 하여금 작품을 그 작품이 놓인 공간과의 관련성 속에서 감상하게 한다. 예를 들어 기하 추상에 의한 미니멀리즘 조형물을 감상할 때, 감상자는 그것을 인지함과 동시에 작품 주위의 배경으로까지 시선이 이동되어 감상이 확대된다. 미니멀리즘 조형물은 기존의 조형물이 설치된 방식과 달리 주로 바닥에 배치된다. 이로써 작품 자체가 놓인 공간과 감상자가 서 있는 장소는 관람만을 위한 전망대가 되는 것이 아니라 예술적 감상을 위한 총체적 공간이 되는 것이다. 즉 '확장성의 원리'는 조형물이 놓인 배경에까지 공간 체험을 확대하여 예술적 환경에 대한 새로운 경험을 하는 것을 말하는 것이다.

* 총체적: 있는 것들을 모두 하나로 합치거나 묶은.
* 가공: 원자재나 반제품을 인공적으로 처리하여 새로운 제품을 만들거나 제품의 질을 높임.
* 구상: 사물, 특히 예술 작품 따위가 직접 경험하거나 지각할 수 있도록 일정한 형태와 성질을 갖춤.
* 오브제: 작품에 쓴 일상생활 용품이나 자연물 또는 예술과 무관한 물건을 본래의 용도에서 분리하여 작품에 사용함으로써 새로운 느낌을 일으키는 상징적 기능의 물체를 이르는 말.

0 이 글을 읽고 다음 작품을 감상한 내용으로 적절하지 않은 것은 무엇인가요?

「무제-L빔들」은 로버트 모리스의 미니멀리즘 경향을 보여 주는 작품으로, 회색 빛깔의 두꺼운 나무로 된 산업 재료 L빔들을 그대로 가져다가 배치하여 작품의 의미를 나타내고 있다.

① L빔들과 공간을 총체적으로 인식하는 감상자는 예술적 환경에 대한 새로운 경험을 하겠군.
② L빔들을 바닥에 배치한 것은 일정한 위치에서 작품을 감상하도록 공간을 한정시킨 것이군.
③ 특정 공간에 배치된 L빔들을 감상하는 감상자는 그것을 인지함과 동시에 주위의 배경으로 시선이 확대되겠군.
④ 실제 산업 재료를 그대로 사용하여 매개를 최소화함으로써 감상자로 하여금 더 많은 대상을 떠올리게 하는군.
⑤ 단순한 기하학적 형태를 매개 요소로 사용하여 감상자의 마음속에 잠재된 이미지를 더 보편적인 형상으로 떠올리게 하는군.

1 글쓴이가 글을 쓰기 전 떠올렸을 구조도로 알맞은 것은 무엇인가요?

① 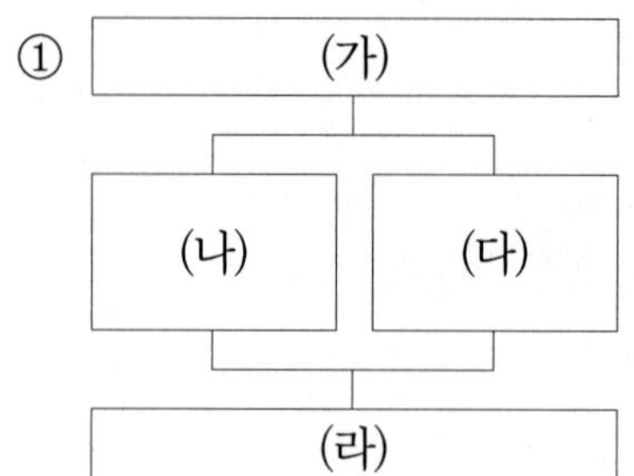

② 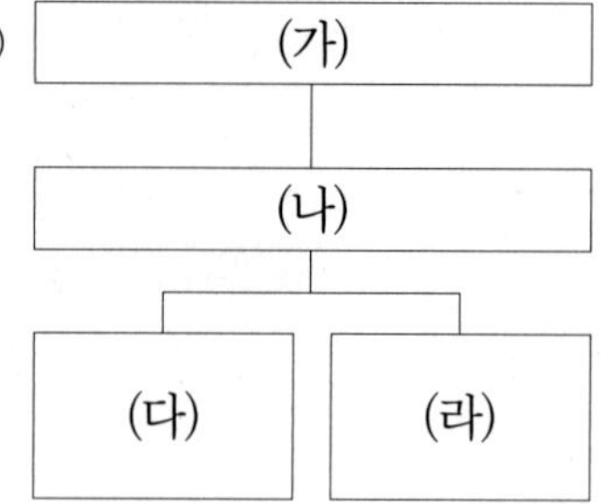

③ 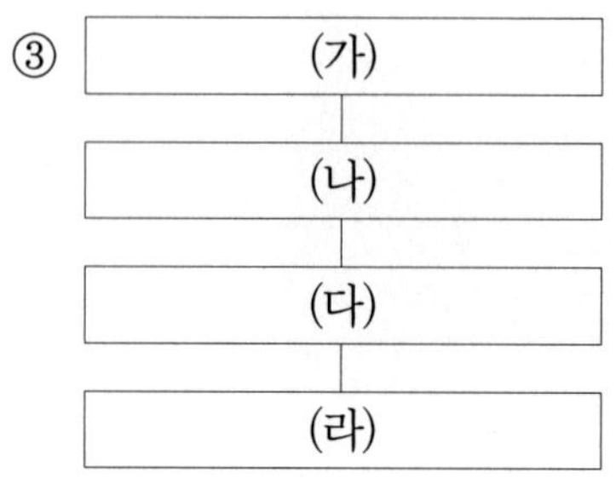

④ 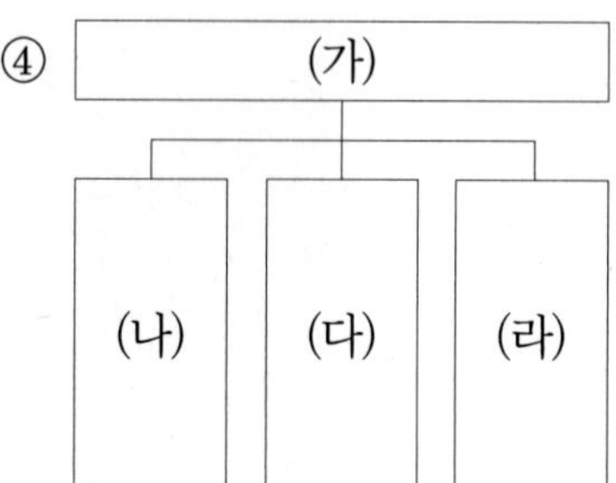

⑤ 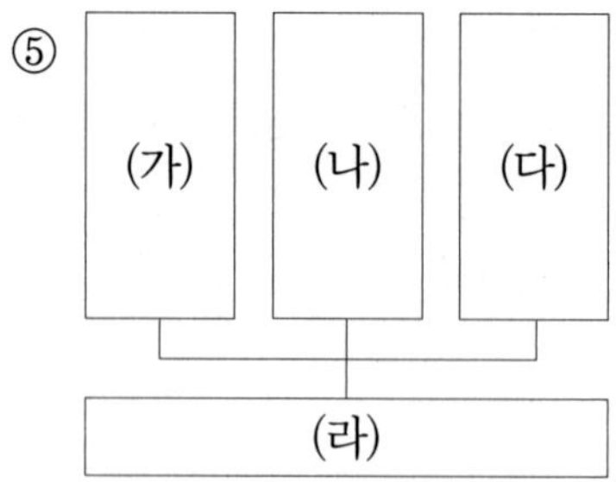

2 이 글을 통해 알 수 있는 내용으로 적절하지 않은 것은 무엇인가요?

① 미니멀리즘 음악은 일정한 강세 및 빠르기를 사용한다.
② 미니멀리즘 조형물은 매개 요소를 본래의 것에 가깝게 사용한다.
③ 오브제 트루베는 미니멀리즘 조형물 구상의 한 방법으로 사용된다.
④ 매개 요소가 다양할수록 미니멀리즘에 의한 감상의 폭은 넓어진다.
⑤ 미니멀리즘은 절제된 표현에 의해 본질을 표현하려는 예술적 경향이다.

단어의 의미 관계는 문맥상의 의미를 바탕으로 포함, 대등, 상하, 선후 등의 관계를 살펴서 파악해야 해.

3 밑줄 친 단어들의 관계가 '㉠ : ㉡'의 관계와 가장 유사한 것은 무엇인가요?

① 원석을 갈고닦아 다이아몬드 반지를 만들었다.
② 일교차가 심해지면서 점차 감기 환자가 늘고 있다.
③ 건강을 위해서는 자전거가 자동차보다 더 유용하다.
④ 문학은 크게 산문 문학과 운문 문학으로 나눌 수 있다.
⑤ 국가 정책을 수립할 때는 자유와 평등의 조화를 고려해야 한다.

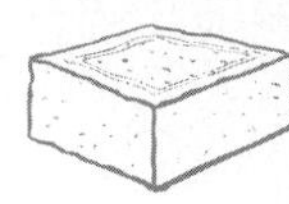

두부와 콩은 어떤 관계지?

생각읽기 3

진리란 무엇인가

'진리란 무엇인가?' 이는 인류 역사상 가장 막연하고 대답하기 어려운 질문이다. 사전적 의미로는 '참된 이치' 정도가 되겠지만, 이것만으로는 질문의 답으로 충분하지 않다. 현대의 철학, 과학, 종교, 예술 분야의 권위자들마저도 진리를 규정하기 위해 오랫동안 논쟁해 왔을 정도로 진리가 무엇인지를 설명하기는 쉽지 않다.

진리의 속성

Q '진리'가 되기 위해 갖추어야 할 세 가지 속성에는 무엇이 있나요?

[A] 진리를 말할 때, 우리는 무엇인가 막연하게 완벽하고 보편적이며 절대적인 존재를 상상한다. ㉠먼저 '절대성'이라는 속성은 아무런 제약이나 조건이 붙지 않는다는 것을 의미한다. 다음으로 '보편성'이라는 속성은 모든 것에 두루 적용되는 공통적인 것이어야 한다는 것을 의미한다. 마지막으로 '불변성'이라는 속성은 모양이나 성질이 변하지 않는다는 것을 의미한다. ㉡요컨대 진리는 누구에게나 특정한 조건 없이 절대적으로 적용되고, 우리나라의 진리가 다른 나라에서도 진리로 두루 통용되며, 과거의 진리가 현재에도 똑같이 진리로 받아들여진다는 의미이다.

진리가 절대적이고 보편적이며 불변적인 속성을 가지고 있지만, 아이러니하게도 진리는 역사 속에서 그 모습을 바꾸어 왔다. 원시 시대의 진리는 '자연신'이었다. 당시 사람들은 자연의 압도적인 풍요와 폭력에 무방비 상태로 놓여 있었고, 예측하기 힘든 자연 현상의 발생 원인을 설명하고자 했다. 그들에게 풍요는 어머니이고, 가뭄은 외면이었으며, 폭풍은 분노였고, 무지개는 용서였다. 원시 시대의 사람들에게 있어 자연물과 자연 현상 하나하나는 신성한 진리였다. 고대 시대에 들어서 진리는 '신화'였다. 대표적으로 그리스 · 로마 신화의 등장인물들은 그리스인과 로마인에게는 실재하는 존재자였다. 그들에게 올림포스의 신들인 제우스나 헤라, 아폴론은 의심의 여지없이 실제로 존재했고, 인간 세상에 강력하게 개입했다. ㉢그래서 고대 그리스인들은 하늘에 있는 올림포스의 신들에게 기도할 때면, 선 채로 손바닥을 하늘로 향하게 한 후 기도를 했다. ㉣반대로 지하의 신에게 기도할 때는 손바닥을 땅으로 향하게 해서 기도를 했다. 신들이 정말로 하늘 위나 땅 아래에 있다고 생각했던 것이다. 우리에게는 신화 속의 신들이 문학 속에 존재하지만, 고대 그리스인들에게 신은 그들의 세계에 실제 진리로서 존재했다.

중세 시대의 진리는 '신'이었다. 원시와 고대의 진리가 지극히 인간적이고 불완전한 다원적 행태를 취했다면, 유대교나 그리스도교나 이슬람에서 진리로서의 신은 초월적이고 절대적인 존재로 등장했다. 절대적 진리가 유일신의 옷을 입고 진리의 자리를 차지한 것이다. 이 유일신은 앞서 진리의 속성으로 제시했던 절대성, 보편성, 불변성을 모두 갖춘 우주의 창조주로서, 인류 역사에서 천 년의 시간 동안을 진리로서 존재했다.

[㉮] 근대에는 '이성'이 진리의 자리를 차지했다. [㉯] 이성은 구체적으로 세 가지 근본적인 학문인 '수학', '물리학', '철학'을 중심으로 한 것이었는데, 이 세 학문은 다른 학문이 가능할 수 있는 토대를 마련하였고, 이를 기반으로 하는 기술과 산업의 발전은 인간의 삶을 풍요로 이끌었기 때문에 이성은 인간에게 낙관적인 전망을 제시해 주었다. [㉰] 결국 두 차례 세계대전을 거치면서, ㉤그리고 학문의 한계가 드러나면서, 탈근대 시대에는 '반이성'을 특징으로

하는 진리가 자리 잡게 되었다. [㉣] 이는 중세와 근대의 이분법을 비판하면서, 이분법에 의해 억압되었던 다원적 가치를 복원하는 실천적인 운동으로 발전하였다. [㉤]

0 **다음은 이 글을 읽기 전에 궁금한 내용을 질문으로 작성한 것입니다. 이 글을 읽은 후에 해결할 수 있는 질문은 무엇인가요?**

① 학자들마다 진리를 다르게 인식하였던 이유는 무엇일까?
② 진리를 규정하기 위한 논쟁의 핵심은 무엇이었을까?
③ 진리가 무엇인지를 설명하기 어려운 이유는 무엇일까?
④ 진리를 설명하기 위해 사용하는 다양한 방식에는 어떤 것들이 있을까?
⑤ 진리는 역사의 흐름 속에서 어떻게 모습을 달리해 왔을까?

글에 언급된 내용에 대한 질문인지 아닌지를 판단하려면 글에 제시된 내용을 정확하게 파악해야겠지.

이 중에 맞는 열쇠는?
질문에 대한 답은 항상 지문 안에 있다.

1 이 글을 통해 알 수 있는 내용이 아닌 것을 모두 고르세요.

① 각 분야의 전문가들은 진리를 규명하기 위해 오랫동안 논쟁하였다. ▢
② 진리는 각 시대마다 속성을 달리했지만 그 모습을 계속 유지해 왔다. ▢
③ 원시 시대 사람들은 예측하기 힘든 자연 현상을 신성한 진리로 받아들였다. ▢
④ 고대 그리스인들은 로마인들과 달리 신화 속 인물을 실제 진리로 받아들였다. ▢
⑤ 중세 시대에 진리로서의 신은 이전과 달리 초월적·절대적인 존재로 등장하였다. ▢

2 이 글을 읽은 학생들이 [A]에 대해 나눈 대화 내용으로 적절하지 않은 것은 무엇인가요?

학생 1 내가 믿고 있는 진리로서의 '신'이 오직 나에게만 의미 있는 존재로 받아들여져야 '절대성'을 갖고 있다고 할 수 있어. ··· ①
학생 2 그런데 그 '신'이 초월적인 능력을 발휘하기 위해서 특정 공간에 반드시 위치해야만 한다면 '절대성'을 갖지 못했다고 볼 수 있지 않아? ··· ②
학생 3 지구에 사는 사람들이 진리로 인정하는 존재가 지구 밖의 외계인들에게는 전혀 진리로 통용되지 않는다면 '보편성'을 갖추지 못했다고도 볼 수 있어. ··· ③
학생 4 신이 가진 절대적이고 보편적인 영향력이 현재에도 여전히 유지되어야만 '불변성'을 갖추고 있다고 할 수 있겠지? ··· ④
학생 5 그런데 지금까지 초월적인 능력을 보여 주던 '신'이 내일부터 그 능력을 완전히 상실하게 된다면 '불변성'을 갖지 못한 것으로 볼 수 있어. ··· ⑤

3 **이 글에 〈보기〉의 내용을 추가한다고 할 때, ㉮~㉲ 중 가장 적절한 위치는 어디인가요?**

보 기

그러나 물리학과 화학의 발전은 대량 인명 살상을 가능하게 하는 핵무기를 만들어 내어 인류를 위협했으며, 인간의 유전에 대한 이해와 생리학의 발전은 열등한 인종을 규정하는 근거가 되어 유대인 학살의 명분이 되기도 했다.

① ㉮ ② ㉯ ③ ㉰ ④ ㉱ ⑤ ㉲

4 **㉠~㉤에 대한 설명으로 적절하지 않은 것은 무엇인가요?**

① ㉠은 뒤에 제시할 정보의 순서가 맨 처음이라는 것을 알려 준다.
② ㉡은 앞에 제시된 내용을 요약하여 다시 언급할 것임을 드러낸다.
③ ㉢은 뒤의 내용을 앞의 내용과 다른 방향으로 전개할 것임을 드러낸다.
④ ㉣은 앞의 내용과 상반되는 내용이 이어지게 될 것임을 드러낸다.
⑤ ㉤은 앞의 내용과 대등한 내용이 뒤에 이어지게 될 것임을 드러낸다.

생각읽기 4

정의란 무엇인가

정의의 조건

Q 정의가 목적에 맞게 잘 구현되도록 하려면 어떻게 해야 하나요?

우리는 한 사회의 구성원으로서 다양한 주제에 대해 그것이 과연 정의로운 것인지에 대해 끊임없이 고민하면서 살아간다. 사실 이것은 우리 사회에 민주주의가 뿌리내리고 발전했기 때문에 가능한 일이라고 할 수 있다. 그리고 그 사회에 정의가 증대되고 그것을 위한 투쟁이 강화되는 것은 좋은 신호라고 볼 수 있을 것이다. 그러나 정의가 사회를 긍정적으로 바꾸는 동력이 되게 하려면 정의의 여러 의미에 대한 섬세한 ⓐ고찰이 필요하다.

우선 생각해 봐야 할 것은 정의를 ⓑ추동하는 심리적 에너지가 단순하지 않고 복잡하게 연결되어 있다는 점이다. 정의의 근원은 무엇인가? 정의는 이성적 원칙에서 나오는 것이라고 생각하기 쉽지만, 우리말의 표현에 '정의감'이라는 말이 있듯이 정의는 단순히 이성의 원리만이 아니라 감성적 측면도 포함하고 있다. 특히 추상적일 수 있는 정의는 감성적 측면에 이어짐으로써 복잡하게 구현될 가능성을 가지고 있기 때문에, 정의가 목적에 맞게 잘 ⓒ구현되도록 하기 위해서는 이러한 복잡성을 알고 그 본질이 훼손되지 않도록 신경을 써야 한다.

서양 철학의 기초를 마련한 고대 그리스의 철학자 플라톤은 정의가 '시모스(thymos)'라는 인간의 심성에 들어 있는 투쟁적 자기주장에 긴밀하게 이어져 있다고 설명했다. 시모스는 정의의 동력일 뿐만 아니라 일반적으로 자기 보존을 위한 전투적 태도의 근본이라는 것이다. 그러나 시모스의 현대적 표현이 화를 낸다고 할 때의 '화' 그리고 '복수욕'이라는 점에서, 비록 이것이 정의의 ⓓ확보에는 도움이 된다고 하더라도 참으로 좋은 사회, 인간적인 사회의 실현을 위해 근본적인 바탕이 될 수 있는가 하는 데 대해서는 의문이 남는다.

또한 18세기의 근대 사상가들은 정의로운 사회 질서의 심성적 근원을 동정심이나 선의에서 찾기도 했다. 그들은 동정심이나 선의가 인간과 인간의 유대를 강화해 주는 감성적 원리로 발전되었고, 불의를 보면 그것을 시정해야 한다는 의무감으로 이어지게 되어 정의로운 사회를 이룩하는 기초를 제공했다고 보았다. 그러나 근대 사상가들이 언급한 동정심이나 선의가 정의의 동력이 된다고 하더라도 이를 완벽하게 설명하기에는 어려운 측면도 있다. 왜냐하면 이 두 가지 모두 당사자가 아니라 방관자의 심리를 나타내는 것이라는 점 때문이다. 그것이 자기의 이익과 ⓔ상충될 때 그것을 넘어서기 어렵고, 또 어떤 경우에나 그것이 '이익 공동체'의 경계를 넘어서 작용하기는 어렵기 때문이다.

정의는 보다 넓은 인간적 질서, 모든 존재가 존중받을 수 있는 사회의 질서가 될 수 있을 때 인간적 삶을 위한 진정한 수단이 될 수 있다. 지나친 투쟁이나 분노의 방식으로 달성한 정의나 특정 공동체에만 혜택이 돌아가는 공평하지 않은 정의는 오히려 사회 질서를 혼란스럽게 만들 수도 있을 것이다. 따라서 우리는 정의의 복잡성에 대한 이해를 바탕으로, 인간적인 공감과 관심을 통한 인정과 존중의 관계에 기초하여 정의를 구현함으로써, 정의가 우리 사회를 긍정적으로 바꾸는 동력이 되고 진정한 인간 질서의 방법론이 될 수 있도록 해야 할 것이다.

0 이 글의 내용을 학급 신문에 싣는다고 할 때, 빈칸에 들어갈 적절한 내용을 이 글에서 찾아 2어절로 쓰세요.

○○신문

정의의 의미에 관한 고찰
________________에 대한 이해를 중심으로

정의는 이성의 원리만이 아니라 감성적 측면도 포함하고 있다. 이에 대해 플라톤은 정의가 '시모스(thymos)'라는 투쟁적 자기주장에 긴밀하게 이어져 있다고 설명했으며, 근대 사상가들은 정의가 동정심이나 선의를 바탕으로 한 것이라고 보기도 했다. 이처럼 정의를 추동하는 심리적 에너지는 복합성을 지니고 있기 때문에, 정의의 본질을 훼손하지 않고 정의가 우리 사회를 긍정적으로 바꾸는 동력이 될 수 있도록 하기 위해서는 그 의미의 복잡성을 이해하는 것이 중요하다.

문장을 구성하고 있는 각각의 마디를 어절이라고 해.
어려우면 띄어쓰기의 단위라고 생각하면 돼!

1 이 글의 내용과 일치하지 않는 것은 무엇인가요?

① 정의가 감성적 측면에 이어짐으로써 복잡한 형태로 나타날 가능성이 있다.
② 플라톤은 정의가 인간의 심성에 있는 투쟁적 자기주장과 연결된다고 보았다.
③ 플라톤은 시모스가 정의의 확보에는 도움이 되지 않는 심리적 요소라고 하였다.
④ 인정과 존중의 관계에 기초한 정의는 사회를 긍정적으로 바꾸는 동력이 될 수 있다.
⑤ 18세기의 근대 사상가들은 동정심이나 선의가 정의로운 사회를 이룩하는 기초를 제공하였다고 주장하였다.

2 〈보기〉의 밑줄 친 부분에 들어갈 독자의 반응으로 가장 적절한 것은 무엇인가요?

보 기

이 글을 통해 '정의의 의미'에 관해 몰랐던 내용을 알게 되어서 좋았습니다. 하지만 이 글을 읽으면서 아쉬운 부분도 있었는데요. ______________________.

- 정의의 의미를 설명할 때 권위 있는 사람의 견해를 함께 제시했다면 주장의 설득력을 더 높일 수 있지 않았을까요? ············ ①
- 정의가 우리 사회를 긍정적으로 바꾸는 동력이 된 사례들을 구체적으로 언급했다면 독자의 이해를 도울 수 있지 않았을까요? ············ ②
- 정의의 개념이 시대의 흐름에 따라 어떻게 달라져 왔는지 변화 과정을 함께 제시했다면 집필 의도가 더 잘 드러나지 않았을까요? ············ ③
- 정의를 구현하는 데 방해가 되는 요인을 제거하기 위한 해결책을 추가로 언급했다면 글의 구조적 완성도가 더 높아지지 않았을까요? ············ ④
- 정의를 구현하기 위해 노력하는 다양한 이익 공동체들을 소개하고 이를 유형별로 분류한 내용을 추가했다면 글의 초점이 더욱 분명해지지 않았을까요? ············ ⑤

아쉬운 부분이라는 것은 글에 부족한 부분이 있다는 의미이겠지? 이 글에서 다루었으면 좋았을 내용인데, 이 글에서 다루지 않은 것을 찾아야 해.

3

이 글을 읽고 난 뒤, 다음 자료에 대해 친구들과 토론을 하려고 합니다. 자료에 대한 해석이 적절하지 않은 학생은 누구인가요?

> 2005년 6월, 미 해군 특수 부대는 탈레반 지도자를 찾기 위해 아프가니스탄에서 은밀히 정찰 활동에 나섰다. 이들은 무장하지 않은 염소 목동 두 명과 열네 살가량의 남자 아이를 만났다. 염소 목동들은 민간인으로 보였기에 놓아주어야 했지만, 다른 한편으로는 특수 부대의 소재를 탈레반에 알려 줄 위험이 있었다. 한 부대원은 "우리는 임무를 수행 중이다. 저들을 놓아주는 것은 잘못이다."라며 이들을 죽여야 한다고 주장했다. 부대의 지휘관인 루트렐은 망설였다. 그는 의견이 팽팽히 맞선 가운데 그들을 풀어 주자는 쪽의 손을 들어 줬다. 곧 후회할 결정이었다. 염소 목동들을 풀어 준 후 특수 부대는 탈레반 병사에게 포위되었다. 격렬한 총격전이 벌어졌고, 부대원 세 명이 목숨을 잃었다. 이들을 구출하러 온 미군 헬기 한 대까지 격추당하는 바람에 군인 열여섯 명이 목숨을 잃었다. 루트렐은 중상을 입고 간신히 목숨을 건졌으며, 결국 자신의 행동을 후회했다.
>
> – 마이클 샌델, 『정의란 무엇인가』

학생 1 부대원들이 염소 목동들을 놓아주는 것과 죽이는 것 중에 무엇이 정의로운 것인지 고민하는 과정에서 심리적 에너지가 복잡하게 작용했을 거야. ………… ①

학생 2 염소 목동들을 놓아주어야 한다고 주장한 부대원들은 감성의 측면을 배제하고 단순히 이성의 원리로만 접근했을 거야. ……………………………………… ②

학생 3 염소 목동들을 풀어 준 결과로 결국 부대원들을 잃게 된 루트렐은 자신의 행동을 후회하면서 시모스를 강하게 느꼈을 거야. ……………………………… ③

학생 4 염소 목동들을 무장하지 않은 민간인이라고 판단하고 놓아주게 된 것은 동정심이나 선의가 정의의 동력으로 작용했기 때문일 거야. ……………………… ④

학생 5 염소 목동을 풀어 줄지 말지를 결정하는 과정에서 부대원들 간에 의견이 달랐던 것은 동정심이나 선의가 공동체의 이익과 상충되었기 때문일 거야. ……… ⑤

4

ⓐ~ⓔ의 사전적 의미로 알맞지 않은 것은 무엇인가요?

① ⓐ: 어떤 것을 깊이 생각하고 연구함.
② ⓑ: 어떤 일을 추진하기 위하여 고무하고 격려함.
③ ⓒ: 어떤 내용이 구체적인 사실로 나타나게 함.
④ ⓓ: 틀림없이 그러한가를 알아보거나 인정함.
⑤ ⓔ: 맞지 아니하고 서로 어긋남.

생각읽기 5

시간이란 무엇인가

시간 인식의 변화

Q 인류가 시간을 정확히 측정할 수 있게 된 계기는 무엇인가요?

사람들이 시·분 단위의 정확한 시간에 만나기로 서로 약속하거나, 열차가 정해진 시간에 출발하고 도착하는 것은 오늘날의 우리들에게는 매우 당연하게 받아들여지는 사실이다. 하지만 아주 옛날에는 시간을 인식하는 것이 사람들마다 각기 조금씩 달랐고, 시간을 구별하기 위해 새벽녘, 한낮, 황혼, 한밤중 등과 같은 시간 개념들을 익혀야만 했다. 인류가 시간을 정확하게 측정하게 된 것은 인류의 오랜 역사에 비춰 볼 때 비교적 최근에서야 가능해진 일이다.

시간에 대한 전통적인 인식은 자연의 순환과 그에 대한 직접적인 관찰 경험에서 비롯된 것이었다. 낮과 밤의 교차, 계절의 변화 등은 우리가 관계하는 모든 사건에 대한 인식의 틀을 형성하는 기준이 되었다. 농경 사회에서는 계절에 따라 달라지는 일출과 일몰 사이의 간격을 고려해 제작된 해시계를 사용하였는데, 해시계의 숫자판은 낮을 똑같은 길이의 시간으로 구분하지 않고 계절에 따라 각각 다른 길이의 시간 간격으로 나누었다. 이는 하루 일과가 자연스럽게 해가 떠 있는 시간에 맞춰져 있었기 때문이었다. 농경 사회에서 시간은 자연의 순환 속에서 파종과 수확을 비롯한 여러 활동에 필요한 올바른 시점을 찾는 일과 관계된 것이었다. 그래서 인류는 오랫동안 자연의 순환을 관찰하면서 축적한 경험적 지식을 동원하여 해시계를 만들어 사용했고, 이를 바탕으로 농사일의 순서와 시기를 결정하였으며, 농경 사회에서는 이러한 방식이 꽤 오랫동안 매우 유용하게 사용되었다.

그러던 중에 도시가 발달하면서 기계식 시계가 발명되었고, 이는 인류가 자연의 변화를 관찰함으로써 인식한 시간의 척도를 더욱 미세한 부분으로 쪼개는 역할을 하게 되었다. 그러면서 시간은 점점 엄격한 수학적 시간의 개념으로 바뀌게 되었고, 태양의 실제 운행과 분리된 기계식 시계가 가리키는 시간은 결국 보편타당한 시간으로 자리 잡게 되었다. 이에 따라 시계는 '근대적 시간 관념'의 상징이 되었고, 이후로는 기계식 시계가 가리키는 시간이 근대의 복잡한 활동들을 무질서에서 질서로 ㉠이끄는 기준이 되었다. 먼저 제네바(1780년)와 런던(1792년)에서, 그 다음은 베를린(1810년)과 파리(1816년)가 이러한 시계 시간을 시간 표준으로 채택하였고, 새로운 시간 표준은 대도시 안에만 머물지 않았다. 구체적인 천체 현상에서 벗어난 시간은 더 넓은 교역 공간으로 확산되었으며, 이를 시작으로 시간은 거의 모든 것의 척도로 자리 잡게 되었다. 그 결과 지구를 시간대별로 나눌 때도 그리니치의 평균 태양시를 기준으로 하는 것에 대해 합의하기에 이르렀다.

18세기와 19세기를 거치면서 기계식 시계가 해시계를 대신하게 되었고, 수천 년 동안 이어온 시간을 인식하는 전통의 문화적 기술은 점점 자취를 감추게 되었다. 기계식 시계는 하루 일과를 구분 짓고, 생산 공정과 작업 과정을 세분화함으로써 효율의 증대를 가져다주었지만, 자연의 순환과 계절의 변화에 따른 인간의 자연스럽고 여유 있는 삶으로부터는 점점 멀어지게 했다. 이처럼 시간에 대한 인식과 측정 방법의 변화는 우리의 삶에 다양한 영향을 미쳤다고 할 수 있다.

0 **이 글의 핵심 내용을 바탕으로 발표 자료를 만든다고 할 때, 발표 제목으로 가장 적절한 것을 고르세요.**

①
해시계와 기계식 시계의
시간 측정 방법의 차이
발표자: 홍길동

②
해시계 사용의 장점과
전통 문화 기술의 우수성
발표자: 홍길동

③
기계식 시계의 발명과
시간에 대한 인식의 변화
발표자: 홍길동

④
기계식 시계의 발명과
농경 사회 몰락의 상관관계
발표자: 홍길동

⑤
동서양의 문화 차이가
시간 측정 방식에 미친 영향
발표자: 홍길동

1 **이 글에서 논지를 전개한 방식으로 가장 적절한 것은 무엇인가요?**

① 대상이 가진 문제점들을 종합적으로 분석한 다음 그 해결책을 제시하고 있다.
② 대상에 대해 대립하는 주장들을 소개한 다음 이를 절충하면서 마무리하고 있다.
③ 대상에 대한 다양한 주장들의 장점을 바탕으로 새로운 주장을 이끌어 내고 있다.
④ 대상을 인식하는 방식이 변하게 된 계기를 밝히고 그로 인한 영향을 설명하고 있다.
⑤ 대상이 발전해 온 과정을 순차적으로 보여 준 다음 앞으로 어떻게 발전하게 될 것인지 전망을 제시하고 있다.

2 **㉠과 바꾸어 쓰기에 가장 알맞은 것은 무엇인가요?**

① 유발(誘發)하는
② 유도(誘導)하는
③ 유인(誘引)하는
④ 인용(引用)하는
⑤ 도입(導入)하는

3 **이 글을 읽은 학생들이 〈보기〉의 '농가월령가'에 대해 나눈 대화 중 적절하지 <u>않은</u> 것은 무엇인가요?**

| 보 기 |

「농가월령가(農家月令歌)」는 한 해를 1월부터 12월까지로 나누어 농가에서 해야 할 일, 철마다 알아야 할 풍속과 지켜야 할 범절들을 노래한 조선 후기의 시가이다. 이 작품을 통해 시간에 대한 전통적인 인식을 살펴볼 수 있다. 하늘과 땅이 처음 생겨날 때부터 일월성신(日月星辰)이 일정한 규칙 아래 질서 있게 운행되어서 일 년이 삼백육십 일로 나뉘고, 동지 · 하지 · 춘분 · 추분에 의해 일 년은 네 계절로 구분된다는 것을 보여 주고 있다. 그리고 초하루 · 보름 · 그믐의 순환에 의해 한 달이 성립되고 일 년은 열두 달로 구성되며, 북극성을 기준으로 일월성신의 순환에 따라 일 년을 24절기로 나누고 달마다 두 절기씩 배치하여 절기의 사이가 보름이 됨을 이 작품을 통해 확인할 수 있다.

「농가월령가」에 나타난 시간 인식이 농경 사회에서의 전통적 시간 인식을 드러낸다는 데 초점을 두고, 글의 내용과 연결지어 봐.

학생 1 농경 사회에서 자연의 순환에 대한 축적된 경험을 바탕으로 농사일에 필요한 시간을 인식했음을 확인할 수 있는 자료인 것 같아. ······························ ①

학생 2 이 작품에 언급된 방식의 시간 인식은 기계식 시계가 발명되기 전까지 농경 사회에서 오랫동안 유용하게 활용된 방식이라고 할 수 있어. ······················ ②

학생 3 시간 측정을 주로 자연에 대한 관찰에 의존할 수밖에 없었음에도 불구하고 선조들이 비교적 세밀하게 시간을 인식하고 있었음을 확인할 수 있어. ············ ③

학생 4 계절에 따라 농가에서 해야 할 일을 자세히 수록하기는 했지만 계절에 따라 달라지는 일출과 일몰 사이의 간격에 대한 이해는 부족했던 것 같아. ··········· ④

학생 5 이러한 시간 측정 방식은 일정한 규칙 아래 질서 있게 운행되는 일월성신의 순환을 고려한 것이라는 점에서 전통의 문화적 기술과 관련됨을 알 수 있어. ·· ⑤

생각읽기 6

언어란 무엇인가

언어의 본질

Q 인간이 언어를 사용하지 않고는 사회생활을 하기 어려운 이유는 무엇인가요?

(가) 인간이 언어를 본격적으로 사용하게 된 것은 지금으로부터 약 10만 년 전으로 추정된다. 인간이 다른 동물과 구별되는 특징 중의 하나는 인간만이 언어를 ⓐ구사할 수 있다는 점이다. 인간 유전자의 98%를 닮은 침팬지도 언어를 구사할 수 있는 능력은 없다고 한다. 스웨덴의 생물학자 린네는 인간을 '언어적 인간(Homo loquens)'이라고 했고, 독일의 철학자 하이데거는 언어를 '존재의 집'이라고 하여 언어의 주택 속에 인간이 살고 있다고 보았다. 독일의 철학자 카시러는 "인간은 언어가 형성해 주는 현실만 알고 있다."라고 함으로써 인간과 언어의 관계가 매우 밀접하다는 것에 대해 설명하기도 했다.

(나) 인간은 언어를 사용하지 않고는 하루도 사회생활을 ⓑ영위할 수 없다. 언어가 있으므로 사회 안에서 인간관계를 유지할 수 있고, 사회생활 속에서 각자 맡은 바 일을 추진해 나가는 것도 언어를 가지고 의사소통을 해야 하기 때문이다. 따라서 인간이 언어 없이 생존을 해 나갈 수 있을지 몰라도 언어 없이 사회생활을 하는 것은 거의 불가능하다고 할 수 있다. 그러나 이처럼 언어가 우리 일상생활과 밀접한 관계에 있는 데도 우리는 언어에 대해 아는 것보다도 모르는 것이 더 많은 것이 사실이다. 언어는 일종의 기호 체계로 유연하면서도 복잡하기 때문에 언어의 특성에 대해 정확히 이해할 필요가 있다.

(다) 인간은 어떤 대상을 보면 그 대상의 의미를 ⓒ파악하고 다시 그것을 전달하기 위해 임의로 언어를 만들어 사용하는데, 이를 언어의 '자의성'이라고 한다. 일반적으로 이렇게 만들어진 언어와 대상 사이에는 직접적인 관계가 없다. 또한 언어는 어떤 내용이나 의미를 일정한 형식이나 기호로 나타낼 수 있는데 이를 '기호성'이라고 한다. 기호로서의 특징을 가진 언어는 언어 사회 구성원의 약속에 의해 ⓓ공유되는 것으로 다른 언어 사회 구성원이 공유하는 것과는 구별되는 표현과 전달의 도구라는 점에서 '사회성'을 지니고 있기도 하다.

(라) 언어는 어떤 사회 구성원의 약속에 의해 성립되더라도 문화의 발달과 인간 사회의 ⓔ제반 요소들의 변화에 의해 끊임없이 새로운 말이 생겨나기도 하고, 있던 말이 변화하기도 하며, 쓰이던 말이 없어지기도 하는데 이를 언어의 '역사성'이라고 한다. 마지막으로 언어는 의사소통의 한 형태로 습득되고 학습되는 것으로 인간은 기존에 알고 있는 언어 지식과 규칙을 바탕으로 언어를 무한히 생산할 수 있다는 점에서 '창조성'도 지니고 있다.

(마) 앞서 살펴본 것처럼 인간이 사용하는 언어는 다양한 특성을 지니고 있다. 또한 우리가 언어의 특성을 정확히 알고 사용하는 것은 언어와 사회생활 사이에 얽혀 있는 여러 가지 문제들을 해결하는 데 도움이 될 수 있다. 이처럼 언어는 우리의 일상생활과 밀접한 관계에 있다는 점에서 인간관계와 사회생활을 원활하게 하는 중요한 수단이고, 인간의 삶을 보다 풍요롭게 하는 촉매*와 같다고 할 수 있다.

* 촉매: 어떤 일을 유도하거나 변화시키는 일 따위를 비유적으로 이르는 말.

0 (가)~(마)를 내용 구성 방식에 따라 구조도로 나타낸다고 할 때, 가장 적절한 것은 무엇인가요?

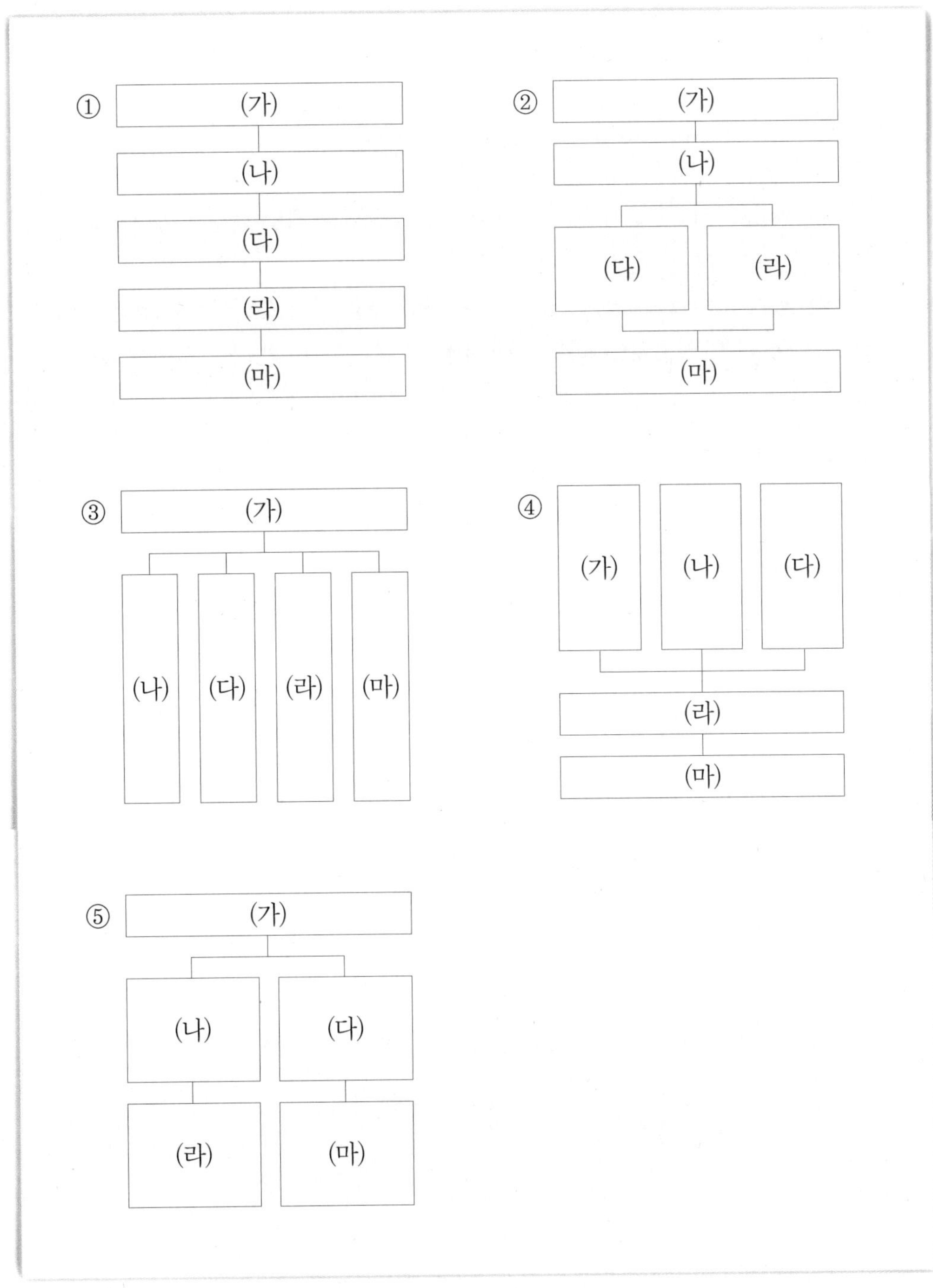

1 **이 글을 통해 알 수 있는 내용이 아닌 것을 고르세요.**

① 인간은 언어를 사용할 수 있다는 점에서 다른 동물과 구별된다. ▢
② 언어는 유연하면서도 복잡한 일종의 기호 체계로 표현과 전달의 수단이 된다. ▢
③ 인간은 언어를 구사하지 않고도 사회생활을 원만하게 영위할 수 있다는 점에서 언어적 존재이다. ▢
④ 언어는 의사소통의 한 형태로 습득되는 것으로 언어 지식과 규칙을 바탕으로 무한히 생산할 수 있다. ▢
⑤ 언어는 사회 구성원 간의 약속에 의해 공유되는 것으로 다른 언어 사회의 구성원이 공유하는 것과는 구별된다. ▢

2 **이 글에서 확인할 수 있는 서술상의 특징으로만 묶인 것은 무엇인가요?**

보 기

ㄱ. 대상이 가진 여러 가지 특성을 병렬적으로 제시하고 있다.
ㄴ. 대상의 속성을 설명하기 위해 구체적 수치와 통계 자료를 활용하고 있다.
ㄷ. 대상에 대한 글쓴이의 견해를 뒷받침하기 위해 권위자의 말을 인용하고 있다.
ㄹ. 대상에 대한 주장을 강화하기 위해 예상되는 반론에 대해 재반박을 하고 있다.

① ㄱ, ㄴ ② ㄱ, ㄷ ③ ㄴ, ㄷ ④ ㄴ, ㄹ ⑤ ㄷ, ㄹ

어떤 견해나 주장에 대해 **미리 예상할 수 있는 반대 논의**를 예상되는 반론이라고 해.
주로 어떤 주장에 대해 반박 가능성이 있는 경우에 제시되지~

3 이 글을 바탕으로 학생들이 〈보기〉에 대해 이해한 내용으로 적절하지 않은 것은 무엇인가요?

보 기

우리는 닭의 울음소리를 표현하고자 할 때, 일반적으로 '꼬끼오'라고 한다. 그러나 모든 나라에서 그렇게 표현하는 것은 아니다. 영어에서는 '코커두들두(cock-a-doodle-doo)'라고 표현하고, 독일어에서는 '키케리키(kikeriki)'라고 표현하며, 프랑스어에서는 '코코리코(coquerico)'라고 표현한다는 점에서 각 나라마다 차이가 있음을 알 수 있다.

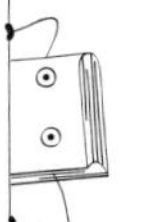

닭이라는 동일한 동물의 울음소리를 나라마다 다르게 표현하는 것이 언어의 어떤 특성과 연결되는지 생각해 봐.

학생 1 닭의 울음소리가 나라마다 다르게 표현되는 것을 보면 언어 기호와 내용 사이의 관계가 필연적인 것은 아닌 것 같아. ············ ①

학생 2 동물의 소리를 모방해서 만든 의성어임에도 불구하고 언어와 그것이 나타내는 대상 사이에 직접적인 관계가 있는 것은 아닌 것 같지? ············ ②

학생 3 그것은 언어 사회에 따라서 그것을 나타내는 언어 습관이나 표현 방식이 다르기 때문이라고 봐야 하지 않을까? ············ ③

학생 4 대상의 의미를 파악하고 다시 그것을 전달하기 위해 임의로 언어를 만들어 쓰기 때문이라고도 말할 수 있을 것 같아. ············ ④

학생 5 원래는 표현 방식이 모두 같았는데 시간이 흐르면서 각 나라마다 새로운 말이 생겨나거나 표현 방식이 달라졌기 때문인 것 같아. ············ ⑤

언어의 자의성,
의미와 소리, 우리의 만남은 우연이야!

4 ⓐ~ⓔ의 사전적 의미로 적절하지 않은 것은 무엇인가요?

① ⓐ: 말이나 수사법, 기교, 수단 따위를 능숙하게 마음대로 부려 씀.
② ⓑ: 규칙이나 명령 · 법령 따위를 지키도록 통제함.
③ ⓒ: 어떤 대상의 내용이나 본질을 확실하게 이해하여 앎.
④ ⓓ: 두 사람 이상이 한 물건을 공동으로 소유함.
⑤ ⓔ: 어떤 것과 관련된 모든 것.

생각의 구조화 MIND MAP

Q 다음은 생각을 읽을 수 있는 지문 구조도를 퍼즐로 나타낸 것입니다. 앞에서 읽은 글의 내용을 떠올리며 생각읽기 1~6에 해당하는 퍼즐을 선으로 연결해 보세요.

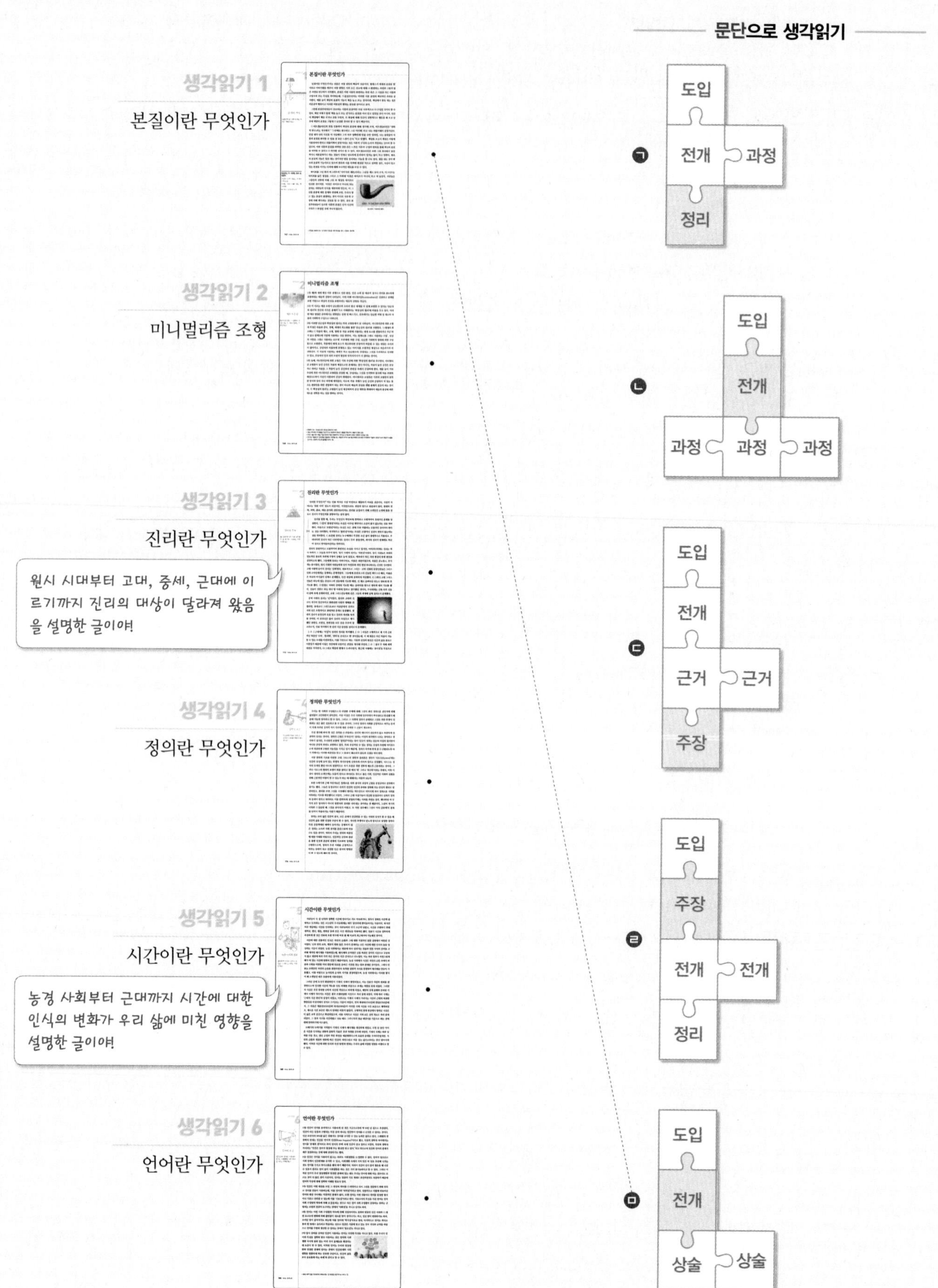

한 문장으로 생각읽기

1 비트겐슈타인은 사물의 본질이 따로 존재하여 우리가 발견하는 것이 아니라, [| |]으로 구성된 것에 불과하다고 보았다.

2 간결하고 절제된 표현 기법으로 대상의 본질을 표현하려는 [| | | |] 조형의 특징은 단순성과 확장성의 원리에 있다.

3 [|]는 절대성, 보편성, 불변성의 속성을 가지고 있지만 역사의 흐름 속에서 각 시대마다 그 모습이 바뀌어 왔다.

4 정의의 [| |]에 대한 이해를 바탕으로 정의를 구현함으로써 정의가 우리 사회를 긍정적으로 바꾸는 동력이 되고 진정한 인간관계의 방법론이 되도록 해야 한다.

5 [|]에 대한 전통적인 인식을 보여 주는 농경 사회의 해시계로부터 근대 이후 발명된 기계식 시계로의 변화는 시간 측정 방법과 시간에 대한 인식의 변화를 가져왔다.

6 [| |], 기호성, 사회성, 역사성, 창조성을 가진 언어는 인간관계와 사회생활을 원활하게 하는 수단으로서 인간의 삶을 풍요롭게 하는 촉매 역할을 한다.

한 단어로 생각읽기

인간은 왜 본질에 집중할까?

"본질에 집중하면 길이 보인다"

고대 그리스 철학자 아리스토텔레스는 '그것은 무엇인가?'라는 질문에 대한 답을 대상의 본질이라고 보았습니다. 그래서 그는 대상의 본질이 사물의 존재 그 자체라는 뜻에서 본질을 실체라고 부르기도 했습니다.
'그것은 무엇인가?'라는 질문은 대상에 대해 정확하게 파악하고, 이를 바탕으로 더 깊고 넓은 생각으로 나아갈 수 있게 만드는 첫 번째 열쇠라고 할 수 있습니다. 대상의 본질을 생각한다는 것은 관념적인 말장난처럼 보일지도 모르지만, 사실 대상의 본질을 파악하지 않고서는 더 깊은 생각으로 나아갈 수가 없는 중요한 생각인 것입니다.

저는 본질이라는 단어를 이렇게 해석하고 있습니다.
'이게 빠지면 말이 되지 않는 것'
– 어느 커피 브랜딩 전문가의 말 중에서

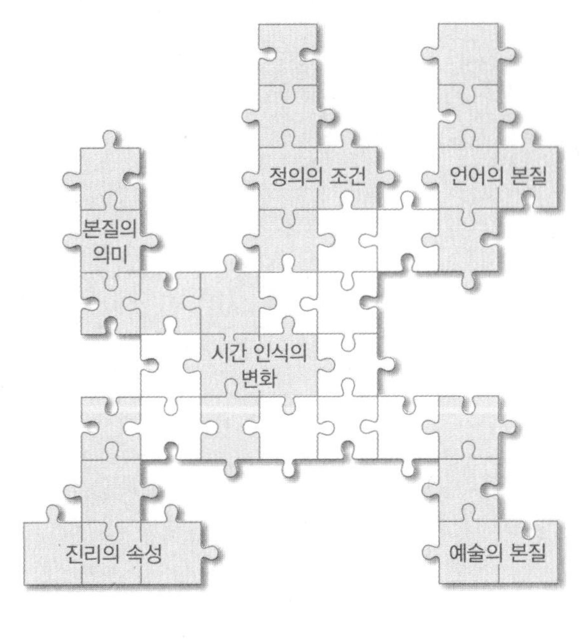

07 상상

생각의 발견

상상을 말하다!

인간은 새롭고 흥미로운 것이나 경험해 보지 않은 것에 대해 머릿속으로 그려 보거나 생각하기를 즐깁니다. 소설 「해저 2만리」의 작가 쥘 베른도 상상하기를 즐겼는데, 1800년대에 그가 쓴 작품에 텔레비전, 잠수함, 우주 여행 같은 말들이 나오는 걸 보면 이를 알 수 있죠. 19세기의 상상 속 세상은 이제 현실이 되었습니다. 여러분도 우리의 미래가 어떻게 될지, 앞으로의 나의 삶은 어떠했으면 좋겠는지 끊임없이 '상상'하다 보면, 삶에 대한 큰 목표를 갖게 되고 어려움과 한계도 극복해 나갈 수 있지 않을까요?

생각읽기 1

우리 문화 속 상상의 동물

상상 속 동물

Q 사람들이 상상의 동물을 만들어 낸 이유는 무엇인가요?

(가) 인간은 태어나서 자연으로 돌아갈 때까지 희로애락(喜怒哀樂)이라는 테두리 안에 믿음, 번뇌, 기원, 행복, 사랑 등의 감정뿐 아니라, 무한한 상상력이 생성되었다가 소멸되는 끝없는 역사적 변화를 겪으며 살아간다. 그중의 하나로 먼 원시 시대부터 오늘날에 이르기까지 인간의 상상력은 실제로는 존재하지 않는 다양한 상상의 동물을 만들어 냈다.

(나) 우리나라 역사에서 상상의 동물은 대체로 ㉠건국 신화나 왕들의 탄생 설화 속에서 주요한 역할을 수행하며 등장하였으나, 시대가 변하면서 인간이 접할 수 없는 이상 세계의 신비로운 존재로 발전하였다. 고구려 고분 벽화 속에 등장하는 청룡(靑龍), 백호(白虎), 주작(朱雀), 현무(玄武)* 사신도(四神圖)가 대표적이다. 사후 세계의 환생을 믿은 사람들이 무덤의 사방에 강력한 수호의 힘을 가진 동물들을 상상으로 표현한 것이다. 이렇게 무덤을 수호하는 사신도는 고려 시대까지도 전해진다.

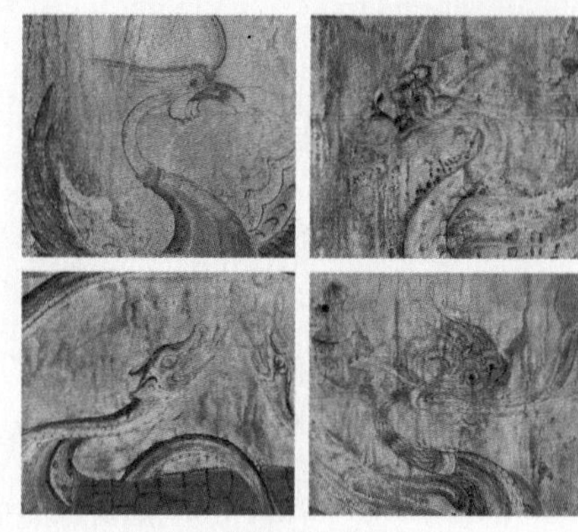

강서대묘의 「사신도」

(다) 조선 시대는 용, 봉황(鳳凰), 기린(麒麟)*, 해태*와 같이 유교적 성격이 강한 상상의 동물이 주를 이루었는데, 이는 유교 문화가 깊이 뿌리내리는 사회로 변화하는 당시의 모습을 보여 준다. 특히 명나라, 청나라로 이어지는 시기에 우리나라는 중국과의 교류 속에 다양한 문화의 영향을 직간접적으로 받아왔다. 이처럼 상상의 동물은 시대정신과 깊은 관계가 있다. 또한 같은 상상의 동물이라 해도 시대나 지역에 따라서 그 상징적 의미가 달라지고 이에 따라 표현 방법도 달라진다.

(라) 18, 19세기 민중 문화의 발전과 함께 불교의 예술품에서도 전통적 종교의 상징성을 떠나 다양한 상상의 동물을 만나 볼 수 있다. 대표적인 것이 사찰의 법당에 설치하는 수미산 모양의 단(壇), 즉 수미단(須彌壇)*이다. 세계의 중심에 있다는 상상의 산, 수미산을 상징적으로 보여 주기 위해 수미산에 산다는 다양한 상상의 동식물들을 수미단에 부조*로 조각하였는데, 기발한 상상력의 산물들을 수미단에 표현하여 법당을 더욱 신성하고 신비롭게 만들었다. 이렇게 수미단을 구성하는 상서로운* 동물을 통해 인도, 힌두교나 불교의 신화적 동물들이 중국을 거쳐 우리나라로 전래되면서 시대적·종교적 변천에 따라 변화했음을 확인할 수 있다.

(마) 상상 속의 동물들은 대중 생활 문화가 자체적으로 파생되는 과정에서도 낭만적이고 독창적인 상상력을 바탕으로 다양하게 변형되어 기발한 이야기로서 등장한다. 이러한 이야기들은 시대 변화에 적응하는 과정에서 적절한 흥밋거리로 재구성되어 공상 과학보다 더 기이한 내용으로 발전해 갔다. 사람들은 오랜 역사를 거치면서 그들의 염원을 담아 다양한 상상의 동물을 만들어 냈으며 동시에 이 동물들을 우주 질서의 조화를 담당하는 신(神)의 영역으로까지 확장시켜 인간의 한계성을 극복하고자 하였다. 그리하여 벽사*, 장생, 부귀, 출세 등 현세의 삶에 대한 갈망을 담은 자연의 동물들은 점차 변형되어 상서로운 모습으로 나타나게 되었다. 그리고 현재까지도 이러한 무수한 상상력이 탄생시킨 동물들은 인간의 정신세계를 더욱 아름답고 풍요롭게 만들어 주며 그 속에 담긴 이야기를 통해 현대를 살아가는 사람들에게 많은 영감을 주고 있다.

* 청룡, 백호, 주작, 현무: 각각 동서남북 방위를 지키는 신령을 상징하는 짐승을 이른다. 청룡은 용의 모양으로, 백호는 범으로, 주작은 붉은 봉황으로, 현무는 거북과 뱀이 뭉친 모습으로 형상화하였다. 이렇게 청룡, 백호, 주작, 현무 등 네 방위를 맡은 신의 그림을 '사신도'라고 한다.
* 기린: 성인이 이 세상에 나올 징조로 나타난다고 하는 상상 속의 짐승. 몸은 사슴 같고 꼬리는 소 같고, 발굽과 갈기는 말과 같으며 빛깔은 오색이라고 한다.
* 해태: 시비와 선악을 판단하여 안다고 하는 상상의 동물. 사자와 비슷하나 머리에 뿔이 있다고 한다.
* 수미단: 사원의 본전(本殿) 정면에 불상을 모셔 두는 단. 수미산을 본뜬 것으로 사각, 팔각, 원형 따위의 모양이 있다.
* 부조: 조각에서, 평평한 면에 글자나 그림 따위를 도드라지게 새기는 일.
* 상서롭다: 복되고 길한 일이 일어날 조짐이 있다.
* 벽사 : 요사스러운 귀신을 물리침.

0 글쓴이가 이 글을 쓰기 전 머릿속에 떠올렸을 구조도를 바르게 표현한 것은 무엇인가요?

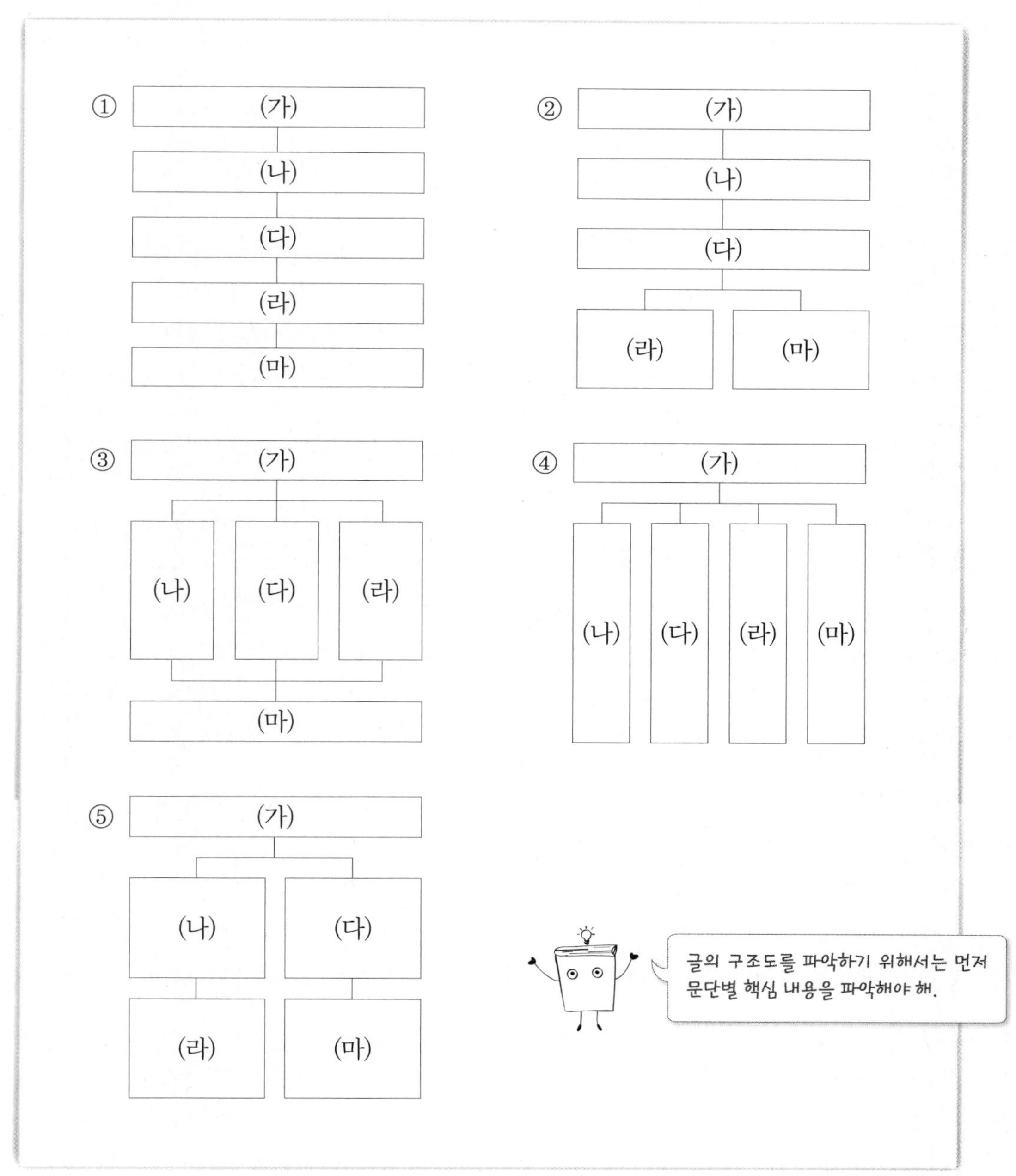

글의 구조도를 파악하기 위해서는 먼저 문단별 핵심 내용을 파악해야 해.

1 이 글의 내용과 일치하지 않는 것은 무엇인가요?

① 고구려와 고려 시대 사람들은 사후 세계를 믿었다.
② 상상의 동물에는 당시의 시대정신이 반영되어 있다.
③ 사람들은 상상의 동물을 통해 인간의 한계성을 극복하고자 하였다.
④ 수미단을 통해 상상의 동물이 시대와 종교에 따라 변화했음을 알 수 있다.
⑤ 힌두교와 불교의 신화적 동물들은 우리나라를 거쳐 중국으로 전래되며 변형되었다.

2 〈보기〉를 참고할 때, ㉠에 대한 이해로 가장 적절한 것은 무엇인가요?

보 기

고대 건국 신화는 신과 신성한 동물이 등장한다는 특징이 있다. 고조선의 환웅과 웅녀, 고구려의 해모수와 유화, 신라의 박혁거세와 알영 이야기가 그것을 잘 보여 준다. 환웅은 천신 환인의 아들이고, 해모수는 천제의 아들이며, 혁거세는 하늘에서 알에 담겨 강림한다. 웅녀는 정체가 곰 혹은 곰신이고, 유화는 물의 신 하백의 딸이며, 알영은 계룡(닭처럼 생긴 용)의 옆구리에서 출생했다. 이러한 고대 건국 신화에 나타난 특징을 보면, 지도자들이 신과 신성한 동물 같은 초월적 권위에 기대어 자신의 국가 건립을 정당화하고 백성들에게 지도자로서 인정받으려 한 것으로 보인다.

① 왕을 초월적 존재로 여기게 하여 백성들의 접근을 막아 주었다.
② 왕이 나라를 건국하고 통치하는 데 정당성을 부여하는 역할을 하였다.
③ 사람의 힘만으로 나라를 건국하기에는 한계가 있다는 것을 알려 주었다.
④ 왕이 신성한 동물들보다 더 강한 초월적 힘을 가졌음을 백성들에게 보여 주었다.
⑤ 신과 신성한 동물 또한 백성들에게 지도자로서 인정받고자 함을 알리고자 하였다.

3 **이 글을 읽고 난 뒤 아쉬운 점이나 더 알고 싶은 내용으로 적절하지 않은 것은 무엇인가요?**

① 수미단에 새겨진 상상의 동물에는 무엇이 있는지 구체적으로 알아보고 싶어.
② 다른 나라의 상상의 동물도 함께 제시해 주면 글의 내용이 더욱 풍부해질 것 같아.
③ 상상 속의 동물들이 인간에게 어떤 의미가 있는지를 밝혀 주면 현대인들도 흥미롭게 생각할 것 같아.
④ 같은 상상의 동물이 시대나 지역에 따라 상징적 의미가 달라지는 경우를 예로 들어 설명했다면 더 잘 이해되었을 것 같아.
⑤ 용, 봉황, 기린, 해태가 유교 문화와 어떤 관계가 있는 것인지 설명해 주었다면 상상의 동물과 시대적 배경의 관계가 더 잘 이해되었을 것 같아.

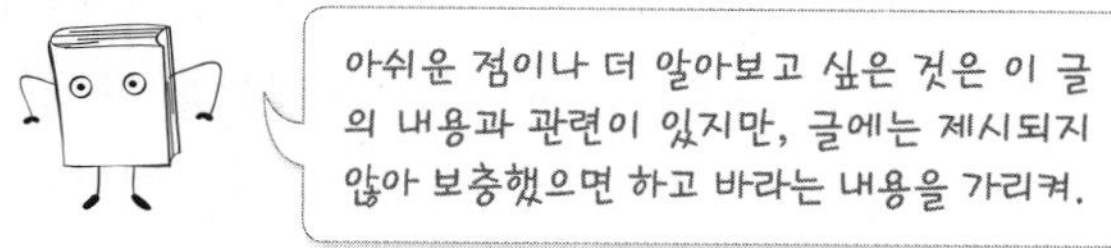

4 **이 글을 읽고 〈보기〉의 활용 방안에 대해 생각해 보았다고 할 때, 그 방안이 가장 적절한 학생은 누구인가요?**

보 기

상상의 동물인 용에는 여러 상징적 의미가 있다. 인도 불교에서 용은 불법(佛法)을 수호하는 용왕으로 표현되었고, 중국의 고대 점성술에서는 우주에 존재하는 신성한 자연력을 상징하는 존재이자 동물의 왕으로 여겨졌다. 우리나라의 『삼국유사(三國遺事)』에서 용은 나라와 법을 지키는 존재일 뿐만 아니라 불교의 교리를 지키지 않은 사람에게 큰 해악을 끼치는 존재로도 나타난다. 또한 고대 이집트에서는 인간 세계와 대립되는 죽음의 세계를 지배하는 존재로 인식되기도 하였고, 중세 유럽에서는 신의 은총을 방해하는 악마의 상징으로 여겨져 퇴치해야 할 대상으로 여겨지기도 하였다.

학생 1 고구려 고분 벽화 속에 등장하는 청룡의 역할을 설명해 줄 자료로 활용할 수 있겠어. ………… ①
학생 2 상상의 동물이 실제로 존재하는 동물을 바탕으로 재구성되는 것임을 증명하는 자료로 활용할 수 있겠어. ………… ②
학생 3 유교 문화가 깊이 뿌리내리는 사회로 변화하는 조선 시대의 모습을 엿볼 수 있는 자료로 활용할 수 있겠어. ………… ③
학생 4 같은 상상의 동물이라 해도 시대나 지역에 따라 상징적 의미가 달라짐을 뒷받침하는 자료로 활용할 수 있겠어. ………… ④
학생 5 상상의 동물이 오늘날까지도 현대인들에게 많은 영감을 주고 있음을 뒷받침하는 자료로 활용할 수 있겠어. ………… ⑤

생각읽기 2

영화적 재현과 만화적 재현

영화와 만화의 상상

Q 영화와 만화를 구별 짓는 요소로는 어떤 것들이 있나요?

전통적 의미에서 영화적 재현과 만화적 재현의 큰 차이점 중 하나는 움직임의 유무일 것이다. 영화는 사진에 결여되었던 사물의 운동, 즉 시간을 재현한 예술 장르이다. 반면 만화는 공간이라는 차원만을 알고 있다. 정지된 그림이 의도된 순서에 따라 공간적으로 나열된 것이 만화이기 때문이다. 만일 만화에도 시간이 존재한다면 그것은 읽기의 과정에서 독자에 의해 사후에 생성된 것이다. 독자는 정지된 이미지에서 상상을 통해 움직임을 끌어낸다. 그리고 인물이나 물체의 주변에 그어져 속도감을 암시하는 효과선은 독자의 상상을 더욱 부추긴다.

만화는 물리적 시간의 부재를 공간의 유연함으로 극복한다. 영화 화면의 테두리인 프레임과 달리, 만화의 칸은 그 크기와 모양이 다양하다. 또한 만화에는 한 칸 내부에 그림뿐 아니라, ⓐ말풍선과 인물의 심리나 작중 상황을 드러내는 언어적·비언어적 정보를 모두 담을 수 있는 자유로움이 있다. 그리고 그것이 독자의 읽기 시간에 변화를 주게 된다. 하지만 영화에서는 이미지를 영사*하는 속도가 일정하여 감상의 속도도 일정하게 강제된다.

영화와 만화는 그 이미지의 성격에서도 대조적이다. 영화가 촬영된 이미지라면 만화는 수작업으로 만들어진 이미지이다. 빛이 렌즈를 통과하여 필름에 착상되는 사진적 원리에 따른 영화의 이미지 생산 과정은 기술적으로 자동화되어 있다. 그렇기에 영화 이미지 내에서 감독의 체취를 발견하기란 쉽지 않다. 그에 비해 만화는 수작업의 과정에서 자연스럽게 세계에 대한 작가의 개인적인 해석을 드러내게 된다. 이것은 그림의 스타일과 터치 등으로 나타난다. 그래서 만화 이미지는 작가의 이름을 써넣은 듯한 '서명된 이미지'이다.

촬영된 이미지와 수작업에 따른 이미지는 영화와 만화가 현실과 맺는 관계를 다르게 규정한다. 영화는 실제 대상과 이미지가 인과 관계로 맺어져 있어 본질적으로 사물에 대한 사실적인 기록이 된다. 이 기록의 과정에는 촬영장의 상황이나 촬영 여건과 같은 제약이 따른다. 그러나 최근에는 촬영된 이미지들을 컴퓨터상에서 합성하거나 그래픽 이미지를 활용하는 ㉠디지털 특수 효과의 도움을 받는 사례가 늘고 있는데, 이를 통해 만화에서와 마찬가지로 실재하지 않는 대상이나 장소도 만들어 낼 수 있게 되었다. 만화의 경우는 구상을 실행으로 옮기는 단계가 현실의 제약을 받거나 이를 매개로 하지 않는다. 따라서 만화 이미지는 그 제작 단계가 작가의 통제에 포섭되어 있는 이미지이다. 이 점은 만화적 상상력의 동력으로 작용한다. 현실과 직접적으로 대면하지 않기에 순전히 작가의 상상력에 이끌려 만화적 현실로 향할 수 있는 것이다.

* 영사: 영화나 환등 따위의 필름에 있는 상을 영사막 비추어 나타냄.

0 **이 글의 주제로 가장 적절한 것은 무엇인가요?**

① 만화적 재현의 특징과 한계
② 만화와 영화가 현실과 맺는 관계
③ 만화의 이미지가 영화에 미친 영향
④ 만화적 재현과 영화적 재현의 차이점
⑤ 만화와 영화에서의 움직임 재현 방식

글에서 화제가 뭔지 찾았지? 화제가 하나가 아니라면 그들 간의 관계에 주목해.

1 이 글의 내용과 일치하지 <u>않는</u> 것을 모두 고르세요.

① 영화는 사물의 움직임을 재현한 예술이다. ▢
② 만화 이미지는 사진적 원리에 따라 만들어진다. ▢
③ 만화는 사물을 영화보다 더 사실적으로 기록한다. ▢
④ 만화는 물리적 시간의 부재를 공간의 유연함으로 극복한다. ▢
⑤ 영화에서는 이미지를 영사하는 속도가 일정하여 감상의 속도가 강제된다. ▢

2 이 글을 읽고 난 뒤, 〈보기〉의 자료에 대해 토론한 내용입니다. 자료에 대한 해석이 적절하지 <u>않은</u> 학생은 누구인가요?

보 기

학생 1 칸 1부터 칸 6에 이르기까지 각 칸에 독자의 시선이 머무는 시간은 유동적이라고 볼 수 있어. ······ ①
학생 2 칸 2는 언어적·비언어적 정보를 모두 활용하여 작중 상황을 보여 주고 있다고 볼 수 있어. ······ ②
학생 3 칸 4에서 효과선을 지우면 인물의 움직임을 상상하게 하는 요소가 모두 사라질 거야. ······ ③
학생 4 인물들의 얼굴과 몸의 형태를 통해 만화 이미지가 '서명된 이미지'임을 확인할 수 있어. ······ ④
학생 5 다양한 크기와 모양의 칸을 통해 영화의 프레임과 차별화된 만화 칸의 유연함을 확인할 수 있어. ······ ⑤

3 ㉠에 대한 반응으로 적절한 것은 무엇인가요?

① 영화에 만화적 상상력을 도입하기가 더 힘들어지겠군.
② 실제 대상과 영화 이미지 간의 인과 관계가 약해지겠군.
③ 촬영된 이미지에만 의존하는 제작 방식의 비중이 늘겠군.
④ 영화 촬영장의 물리적 환경이 미치는 영향이 더 커지겠군.
⑤ 제작 주체가 이미지를 의도대로 만들기가 더 어려워지겠군.

4 〈보기〉를 바탕으로 할 때, 이 글의 ⓐ와 같은 방식으로 이루어진 단어는 무엇인가요?

보 기

ⓐ는 '만화에서, 주고받는 대사를 써넣은 풍선 모양의 그림'을 뜻한다. 원래 '풍선'에는 공기만이 담길 수 있을 뿐, '말'은 담길 수 없다. 따라서 ⓐ는 서로 담고 담길 수 없는 것들이 한데 묶인 단어이다.

① 물병　② 국그릇　③ 기름통
④ 꾀주머니　⑤ 쌀가마니

복주머니?
근데 복이 넣었다 뺐다 할 수 있는 거야?

무지개, 자연 현상과 상상력의 발현

상상의 자연물

Q '무지개'는 어떤 단어들의 결합으로 이루어진 단어인가요?

무지개는 자연이 만들어 내는 아름다운 현상이다. 과학적으로는 '공기 중의 물방울에 의해 태양 광선이 반사·굴절되어 우리 눈에 보이는 현상'으로 증명되었다. 현란하고 아름다운 색깔의 스펙트럼을 지녔지만, 실제 물체가 아닌 광학*적 환각으로 나타나는 현상이기 때문에 우리가 물리적으로 다가갈 수는 없다. 다가갈수록 오히려 뒤쪽으로 물러서는 무지개. 그래서일까? 예로 부터 사람들은 신비로운 무지개 현상에 다양한 상상들을 담아내곤 했다.

그중 하나는 무지개 끝이 닿는 곳에 보물이 묻혀 있다는 상상이다. 프랑스에서는 무지개 끝이 닿는 곳에 가면 커다란 진주를 얻을 수 있다는 이야기가 있다. 그리스에서는 황금 열쇠를, 아일랜드에서는 금시계를, 노르웨이에서는 황금 병(甁)을 얻을 수 있다는 이야기도 전해진다. 또 다른 상상은 무지개가 하늘과 땅을 연결하는 대상이라고 생각하는 것이다. 고대인들은 모든 자연 현상들을 신이 활동하는 표시라고 믿었다. 예를 들어 사나운 폭풍우에 이어 나타나는 무지개는 자비로운 신이 존재한다는 것을 의미했다. 특히 무지개는 하늘과 지상 사이의 경계선에 걸쳐져서 나타나기에 신과의 통신을 나타내는 특별한 상징이기도 했다. 고대 그리스 여신 이리스의 가장 중요한 임무는 신들의 소식을 인간에게 전달하는 것이었는데, 그녀는 이슬방울로 만든 옷을 입고 무지개를 밟고 인간의 세계로 내려온다고 전해진다. 북유럽 신화에서는 신들이 하늘과 인간이 사는 땅 사이에 다리를 세웠는데, 이 다리가 비프로스트라는 무지개다리다. 무지개가 신과 사람과의 소통의 통로인 것이다. 티베트에서 인간과 신은 무지개로 만들어진 하늘 사다리를 타고 오르내렸다고 전해지기도 한다.

우리나라에도 이런 무지개와 관련된 이야기가 있다. 신라 진지왕은 도화(桃花)라는 부녀자의 아름다움에 반해 온갖 감언이설*로 도화를 꾀었다. 하지만 도화는 두 남편을 섬길 수 없다며 거절하였고 여인을 품지 못한 왕은 미련을 안고 죽었다. 그런데 그날부터 일주일간 도화의 집 지붕에 오색 무지개가 떴다. 무지개를 타고 저승에 가던 진지왕이 미련이 남아 머무는 것이란다. 이처럼 우리나라에서도 무지개에 하늘과 땅을 연결하는 의미를 부여하고는 했다.

무지개를 하늘과 땅을 연결하는 대상으로 바라보는 시각은 ⓐ'무지개'의 어원에서도 드러난다. '무지개'의 15세기 어형은 '므지게'이다. '므지게'는 '믈'과 '지게'가 결합된 어형 '믈지게'에서 'ㅈ' 앞의 'ㄹ'이 탈락한 것이다. '믈'은 '水'의 뜻이고, '지게'는 '방으로 드나드는 외짝 문'을 가리킨다. 지금 '지게'는 한자어 '문(門)'에 밀려나 잘 쓰이지 않지만, 후기 중세 국어에서는 물론이고 근대 국어에서도 아주 왕성하게 쓰였다. '무지개'를 이름 짓는 데에 '문(門)'을 뜻하는 '지게'를 이용한 것은 무지개의 둥근 타원형을 땅에서 하늘로 올라갈 때 통과하는 '문'으로 생각했기 때문이라고 볼 수 있다.

비가 갠 후 하늘에 피어난 무지개는 참으로 아름답고 신비스럽다. 그래서 사람들은 무지개를 대상으로 다양한 상상이 담긴 이야기들을 만들어 냈고, 무지개라는 이름을 지어 붙이는 데에도 반영하였다. 보물이 있는 곳, 혹은 하늘과 땅을 연결하는 매개체, 다시 생각해 보면 무지개는 사람들의 희망이 담겨 있는 대상은 아니었을까?

* 광학: 물리학의 한 분야. 빛의 성질과 현상을 연구하는 학문이다.
* 감언이설: 귀가 솔깃하도록 남의 비위를 맞추거나 이로운 조건을 내세워 꾀는 말.

0 이 글의 내용을 요약하여 학교 신문에 소개하려고 합니다. ( ) 안에 각각 들어갈 단어를 이 글에서 찾아 쓰세요.

○○신문

표제는 신문 기사의 제목을 의미하고, 부제는 제목에 덧붙어 제목을 보충하는 역할을 해. 일반적으로 표제는 제재나 주제를 포괄적으로, 부제는 이를 좀 더 구체적으로 표현한 것이야.

무지개 현상과 상상력의 발현

무지개에 대한 다양한 (　　　)과 (　　　)을 중심으로

무지개는 현대에 와서 과학적으로 증명된 현상이지만, 무지개 현상을 신비롭게 생각했던 조상들은 무지개 현상에 다양한 상상들을 담아내고는 했다. 그중 대표적인 것이 무지개가 보물이 있는 곳을 가리키는 것이라는 상상과 하늘과 땅을 연결하는 대상으로 바라보는 상상이다. 무지개가 하늘과 땅을 연결하는 대상이라는 시각은 무지개의 어원에서도 드러난다. '무지개'의 어원은 '믈지게'인데, 여기서 '믈'은 '水'의 뜻이고, '지게'는 '門'을 가리킨다. '무지개'를 이름 짓는 데에 '문'을 의미하는 '지게'를 이용한 것은 무지개가 땅에서 하늘로 올라갈 때 통과하는 '문'이라는 상상이 반영된 것으로 볼 수 있다.

1 이 글의 내용과 일치하지 않는 것을 모두 고르세요.

① 고대인들은 무지개를 자비로운 신의 존재로 여기기도 하였다. ▢
② 무지개는 실제 존재하는 물체가 아니기 때문에 물리적으로 다가갈 수 없다. ▢
③ 아일랜드 사람들은 무지개 끝이 닿는 곳을 찾아가서 금시계를 발견하고는 했다. ▢
④ '문(門)'의 의미인 '지게'는 근대 국어에서는 물론이고 현대 국어에서도 잘 쓰이고 있다. ▢
⑤ '무지개'라는 이름에는 무지개를 하늘과 땅을 연결하는 대상으로 바라보는 시각이 담겨 있다. ▢

2 글쓴이가 이 글에서 사용한 서술 방식으로만 묶인 것은 무엇인가요?

친구들과 대화하면서 어떻게 하면 내 생각을 잘 표현할 수 있을까 고민해 본 적 있니? 글쓴이 역시 글의 내용을 독자에게 더 잘 전달하기 위해 전략을 짜는데, 그게 바로 글의 서술 방식이야.

|보 기|

ㄱ. 다양한 사례를 동원하여 화제를 뒷받침하고 있다.
ㄴ. 물음의 형식을 통해 자신의 생각을 드러내고 있다.
ㄷ. 시대적 흐름에 따른 대상의 변천 과정을 설명하고 있다.
ㄹ. 현상의 원인을 다양한 측면에서 심층적으로 분석하고 있다.

① ㄱ, ㄴ ② ㄱ, ㄷ ③ ㄴ, ㄷ ④ ㄴ, ㄹ ⑤ ㄷ, ㄹ

파고 파고 또 파자! 깊이 있는 분석을 위해서라면!
이런 게 바로 심층 분석이라구~

3 다음 중 단어의 어원이 ⓐ와 가장 유사한 것은 무엇인가요?

ㄱ. **개구리:** '개구리'라는 단어는 16세기 문헌에 처음으로 나오는데 이때에는 그 형태가 '개고리'였다. '개고리'는 '개골'에 명사를 만드는 접미사 '-이'가 결합된 단어로 추정되는데, '개골'은 개구리의 울음소리를 상징한 의성어로 간주된다. '개구리'가 '개골개골' 하면서 울기에 그 소리를 본떠 '개고리'라는 명칭을 만든 것으로 볼 수 있다.

ㄴ. **함흥차사:** 태조 이성계는 형제들을 죽이고 왕위에 오른 아들 태종을 미워하여 서울을 떠나 함주(咸州, 지금의 함흥)에 머물렀다. 태조는 태종이 자신에게 안부를 묻기 위해 보낸 차사(差使, 임금이 중요한 임무를 위하여 파견하던 벼슬)도 죽여 버렸는데, 어디에 가서 소식이 없을 경우에 일컫는 '함흥차사(咸興差使)'라는 말은 여기에서 유래한 것이다.

ㄷ. **배꼽:** 배꼽의 15세기 어형은 '빗복'이었다. '빗복'은 '비'와 '복'이 연결된 것인데, '비'는 신체 '배'의 옛 형태이며 '복'은 '복판(사물의 한가운데)'의 '복'과 같이 '가운데'라는 의미를 갖는다. 그렇다면 '빗복'은 '배의 가운데'라는 의미라고 볼 수 있다. 이후 '복'의 'ㅂ'과 'ㄱ'이 교체되어 '곱'으로 바뀌면서 '빗곱'이 되었고 변화를 거쳐 지금의 '배꼽'이 된 것이다.

ㄹ. **미리내:** '미리'는 '미르'에서 변천한 것으로 보이는데, '미르'는 용(龍)을 뜻하는 우리 옛말이다. '내'는 개울, 시내 등을 뜻하는 말이다. 따라서 '미리내'라고 하면 '용이 사는 시내'라는 뜻이 된다. 옛날 사람들은 용이 승천하여 하늘로 올라간다고 믿었으며, 은하수가 마치 강이나 시내가 흐르는 것처럼 보이는 까닭에 은하수를 일러 '용이 사는 시내'라는 의미의 '미리내'라고 불렀다.

① ㄱ　② ㄴ　③ ㄷ　④ ㄹ　⑤ ㄴ, ㄹ

생각읽기 4

어느 억만장자의 화성 이주 프로젝트

엘론 머스크의 상상

Q 엘론 머스크가 다른 행성으로의 이주 계획을 세운 이유는 무엇인가요?

(가) '지구가 아닌 다른 행성에서 생활하기'는, '스페이스X'와 '테슬라 모터스'의 최고 경영자 '엘론 머스크'가 지금으로부터 약 20년 전 꿈꾸었던 목표이다. 지구상의 인구는 이미 80억 명에 달했고, 수십 년 내에 100억 명이 넘을 전망이다. 그때가 되면 생존에 기본적으로 필요한 물이나 식량의 부족이 피부에 와 닿는 현실이 될 것이다. 또한 지구의 환경 오염도 인류의 생존을 위협하고 있다. 이산화탄소를 비롯한 유해 물질이 갈수록 지구를 오염시키고 있고, 이상 기후로 인해 지구의 지형 자체가 바뀌고 있다. 지구 온난화, 심각한 환경 오염, 인구의 폭발적 증가는 인류가 지구가 아닌 다른 행성으로 이주할 ⓐ필연적인 이유가 된다.

(나) 머스크는 2002년, 우주 로켓 개발업체 '스페이스X'를 창업하고 첫 번째 무인 우주 로켓인 '팰컨 1'을 준비했다. '팰컨'이라는 이름은 영화 「스타워즈」 시리즈에 나오는 소형 우주선 '밀레니엄 팰컨'에서 따온 것이다. 그러나 기계적 결함 등의 문제로 인해 로켓 발사는 실패를 ⓑ거듭했고, 그 후 나사(NASA)의 지원을 받아 2006년에 다시 '팰컨 1'을 발사하였지만 불과 수십 초 후 로켓은 다시 한 번 엔진 결함으로 인해 가라앉았다.*

(다) 2004년에 머스크는 전기 자동차를 개발·생산하는 기업인 '테슬라'를 설립했다. 또한 그 2년 후인 2006년에는 태양광을 이용한 주택 발전 시설을 공급하는 기업인 '솔라시티'를 공동 창업했다. 시기적으로 '스페이스X'가 '팰컨 1' 발사에 실패를 거듭하고 있을 때, 그래서 주변 사람들에게 비웃음을 사고 있을 때, 그는 오히려 2개의 기업을 연이어 창업한 것이다.

(라) 언뜻 상식적으로 이해하기 힘든 머스크의 ⓒ행보는 사실 그가 애초에 '계획한 대로' 진행된 것이었다. 먼저 '테슬라'(전기 자동차)와 '솔라시티'(태양광 에너지), 이 두 기업은 '석유 같은 화석 연료 대신 ⓓ반영구적으로 사용할 수 있는 대체 에너지'라는 공통 분모가 있다. 머스크의 최종적인 목표는 '인류의 화성 이주'이다. 하지만 머스크의 계획대로 인류를 화성에 이주시킬 준비를 하려면 오랜 시간이 걸린다. 게다가 현재 지구는 각종 공장과 차량 등에서 뿜어져 나오는 이산화탄소 같은 유해 가스 때문에 심각한 지구 온난화를 겪고 있다. 그렇다면 화성에 갈 시간을 벌기 위해서라도 지구 온난화를 최소한으로 억제해야 한다. 머스크는 이러한 생각으로 석유 대신 전기로 가는 자동차를 만들고, 천연 에너지인 태양광을 사용하자는 ⓔ발상을 가지고 '테슬라'와 '솔라시티'를 창업한 것이다.

(마) 머스크의 화성 이주 계획은 아직도 진행 중이다. 최근 '스페이스X'는 화성에 자급자족 도시 건설을 목표로 한 행성 간 수송 시스템의 제작을 발표하였으며, 빠르면 2024년 화성으로 첫 승객을 태운 우주선을 발사할 수 있을 것으로 예상하고 있다. 또한 화성 이주 계획에 필요한 핵심 기술인 로켓 재사용과 자율 착륙 로켓 기술을 확보했다고 설명했다. 그는 수십 년 전부터 스케치북에 우주를 그려 놓고 인류의 미래를 생각하며 자신의 상상을 차근차근 실행에 옮기고 있는 것이다.

* 이후 2008년 9월 28일, '스페이스X'는 세계 최초로 민간 액체 추진 로켓인 '팰컨 1'을 지구 궤도에 발사하는 데 성공했다.

0 **다음은 엘론 머스크와 독자의 가상 대화 내용입니다. (가)~(마)의 핵심 내용과 관련이 없는 것은 무엇인가요?**

(가)
독자: 지구가 아닌 다른 행성으로의 이주를 준비하는 이유는 무엇인가요?
머스크: 인류가 지구 온난화, 환경 오염, 인구의 폭발적 증가 등의 문제에 직면했기 때문입니다.

(나)
독자: 무인 우주 로켓의 이름을 '팰컨'이라고 지은 이유는 무엇인가요?
머스크: 영화 「스타워즈」 시리즈에 나오는 소형 우주선이 '밀레니엄 팰컨'이기 때문입니다.

(다)
독자: '팰컨 1'의 첫 번째 발사가 실패한 후에는 무엇을 했나요?
머스크: 전기 자동차를 개발·생산하는 기업인 '테슬라'를 설립하고, 태양광을 이용한 주택 발전 시설을 공급하는 기업인 '솔라시티'를 공동 창업했습니다.

(라)
독자: 특별히 전기 자동차 기업과 태양광을 이용한 주택 발전 시설을 공급하는 기업을 설립한 이유가 있나요?
머스크: 인류를 화성에 이주시킬 준비를 하려면 시간이 많이 걸립니다. 하지만 현재 지구는 지구 온난화와 환경 오염 등의 문제를 겪고 있죠. 화성에 갈 시간을 벌기 위해서라도 이러한 문제들을 억제해야 할 필요성을 느꼈습니다.

(마)
독자: 화성 이주 계획의 최근 진행 사항은 어떠한가요?
머스크: 최근 화성에 자급자족 도시 건설을 목표로 한 행성 간 수송 시스템의 제작을 발표하였고, 빠르면 2024년 화성으로 첫 승객을 태운 우주선을 발사할 수 있을 것으로 예상합니다. 또한 화성 이주 계획에 필요한 핵심 기술 중 하나인 로켓 재사용과 자율 착륙 로켓 기술을 확보하였습니다.

① (가) ② (나) ③ (다) ④ (라) ⑤ (마)

1 이 글의 제목으로 가장 적절한 것은 무엇인가요?

① 엘론 머스크의 화성 이주 계획과 실행 과정
② 엘론 머스크가 설립한 기업들의 종류와 특징
③ 엘론 머스크의 화성 이주 연구와 인류사적 의의
④ 엘론 머스크가 설립한 기업들의 공통점과 설립 이유
⑤ 엘론 머스크의 로켓 발사 이론과 기존 학문 간의 교류

2 〈보기〉의 밑줄 친 부분에 들어갈 학생의 반응으로 적절한 것은 무엇인가요?

보 기

선생님: 이 글을 읽고 난 후 더 알아보고 싶은 것이 있나요?
학생: ______________________

이 글을 읽고 더 알아보고 싶은 내용은 다시 말해서 이 글에서는 구체적으로 알 수 없는 내용을 의미해!

① '팰컨 1'의 발사 실패 후 주변 사람들의 반응이 어떠했는지 궁금해요.
② 엘론 머스크가 행성 이주 프로젝트를 언제부터 꿈꾸어 왔는지 궁금해요.
③ 엘론 머스크가 수많은 행성 중에 화성을 이주 장소로 정한 이유가 궁금해요.
④ 엘론 머스크의 화성 이주 프로젝트에 필요한 핵심 기술에는 무엇이 있는지 궁금해요.
⑤ 엘론 머스크가 '팰컨 1'의 발사 실패 이후에도 멈추지 않고 계획한 사업을 진행한 이유가 궁금해요.

3 이 글의 '엘론 머스크'와 〈보기〉의 '미셸 마요르'가 나눈 대화 내용 중 적절하지 <u>않은</u> 것은 무엇인가요?

보 기

태양계 밖 외계 행성을 처음 발견한 공로로 2019년 노벨물리학상을 받은 스위스 천체 물리학자 미셸 마요르는 '인류가 외계 행성* 으로 이주할 수도 있느냐?'라는 질문에 "외계 행성은 아주아주 멀리 떨어져 있다. 그리 멀지 않은 곳에 인간이 거주할 만한 행성이 있는 낙관적인 경우라 해도 그곳까지 가는 데에 몇 광년은 걸린다."라고 지적했다. 화성은 지구와 가장 근접했을 때 거리가 5,470만km 정도이다. 화성 이주 시나리오들이 곳곳에서 나오고 있지만 아직 인류는 거기까지 사람을 보내지 못하고 있다. 마요르 박사는 지구를 '버리고 떠날 수 있는 무언가'로 생각하는 이들에게, 당장 우리가 발 딛고 있는 이곳부터 아끼고 가꾸라고 하였다. 그는 이렇게 말했다. "우리 행성부터 돌보자. 이 행성은 아주 아름답고, 아직은 살 만하다."

* 외계 행성: 태양계 밖에 있는 별(항성) 주위를 도는 행성. 화성은 태양계 내의 행성이다.

마요르 우리는 지구를 버리기보다는 계속 아름답고 살 만하게 돌보아야 합니다. … ①

머스크 지구 온난화, 심각한 환경 오염, 인구의 폭발적 증가라는 상황 속에서 다른 행성으로의 이주는 필연적인 과제입니다. …… ②

마요르 화성에 사람을 보내 보지도 못한 상황에서 인류를 화성으로 이주시킨다는 계획은 실현 가능성이 낮다고 생각합니다. …… ③

머스크 화성 이주 계획에 필요한 핵심 기술을 확보했기 때문에 빠르면 2024년 화성으로 첫 승객을 태운 우주선을 발사할 수 있을 것입니다. …… ④

마요르 화성보다는 태양계 밖의 다른 행성으로 이주하는 방법을 찾는 것이 더 긍정적이라고 생각합니다. …… ⑤

4 ⓐ~ⓔ의 사전적 의미로 바르지 <u>않은</u> 것은 무엇인가요?

① ⓐ: 사물의 관련이나 일의 결과가 반드시 그렇게 될 수밖에 없는 것.
② ⓑ: 어떤 일을 되풀이함.
③ ⓒ: 어떠한 목표를 향하여 나아감.
④ ⓓ: 아주 짧은 동안에 있는. 또는 그런 것.
⑤ ⓔ: 어떤 생각을 해 냄. 또는 그 생각.

인류의 미래와 인공 지능(AI)

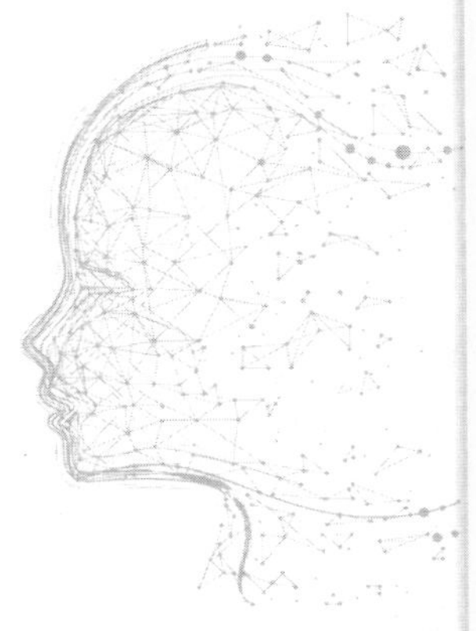

인공 지능의 상상

Q '앨런 튜링'이 에니그마를 푸는 기계를 설계하면서 예언한 것은 무엇인가요?

최근 영국은 가장 큰 고액권 50파운드 지폐에 새 인물을 새겼다. 그동안 50파운드에는 증기기관을 발명한 제임스 와트와 그의 동업자 매튜 볼턴의 초상을 인쇄했는데 이제는 그 자리에 '앨런 튜링'(1912~1954)이 나온다. 튜링은 제2차 세계 대전 당시, 절대 풀지 못할 줄 알았던, 에니그마(Enigma)라고 불리는 독일 나치스의 암호 체계를 해독해서 약 1,400만 명의 생명을 구한 인물이다. 그가 1936년에 만든 튜링머신은 이후 컴퓨터로 발전했다. ㉠또한 그는 에니그마를 푸는 기계를 설계하면서 인공 지능의 출현을 예언하기도 했다. 그리고 튜링의 예상처럼 현대 사회는 인공 지능이 일상화되어 가고 있다.

우리는 '기계적'이라는 말을 '정확하고 규칙적이지만 감정이나 창의성 없이 맹목적이고 수동적'이라는 뜻으로 쓰고 있다. 즉 기계적이라는 단어에는 두뇌 작용이 없다는 의미가 담겨 있었다. ㉡그러나 기계가 지능을 갖추기 시작하면서 기계적이라는 단어의 원래 의미가 사라지고 있다. 나아가 사람들을 둘러싸고 있는 모든 인공물들이 두뇌를 지니게 될 날도 성큼 다가오고 있다. 이제 오히려 지능을 갖춘 사물이 우리를 향해 '당신은 인간인가?' 하고 물으며 '그럼 인간임을 증명해 보라.'라고 요구할 날도 머지않았다. 이미 초보적인 버전은 나왔다. 컴퓨터에 침투하는 악성 프로그램이나 스팸을 막기 위해 별나게 휘고 일그러진 문자나 숫자를 읽고 입력하게 하는 캡차(Captcha)는 이용자가 '사람인지 컴퓨터인지 구별하는 자동 튜링 테스트의 영어 약자이다. ㉢그런데 또 최근에는 인공 지능이 일그러진 글자도 잘 읽어 내게 되어서 행동 패턴으로 사람과 인공 지능을 구별하는 리캡차(reCaptcha)도 등장했다. 이제 곧 모든 사물이 우리를 향해 인간인지를 물을지도 모른다. 그렇다면 우리는 어떻게 인간임을 증명할까? 무엇이 인간인가?

앞으로 모든 사람은 지금의 스마트폰처럼 자신에게 최적화된 인공 지능과 함께 살 것이다. 소유한 인공 지능 개수와 성능에 따라 빈부 격차처럼 생활 격차가 크게 벌어질 테지만, 어쨌든 누구나 인공 지능 하나쯤 곁에 두려고 할 것이고 또 대부분은 지니게 될 것이다. 그렇다면 미래의 삶은 어떨까? 하루를 인공 지능과 함께 시작하고 외출을 준비할 때에도 오늘은 무슨 옷을 입을지를 물을 것이다. 어떤 일이 있고 어느 장소를 가는데 거기에 적합하면서 나에게 어울리는 옷은 무엇일까? 이런 경우를 대비해서 이미 인공 지능은 휴일에 옷가게에 가서 어떤 옷을 사 두라고 지시했을 것이다. 이렇게 인공 지능이 내 옷장을 내 생활에 맞춘 옷들로 채워 놓는다. 또한 오늘 만날 사람이 누구인지, 어떤 일을 하고 휴식은 몇 시에 어떻게 취하고 교통수단으로는 무엇을 이용하는지, 일거수일투족 크고 작은 동작 하나하나 알려 줄 것이다.

이쯤 되면 사람들은 인공 지능 없이는 살기가 힘들어질 것이다. 스스로 판단하지 못하고 남의 뜻에 따라 움직인다는 '기계적'이 기계가 아닌 인간에게 적용될 것이다. 기계가 판단하여 지시하고 인간은 그 판단에 따라 기계적으로 움직인다. 그렇다면 이때 '인간적'이라는 단어는 지금의 '기계적'의 뜻을 가지게 되지 않을까? '기계보다 못한 인간'이라는 말은 어떤가? ㉣이는

글쓴이는 왜 수식어를 사용할까

문장의 수식어에 주목하자! 글쓴이의 생각을 분명하게 해 주는 장치니까~

► 원리로 생각읽기 212쪽

능력으로 인간을 말하는 표현이 아니다. 기계는 이미 사람이 하지 못하는 힘든 일을 해 왔고 인간보다 더 지능이 발달해서 잘 판단한다. 처리 속도에 있어서도 사람을 훨씬 능가한 지 오래다. ㉤그렇다면 앞으로 우리는 반드시 물어야 한다. 무엇이 인간인가? 우리는 인간임을 어떻게 증명할 수 있을까?

0 **글쓴이가 이 글을 통해 궁극적으로 말하고자 하는 바로 가장 적절한 것은 무엇인가요?**

① 현대 사회는 인공 지능이 일상화되어 가고 있다.
② 인공 지능 시대는 우리에게 또 다른 생활 격차를 불러올 것이다.
③ 인공 지능 시대에 인간은 인간의 본질에 대해 더욱 고민해야 한다.
④ 인공 지능은 미래의 인간 삶의 모습을 다양하게 바꾸어 놓을 것이다.
⑤ 인공 지능 시대에는 '기계적', '인간적'이라는 단어의 의미가 서로 뒤바뀔 것이다.

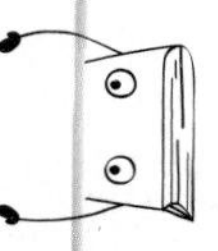

'궁극적으로 주장하는 것', '궁극적으로 말하려는(전달하려는) 것'과 같은 말로 질문한다면 글의 핵심 주제를 물어보는 거야!

1 이 글을 읽고 답할 수 있는 질문이 아닌 것을 모두 고르세요.

① 인공 지능 시대에 인간의 본질에 대한 논의가 필요한가? ▢
② 인공 지능은 어떤 과정을 거쳐 지금까지 발달해 왔는가? ▢
③ 인공 지능 시대에 인간의 미래 삶의 모습은 어떻게 예상되는가? ▢
④ 인공 지능 시대에 인간이 스스로에게 물어야 할 질문은 무엇인가? ▢
⑤ 인공 지능 시대에 인간을 인간답게 만드는 요인에는 무엇이 있는가? ▢

2 이 글에 쓰인 내용 전개 방식으로만 묶은 것은 무엇인가요?

보 기

ㄱ. 용어의 일반적 개념을 밝히면서 내용을 전개하고 있다.
ㄴ. 질문을 던지는 형식으로 독자의 관심을 유도하고 있다.
ㄷ. 대상에 대한 상반된 의견을 인용하여 다양한 견해를 드러내고 있다.
ㄹ. 하나의 대상을 이루는 구성 요소를 나누고 각 요소별 특징을 분석하고 있다.

① ㄱ, ㄴ
② ㄴ, ㄷ
③ ㄷ, ㄹ
④ ㄱ, ㄴ, ㄷ
⑤ ㄴ, ㄷ, ㄹ

글쓴이가 독자에게 **질문을 던지는 건** 일종의 강조하기 기법이야!
질문이 나오면 그 질문의 답을 고민해 봐야 해!

3 이 글과 〈보기〉를 읽고 독자가 보일 수 있는 반응으로 적절하지 않은 것은 무엇인가요?

보 기

인공 지능 시대에 인간을 인간답게 만드는 것은 무엇보다 결핍과 그에 따른 고통이다. 인류의 역사와 문명은 이러한 결핍과 고통에서 느낀 감정을 동력으로 발달해 온 고유의 생존 시스템이다. 처음 마주하는 위험과 결핍은 두렵고 고통스러웠지만, 인류는 놀라운 유연성과 창의성으로 대응해 왔다. 결핍과 고통을 벗어나는 과정에서 인류가 체득한 생존의 방법이 유연성과 창의성이다. 이것은 기계에 가르칠 수 없는 속성이다. 그래서 인간의 약점은 인간과 기계를 구별하는 최후의 요소라고 할 수 있다. 우리는 기계를 설계할 때 부정확한 인식과 판단, 감정에서 비롯한 변덕스럽고 비합리적인 행동, 망각과 고통 같은 인간의 약점을 기계에 부여하지 않는다. 인간은 우리가 기계에 부여하지 않을, 이러한 부족함과 결핍을 지닌 존재인 것이다. 하지만 거기에 인공 지능 시대 우리가 가야 할 사람의 길이 있다.

① 인공 지능 시대를 맞아 인간은 인공 지능보다 지능을 더 발달시킬 수 있는 방법을 찾아야겠어.
② 인공 지능 시대를 살아가기 위해서는 인간을 인간답게 만드는 것이 무엇인지에 대해 고민해야겠어.
③ 결핍과 그에 따른 고통에 대응하는 과정에서 나오는 유연성과 창의성이 인간을 인공 지능과 구별되게 하는 속성이군.
④ 인공 지능 시대에 인간의 본질에 대해 묻는 것은 인공 지능이 흉내 낼 수 없는 인간 고유의 능력에 대한 물음이라고 볼 수 있어.
⑤ 인공 지능 시대에 인간의 삶의 방향은 인공 지능과 경쟁하는 것이 아니라 인간 고유의 속성에 대한 해답을 찾아 인공 지능과 공존하는 일인 것 같아.

4 ㉠~㉤의 기능으로 적절하지 않은 것은 무엇인가요?

① ㉠: 앞 내용에 덧붙일 내용이 있음을 보여 준다.
② ㉡: 앞 내용과 반대되는 내용이 이어짐을 알려 준다.
③ ㉢: 앞 내용의 결과가 서술될 것임을 알려 준다.
④ ㉣: 앞에 나온 같은 내용의 표현이 반복되는 것을 피하게 해 준다.
⑤ ㉤: 앞 내용이 완결되었음을 조건으로 삼아 다음 내용을 진행한다.

접속어는,
글이 어디로 갈지 방향을 알려 주는 표지판!

글쓴이는 왜 수식어를 사용할까

수식어, 글쓴이의 생각을 분명하게 해 주다

다음 기사문의 빈칸에 들어갈 알맞은 수식어를 떠올려 볼까요?

느리게 걷는 40대 (　　　) 늙는다

"중년 걸음걸이가 노화 지표 될 수 있어"

40대 중년의 걸음걸이 속도가 신체와 두뇌의 노화 정도를 반영한다는 연구 결과가 나왔다. 연구진은 참가자들이 만 45세가 됐을 때 평소 걸음으로 걷는 속도를 테스트했다. 더불어 신체 검사와 뇌 기능 검사, 뇌 스캔 검사를 했고, 연구 참가자들이 어린 시절부터 2년마다 받은 인지 검사 결과도 반영했다. 그 결과 대체로 보행 속도가 느린 사람이 더 빨리 걷는 사람보다 폐와 치아, 면역 체계 상태가 더 나쁜 '가속 노화' 징후를 보였다고 한다.

글을 쓰는 사람이 표현을 아름답고 강렬하게 하거나 또는 자신의 의도를 명확하게 하기 위해 사용하는 장치가 바로 수식어입니다. '새 신, 헌 옷'에서 '새'와 '헌', '잘 달린다, 아주 좋다'에서 '잘, 아주' 등이 수식어에 해당합니다.

그렇다면 글에서 수식어는 왜 중요할까요? 글에서 수식어는 꾸밈을 받는 말인 피수식어의 의미에 대해 추가적인 정보를 제공해 줍니다. '꽃이 예쁘게 피었다.'에서 '피었다'를 꾸며 주는 수식어 '예쁘게'는 문장에서 없어도 문법적으로 문제가 없지만 필자의 의도를 정확하게 전달하려면 반드시 필요한 장치이지요. 이처럼 **글쓴이는 수식어를 활용하여 표현을 강조하거나 전달하고자 하는 의미를 분명하게 드러내려고** 합니다.

208쪽 지문

이쯤 되면 사람들은 인공 지능 없이는 살기가 힘들어질 것이다. 스스로 판단하지 못하고 남의 뜻에 따라 움직인다는 '기계적'이 기계가 아닌 인간에게 적용될 것이다. 기계가 판단하여 지시하고 인간은 그 판단에 따라 기계적으로 움직인다. 그렇다면 이때 '인간적'이라는 단어는 지금의 '기계적'의 뜻을 … 이는 능력으로 인간을 말하는 표… 인간보다 더 지능이 발달해서 … 다. ㉤그렇다면 앞으로 우리는 **반드시** 물어야 한다. 무엇이 인간인가? 우리는 인간임을 어떻게 증명할 수 있을까?

글쓴이의 의도를 명확하게 드러내는 열쇠, 수식어

반드시가 나오면 글쓴이가 강조하고자 하는 바가 드러난다!

정답: 빨리

독해연습 1 **아래 문장을 읽고, 물음에 답하세요.**

> (가) 지폐에는 ⓐ엄청난 ⓑ양의 세균이 ⓒ굉장히 많이 ⓓ존재할 가능성이 ⓔ매우 높다.
> (나) 너는 반드시 약속을 어겨서는 안 된다.

1 (가)의 ⓐ~ⓔ 중 수식어의 쓰임이 적절하지 않은 것의 기호를 고르세요.

2 (나)의 밑줄 친 표현이 올바르지 않은 이유를 설명하고, 바꿔 쓰기에 적절한 단어를 써 보세요.

독해연습 2 **아래 문단을 읽고, 물음에 답하세요.**

> (가) 약사회가 폐의약품 재사용 사태에 대해 (   ) 진상 조사에 나서 일벌백계하겠다고 밝혔다. 대한약사회는 최근 보도된 의약품 재사용 보도와 관련 '국민 여러분께 몰지각하고 파렴치한 극히 일부 약사의 행위에 대해 깊은 사과의 말씀을 올린다.'라며 '약사회는 즉각 전국의 약국을 대상으로 유사한 사례가 있는지 여부를 확인하는 작업을 진행하겠다.'라고 밝혔다. 이어 '단 하나의 사례라고 안심하지 않고 끝까지 책임감을 가지고 철저하게 조사하여, 영구적이며 일벌백계적인 후속 조치에 박차를 가할 것'이라고 덧붙였다.
> (나) 파도가 출렁이는 여름 바다에 갔다. 튜브를 타고 바다에 누웠다. 파란 바닷물이 다리 사이로 찰랑찰랑 흘렀다. 나는 물결을 따라 둥실둥실 떠다녔고, 철썩철썩 파도가 칠 때마다 까르르 웃음이 났다. 갈매기도 끼룩끼룩 같이 웃었다.

1 (가)의 (   ) 안에 알맞은 수식어를 (가)에 제시된 단어를 사용하여 문맥에 맞게 써 보세요.

2 (나)에서 밑줄 친 수식어를 사용하였을 때의 효과를 다음과 같이 정리할 때, (   )에 들어갈 알맞은 단어를 써 보세요.

> 수식어를 사용함으로써 여름 바다의 풍경과 튜브를 타고 있는 '나'의 모습을 생기 있고 살아 움직이는 듯하게 표현하여 (   )을 느끼게 한다.

생각읽기 6

미래의 의학 기술

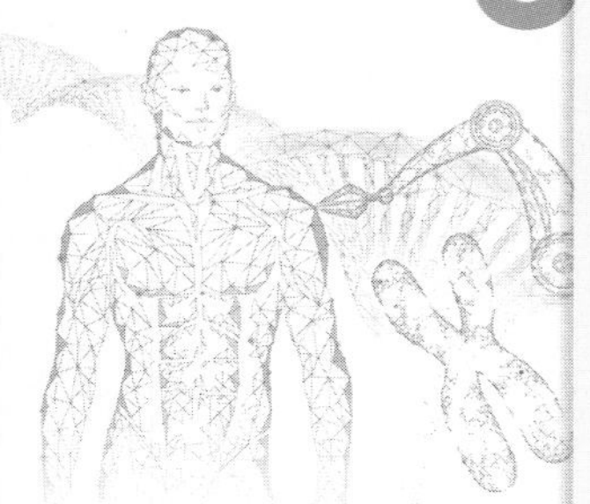

미래 의학에 대한 상상

Q 인간의 데이터를 추적하기 위한 필수 요소로는 무엇이 있을까요?

휴대 전화, 태블릿 등 다양한 디지털 기기들은 사람들의 의사소통 방식과 사회적 네트워크 형성 방식에 급격한 변화를 가져왔는데, 이러한 급격한 변화는 의학 분야에서도 예외 없이 일어나고 있다. 디지털 시대에 책, 신문, 잡지에 있는 그림이나 정보들을 디지털화하는 것과 달리, 인간을 디지털화하는 것은 그 사람의 게놈*, 즉 약 60억 개의 글자들('생명 코드')을 밝히고 정리하는 것이다. 사람의 심장 박동, 혈압의 변화, 호흡 횟수와 호흡량, 체온, 혈액 산소 농도, 혈당, 뇌파, 활동량, 심지어 기분까지, 삶의 유지와 관련된 거의 모든 것들은 지속적으로 원격 모니터링될 것이다. 이를 통해 얻은 정보로 신체의 어느 부위든 이미지로 만들 수 있고 삼차원으로 재구성할 수도 있으며 궁극적으로는 장기를 인쇄하듯 찍어 낼 수 있게 되어 교통사고 현장을 비롯하여 환자가 있는 곳 어디서나 인체와 관련된 중요한 정보를 쉽고 빠르게 얻을 수 있게 될 것이다.

간단한 예로 휴대 전화를 생각해 보자. 이는 카메라, 비디오카메라, GPS, 계산기, 시계, 음악 플레이어, 녹음기, 사진 앨범, 도서관 등 많은 도구가 하나로 모여 있는 집합체이다. 이 장비를 의학에 활용한다면 바이털 사인*을 실시간으로 보여 준다거나, 검사실에서 이루어져야 하는 각종 검사를 간편히 집에서 대신한다거나, 게놈 정보의 일부를 분석한다거나, 심장, 복부 혹은 태아의 초음파 이미지를 얻는 등의 많은 것을 할 수 있을 것이다. 이는 매우 광범위한 분야에 걸친 다양한 기술적 융합을 필요로 하며, 완전히 동떨어져 있는 의학의 여러 기능을 하나로 합치는 것도 가능하게 할 것이다.

인간은 그 자체로 걸어 다니는 사건 기록 장치이므로, 데이터를 수집할 바이오센서와 그 데이터를 처리할 알고리즘*만 있다면 사실상 어떤 데이터라도 모두 추적할 수 있다. 오늘날 이런 센서들은 옷처럼 입을 수도 있고 밴드처럼 붙일 수도 있으며 손목시계처럼 착용할 수도 있다. 아마 멀지 않은 미래에는 나노 센서의 형태로 혈관 속으로 들어갈 수도 있을 것이다. 모래알 크기의 작은 알갱이가 혈관 속을 돌아다니면서 암, 심근경색, 자가면역질환 등의 발생을 극히 초기 단계에 감지할 수 있게 되는 것이다.

다소 먼 미래의 이야기로 들릴지 모르지만, 앞서 언급한 의학 기술들은 현재에도 차근차근 진행되고 있다. 2011년 미국의 ㉠'왓슨'이라는 이름의 슈퍼컴퓨터는 두 명의 TV 퀴즈쇼 챔피언과 벌인 대결에서 승리한 이후 의사들에게 인공두뇌 보조 서비스를 제공할 목적으로 컬럼비아와 메릴랜드 대학병원에 배치되었다. 예일대 컴퓨터 사이언스 학과 교수 데이비드 갤런터는 칼럼 「다음엔 슈퍼컴퓨터가 당신의 생명을 구한다」에서 전 세계의 모든 의학 문헌과 의료 전문가들을 모두 하나로 통합하는 '위키 왓슨'이라는 개념을 소개했다. 방대한 데이터 자료를 축적하고 그것을 보건의료 발전을 위해 사용하는 것은 디지털 시대와 의학의 만남을 상징적으로 보여 주는 일이다.

* 게놈: 유전체(낱낱의 생물체 또는 1개의 세포가 지닌 생명 현상을 유지하는 데 필요한 유전자의 총량).
* 바이털 사인: 활력 징후. 맥박, 호흡, 체온, 혈압과 같이 생물에게 생명이 있다는 것을 입증해 주는 징후가 되는 요소. 환자를 진찰할 때 기본적으로 관찰하는 항목이다.
* 알고리즘: 어떤 문제의 해결을 위하여, 입력된 자료를 토대로 하여 원하는 출력을 유도하여 내는 규칙의 집합.

0 이 글의 표제와 부제로 가장 적절한 것은 무엇인가요?

① 슈퍼컴퓨터와 인간의 대결
 – 슈퍼컴퓨터의 우수성을 중심으로
② 디지털 시대와 의학의 만남
 – 디지털 시대 인간의 새로운 역할을 중심으로
③ 디지털 시대와 인간의 만남
 – 디지털 시대가 가져올 삶의 변화 모습을 중심으로
④ 디지털 시대와 인간의 미래
 – 인간의 디지털화에 필요한 원리와 방법을 중심으로
⑤ 디지털 시대와 의학의 미래
 – 인간의 디지털화가 가져올 의학의 발전상을 중심으로

1 **이 글의 내용과 일치하지 않는 것을 고르세요.**

① 디지털 시대는 의학 분야에도 변화를 불러일으키고 있다. ▢
② 현재의 바이오센서는 나노 센서의 형태로 혈관 속으로 들어갈 수 있다. ▢
③ 인간을 디지털화하면 인간 삶의 유지와 관련된 것들을 원격으로 모니터링 할 수 있다. ▢
④ 데이터를 수집·처리할 바이오센서와 알고리즘이 있다면 인간의 모든 데이터를 추적할 수 있다. ▢
⑤ 위키 왓슨은 의학 문헌과 의료 전문가들을 하나로 통합하여 데이터 자료를 축적하는 개념을 나타내는 말이다. ▢

2 **〈보기〉를 읽고 ㉠의 기능과 역할을 다음과 같이 정리할 때, (　　) 안에 들어갈 적절한 말을 〈보기〉에서 찾아 차례로 쓰세요.**

보 기

미국 매사추세츠주의 암 연구 센터에서는 '왓슨'을 논문 분석 등의 실험에 사용하고 있는데, '왓슨'은 보통 과학자가 하루 5개씩 읽으면 38년이 걸릴 7만 개의 논문을 한 달 만에 분석하여 항암 유전자에 영향을 미치는 단백질 6개를 찾아냈다. 일본에서는 급성골수성백혈병으로 진단받은 환자의 유전자 데이터를 분석하여 이 환자의 병명이 2차성 백혈병이라는 특수 질환에 가깝다며 기존에 투여하던 항암제를 변경할 것을 제안하여 환자의 목숨을 구한 사례도 있다.

• 현대 의학은 ㉠을 통하여 방대한 (　　　)를 분석할 수 있게 되었으며, 이를 통해 (　　　)을 정확히 진단할 수 있게 되었다.

3 이 글을 읽은 학생이 (가)와 (나)를 분석한 내용으로 적절하지 않은 것은 무엇인가요?

(가) A씨는 얼마 전부터 밥을 먹을 때 양쪽 어금니 쪽에 전기가 통하는 듯한 찌릿한 통증을 느꼈다. 그래서 썩은 어금니가 통증의 원인이라 생각하여 양쪽 어금니를 빼고 침을 맞기도 하였다. 그러나 통증은 계속 사라지지 않았고 정밀 검사를 통해 뇌의 신경이 혈관을 눌러 생기는 삼차 신경통이라는 진단을 받았다. 이후 혈관과 신경 사이에 공간을 마련하는 수술을 받음으로써 통증은 사라졌다.

(나) B씨는 유방 절제술을 받았다. 두 세대에 걸친 가족력과 BRCA 1이라는 돌연변이 유전자 때문에 앞으로 유방암이 생길 확률이 87%라는 분석 결과에 따른 결정이었다. 유방 절제술에 따라 B씨의 유방암 발생 확률은 5% 이하로 줄었다. 그녀가 유방 절제술을 선택한 것은 아주 소량의 데이터 분석으로 가능했지만, 유전체를 모두 활용할 수 있다면 미래의 삶을 더욱 정확히 예측할 수 있을 것이다. 빅 데이터가 치료의 패러다임을 바꿀 수도 있는 것이다.

① (가)는 증상을 느낀 후 정밀 검사를 통해 정확한 원인을 찾아 치료한 경우로 볼 수 있어.
② 만약 바이오센서로 미리 뇌의 데이터를 추적하였다면 (가)의 A씨는 어금니를 뺄 필요가 없었을 거야.
③ (나)는 바이오센서와 알고리즘을 통해 통증의 원인을 극히 초기 단계에서 감지한 사례로 볼 수 있지.
④ (나)는 데이터 분석을 통해 유방암 발생 확률을 예측하고 수술을 함으로써 질병의 발생 확률을 낮춘 경우로 볼 수 있어.
⑤ 디지털 시대에는 다양한 데이터 자료의 축적과 분석을 통해 치료가 이루지므로, 치료의 패러다임을 (가)에서 (나)로 변화시킬 수 있을 거야.

Q 다음은 생각을 읽을 수 있는 지문 구조도를 퍼즐로 나타낸 것입니다. 앞에서 읽은 글의 내용을 떠올리며 생각읽기 1~6에 해당하는 퍼즐을 선으로 연결해 보세요.

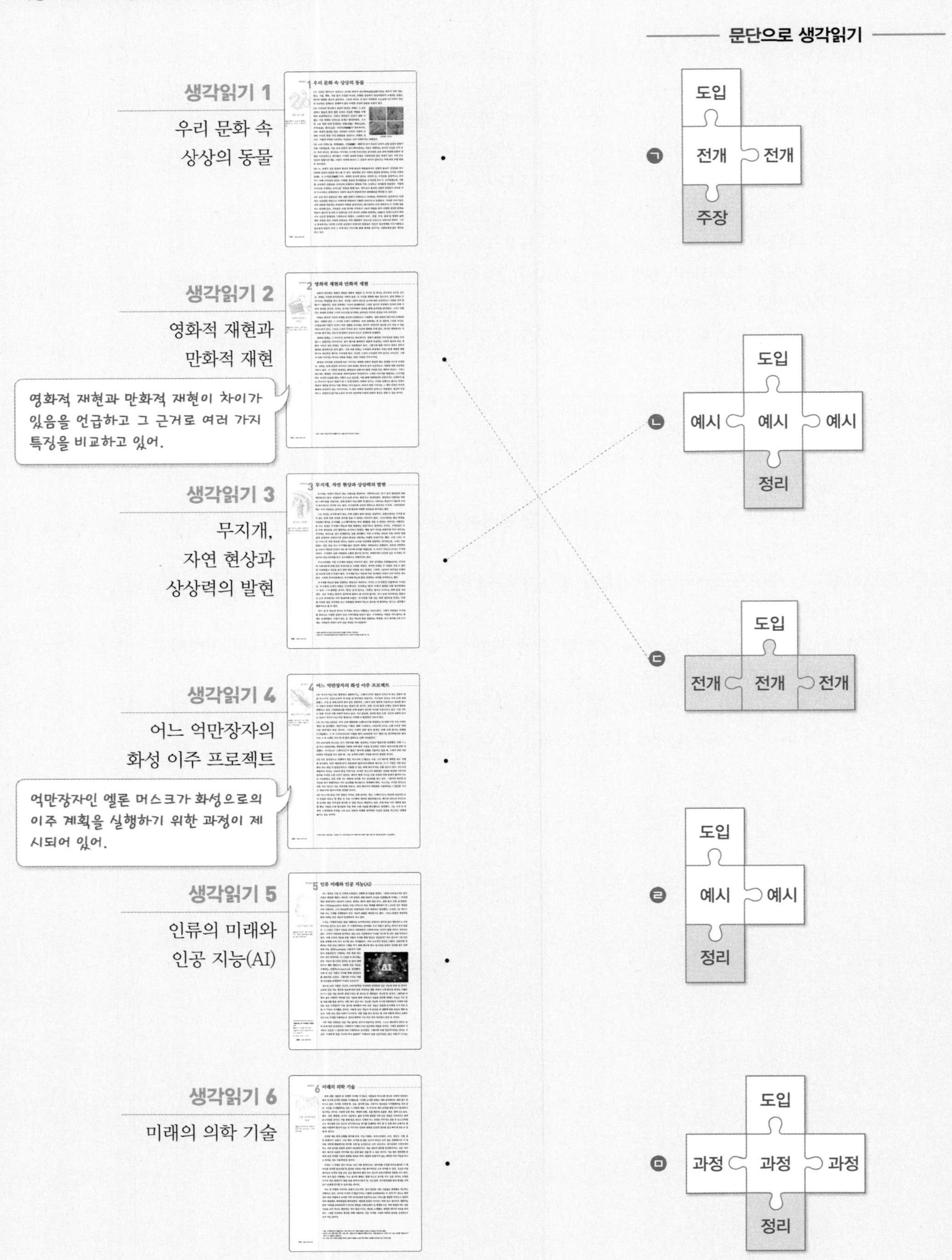

한 문장으로 생각읽기

1 상상의 [ ] 은 우리나라 역사 초기부터 현재에 이르기까지 변형, 변화되면서 인간의 염원과 한계성 극복의 의미를 담아내었고, 현대인들에게는 많은 영감을 주고 있다.

2 [ ] 와 [ ] 는 움직임의 유무, 이미지의 성격, 현실과 맺는 관계 측면에서 차이가 있다.

3 옛날부터 사람들은 [ ] 를 보고 그 끝에 보물이 묻혀 있다거나 하늘과 땅을 연결하는 통로라고 상상했는데, 이러한 시각은 그 어원에서도 드러난다.

4 엘론 머스크는 [ ] 이주 계획이 실현될 때까지 지구의 환경 보호에 도움이 될 기업을 설립하고, 이주 계획에 필요한 기술 개발을 계속하고 있다.

5 인간이 점점 발전하는 인공 지능에 의존적으로 살아가면서 '[ ]'이라는 단어와 '[ ]'이라는 단어의 의미마저 바뀌어 가는 세상 속에서 인간은 인간으로서의 본질에 대해 고민해 보아야 한다.

6 디지털 시대의 의학은 데이터를 수집할 바이오센서와 그 데이터를 처리할 [ ] 만 있다면 어떤 데이터라도 추적하여 인간의 삶의 유지와 관련된 모든 것을 관리할 수 있다.

한 단어로 생각읽기

인간은 왜 상상을 할까?

"상상은 곧 현실이 된다"

실제로 경험하지 않은 현상이나 사물에 대하여 마음속으로 그려 보는 것을 '상상(想像)'이라고 해요. 따라서 '상상해 보자.'라는 말은 '새로운 생각을 떠올려 보자.', '지금까지 있은 적이 없던 것을 생각해 보자.'라는 말과 같은 뜻이죠.
사람들은 왜 상상을 할까요? 그것은 바로 상상이 인간의 근원적 욕구와 관련이 있기 때문이에요. 인간은 자신의 삶이 현재보다 더 나아지기를 바랍니다. 또 새롭고 흥미로운 것이나 전에 경험해 보지 못한 것을 머릿속으로 그려 보거나 생각하기를 즐기죠. 이러한 것들이 확장되면서 우리의 미래가 어떻게 될지, 어떤 삶을 살고 싶은지에 대해 상상하게 만드는 거예요.
그렇다면, 묻고 싶어요. 당신은 지금 어떤 상상을 하나요?

아침은 어떤 아침이든 즐겁죠.
오늘은 무슨 일이 일어날지 생각하고
기대하는 상상의 여지가 충분히 있거든요.
–『빨강머리 앤』 중에서

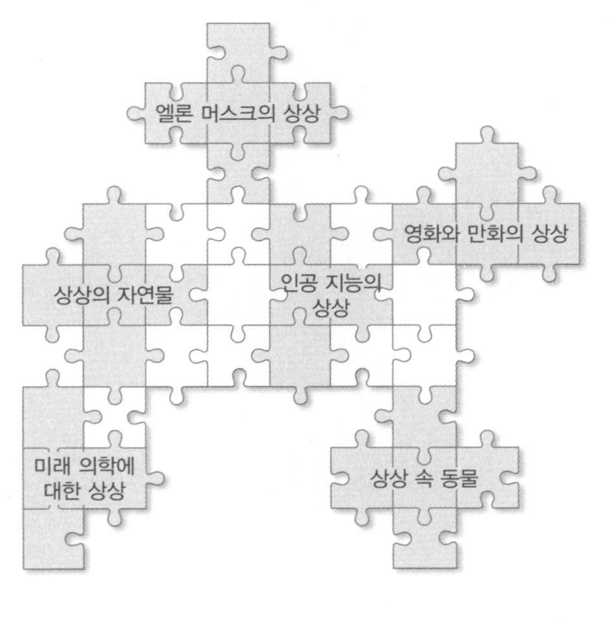

정답과 해설

디딤돌 독해력

생각 읽기가 독해다!

생각독해 III

생각독해 Ⅲ
정답과 해설

生각의 발견

01 욕망

생각읽기 1 베르사유 궁과 루이 14세

0 ④ **1** ① **2** ① **3** ③

Q 루이 14세가 베르사유 궁을 건설한 근본적인 목적은 무엇인가요?

루이 14세는 새로운 공간에서 자신이 주도하는 질서 속으로 귀족들을 편입시켜 자신의 권력을 강화하기 위해 베르사유 궁을 건설하였습니다.

프랑스 절대 군주의 상징인 루이 14세가 베르사유 궁을 이용해 어떻게 귀족들의 권력을 약화시키고 자신의 왕권을 강화하게 되었는지를 설명하는 글입니다.

■ 문단으로 생각읽기

[도입 – 전개 – 상술 – 상술]의 생각 구조

도입 — **흥미 유발**
루이 14세가 강력한 왕권을 꿈꾸게 된 배경을 소개하기 위해 그의 유년 시절을 제시함. (1문단)

전개 — **화제 소개**
루이 14세가 세운 왕권 강화 전략과 베르사유 궁의 건설 과정을 설명함. (2문단)

상술 상술 — **방법 설명**
루이 14세가 어떻게 귀족들의 욕망을 이용해 자신의 왕권을 강화했는지 그 방법을 상세하게 설명함. (3, 4문단)

0 3, 4문단에서는 루이 14세가 베르사유 궁에 귀족들을 머물게 한 뒤 그들의 욕망을 이용하여 자신의 왕권을 강화하는 방법과 과정을 설명하였습니다. 그리고 그 결과 귀족들이 왕에게 충성 경쟁을 하게 되었다고 하였습니다. ④는 왕의 후원을 받기 위해 귀족들이 보인 노력으로, 이 글에서 설명한 루이 14세가 자신의 왕권을 강화하기 위해 이용한 '귀족들의 욕망'에는 해당되지 않습니다.

출제 의도 글을 읽는다는 것은 글쓴이가 글에서 드러내고자 하는 주된 생각과 그 근거를 파악하는 것입니다. 이 문제는 글에서 글쓴이가 드러내고자 하는 생각의 근거를 정확하게 이해할 수 있는지를 묻고 있습니다.

오답 피하기 ①, ② 3문단에서 당시 귀족들은 자신의 지위를 과시하고 가문의 명예를 높이려는 욕망을 가지고 있었는데, 루이 14세는 이를 이용하여 귀족들이 베르사유 궁에서 사치스럽고 과도한 소비를 하도록 유도했고, 그 결과 자신에게 충성을 다하도록 만들었다고 하였습니다.
③ 4문단에서 루이 14세는 귀족들이 더 큰 권력을 가지고 싶어 하는 욕망이 있다는 것을 알고, 귀족들을 경쟁시키는 도구로 이를 활용하여 자신의 왕권 강화에 이용했다고 설명하고 있습니다.
⑤ 3문단에서 궁정 귀족들은 베르사유 궁에 머물고자 했으며, 왕의 후원을 받기 위해 충성 경쟁을 펼쳤다고 설명하고 있습니다.

1 [A]의 내용을 인과 관계를 고려해 일이 일어난 순서에 따라 정리하면, 먼저 베르사유 궁에 온 귀족들이 궁정 귀족이 되어 베르사유 궁에서 생활하게 되었고(ⓔ), 자신들의 과시욕을 드러내기 위해 사치스럽고 과도한 소비 경쟁을 하게 되었으며(ⓐ), 그 결과 일부 귀족들이 몰락하는 경제적인 문제가 생기게 되었습니다(ⓒ). 왕에게 충성을 인정받은 일부 귀족들만이 왕의 후원을 받게 되었고(ⓑ) 귀족들은 왕에게 충성 경쟁을 하게 되었습니다(ⓓ).

2 이 글에 따르면 루이 14세는 친정을 시작한 이후 베르사유 궁을 건설하고 1682년 베르사유 궁으로 왕궁을 옮긴 다음, 본격적으로 귀족들의 욕망을 이용하여 자연스럽게 자신의 권력을 강화해 나갔습니다. 이렇게 보면 그는 새롭게 만든 베르사유 궁에서 오랜 세월 치밀하게 노력한 결과 자신의 목표인 강력한 왕권을 이루어 내었다고 평가할 수 있습니다.

오답 피하기 ② 프롱드의 반란이 일어났을 때 루이 14세는 10살이었는데 어머니가 섭정을 하고 마자랭이 국정을 맡고 있었습니다. 이로 보아 프롱드의 반란을 루이 14세가 미숙한 왕권을 휘두른 결과로 보는 것은 적절하지 않습니다.
③ 베르사유 궁을 건설하기 전부터 루이 14세는 이미 친정을 하고 있었으므로 섭정에서 벗어나 왕권을 되찾기 위해 베르사유 궁을 건설한 것이 아닙니다.

④ 루이 14세가 베르사유 궁 건설을 주도하고 설계도를 직접 검토한 것은 맞지만, 베르사유 궁을 직접 설계한 것은 아닙니다.
⑤ 베르사유 궁을 화려하게 꾸미고 귀족들을 불러들인 것은, 루이 14세 자신의 권력을 과시하고 왕권을 강화하기 위한 것으로 볼 수 있습니다.

3 〈보기〉의 그림 속 근위대의 모습은 강력한 권력을 지닌 왕의 권위와 힘을 보여 줍니다. 그러나 4문단에 따르면 궁정 귀족들은 루이 14세가 만든 궁정 예법을 자발적으로 따랐다고 했습니다. 따라서 그림 속 근위대가 도열한 모습은 루이 14세의 강력한 왕권을 보여 주지만, 궁정 귀족들이 에티켓을 준수하도록 감독한 군대의 모습을 보여 준다고 이해하는 것은 적절하지 않습니다.

오답 피하기 ① 그림 속에 등장하는 인물들은 궁정 귀족과 왕의 근위대로, 베르사유 궁의 질서인 궁정 예법을 따르고 있는 것으로 볼 수 있습니다.
② 4문단에 따르면 궁정 귀족들은 왕의 일상과 왕이 주관하는 행사에 참여하였으며, 왕의 총애와 신임에 따라 그 위치가 정해졌고, 왕에게 가까운 자리에 위치하기 위해 서로 경쟁했다고 설명했습니다.
④ 1문단에서 루이 14세는 어린 시절에 프롱드의 반란이 일어나 반란이 진압될 때까지 수모를 당했다고 했습니다. 따라서 콩데 대공은 반란을 일으킬 때 어린 루이 14세에게 수모를 주었다고 판단할 수 있습니다. 그러나 그림 속 콩데 대공은 왕이 된 루이 14세에게 충성을 다하고 있으며, 왕의 절대적 권위에 복종하고 있는 모습으로 그려져 있습니다.
⑤ 〈보기〉의 그림을 보면 가운데 루이 14세를 중심으로 모든 인물들을 X자 구도로 배치하고 있습니다. 이 그림을 보는 사람의 시선은 자연스럽게 루이 14세에게 집중됩니다. 이는 곧 루이 14세가 자신을 중심으로 만든 베르사유 궁에서의 질서를 상징적으로 보여 주는 장치로 볼 수 있습니다.

생각읽기 2 욕망의 통제는 꼭 필요할까

0 ② **1** ⑤ **2** ③ **3** ②

Q 욕망의 통제가 필요하다고 보는 이유는 무엇인가요?
도덕적으로 옳은 것인지 아닌지를 알고 있으면서도 욕망에 이끌려 비도덕적인 행위를 하는 경우가 생기기 때문입니다.

이 글은 '욕망의 통제는 꼭 필요한가?'에 대한 문제를 제기하고, 이에 대한 상반된 견해를 소개하고 있습니다. 글쓴이는 인간의 삶에는 무엇이 도덕적으로 옳은 것인지를 알고 있으면서도 욕망에 이끌려 비도덕적인 행위를 하는 경우가 반드시 생기기 마련이므로, 욕망의 통제가 반드시 필요하다고 주장하고 있습니다.

문단으로 생각읽기

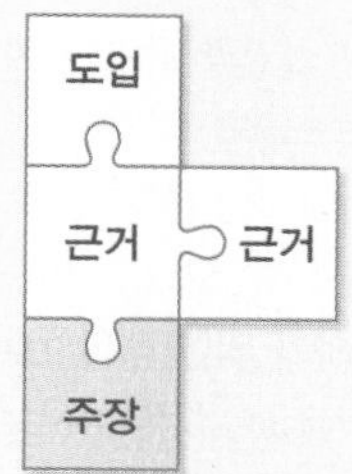

[도입 – 근거 – 근거 – 주장]의 생각 구조

도입
화제 소개
욕망에 대한 다양한 견해를 소개하고, 욕망이 인간의 가장 본질적인 특성 중 하나임을 언급함. (1문단)

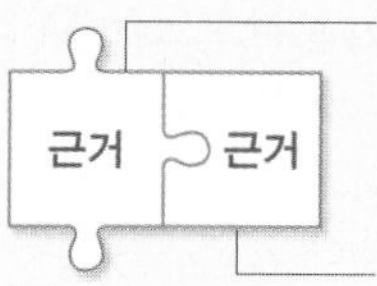

과제 제시
욕망의 통제가 중요한 도덕적 과제임을 제시함. (2문단)

견해 비교
욕망의 통제가 필요하다는 입장과 이에 반대하는 입장을 함께 제시함. (3문단)

주장
핵심 주장
인간의 삶에는 욕망에 의한 지행의 괴리가 존재하므로, 욕망의 통제가 반드시 필요하다고 주장함. (4문단)

원리로 생각읽기

독해연습 1 **1** ㉢ **2** ㉠, ㉡

독해연습 2 **1** 화성에도 생명체가 존재할 가능성이 높다.
2 태양과의 거리가 지구와 비슷함. / 지구의 최저 기온과 큰 차이가 없음. / 암석과 물이 존재함.

0 이 글은 '욕망의 통제가 왜 필요한가?'에 대해 해명하고 있습니다. 이 글의 마지막 문장을 보면 '이에 따라 욕망의 통제도 반드시 필요한 것이다.'라고 욕망 통제의 필요성을 주장하고 있습니다. 따라서 이 글 다음에는 구체적으로 욕망의 통제는 어떻게 해야 하는가에 대한 내용이 이어지는 것이 적절합니다.

출제 의도 이어질 내용을 묻는 문제는 우선 글의 내용을 정리한 후, 글의 내용과 관련이 있으면서 글 뒤에 바로 이어질 내용을 추론할 수 있는지를 확인하려는 의도로 출제됩니다.

1 이 글에 따르면, 욕망의 통제가 필요한 이유는 무엇이 도덕적으로 옳은 것인지를 알고 있으면서도 자기의 욕망에 이끌려 비도덕적인 행위를 하기 때문입니다. 따라서 이러한 예로 ⑤가 적절합니다.

오답 피하기 ① 개인의 건강과 관련된 행위로, 사회적 욕망과 관련된 도덕적 문제 상황에는 해당하지 않습니다.
② 도덕적으로 무엇이 옳고 그른지를 알지 못하는 경우입니다.
③ 도덕적인 선악을 판단할 필요도, 판단할 수도 없는 문제입니다.
④ 산모의 목숨을 구하기 위한 행동으로, 욕망에 이끌려 한 것이 아니므로 도덕적인 선악을 따지기는 어렵습니다.

2 ㉠은 세속적인 욕망을 버리고 이상적인 삶을 추구하는 입장입니다. ③은 '금은 옥백', '진초의 부(富)', '조맹의 귀(貴)' 같은 세속적인 욕망은 다 거짓이고 근심거리일 뿐이라며 자연 속에서 도리를 깨닫는 삶에 대한 만족감을 드러내고 있으므로 ㉠의 입장으로 볼 수 있습니다.

오답 피하기 ① 봄이 가는 것을 아쉬워하는 마음을 담고 있습니다.
② 세상살이의 어려움, 벼슬살이의 어려움을 노래한 시조입니다.
④ 자연 경치를 즐기며 살아가는 삶을 노래하고 있으나, 욕망을 세속적인 것으로 여기는 내용은 나오지 않았습니다.
⑤ 가난한 생활을 하면서도 편안한 마음으로 도를 즐기고 지키며 살겠다는 내용으로, 욕망을 세속적인 것으로 여기는 입장은 알 수 없습니다.

3 ㉡의 '되돌아오다'는 '원래 있던 것으로 다시 돌아오다.'라는 뜻으로, 문맥상 도덕의 문제가 결국은 욕망에 대한 문제와 관련된다는 결론에 다다름을 의미합니다. '귀착(歸着)'은 '의논이나 의견 따위가 여러 경로(經路)를 거쳐 어떤 결론에 다다름.'이란 뜻이므로 ㉡의 문맥적 의미와 가장 유사합니다.

오답 피하기 ① '개별적인 특수한 사실이나 원리로부터 일반적이고 보편적인 명제 및 법칙을 유도해 내는 일.'을 말합니다.
③ '다른 곳으로 떠나 있던 사람이 본래 있던 곳으로 돌아오거나 돌아감.'을 의미합니다.
④ '빌리거나 차지했던 것을 되돌려 줌.'을 의미합니다.
⑤ '본디의 상태로 다시 돌아감.'을 의미합니다.

생각읽기 3 기업의 이윤 추구

0 ②	1 ④	2 ⑤	3 ⑤	4 ③

Q 기업이 사업을 하는 기본적인 목적은 무엇인가요?
기업은 이익 추구라는 기본적인 목적을 가지고 사업을 합니다.

이 글은 기업의 목적이 이윤 추구에 있음을 밝힌 후, 자본주의 초기에는 단기 이익과 장기 이익을 구별하지 않고 추구하였으나 기업의 규모가 커지면서 장기 이익을 극대화하기 위한 방향으로 기업의 목적이 바뀌었고, 오늘날에는 경제적 이익뿐만 아니라 사회적 이익 등이 포함된 다원적 목적을 추구하는 방향으로 변화되었음을 설명하고 있습니다.

■ **문단으로 생각읽기**

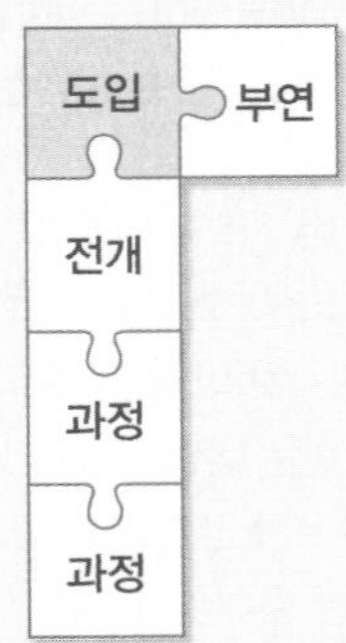

[도입 – 부연 – 전개 – 과정 – 과정]의 생각 구조

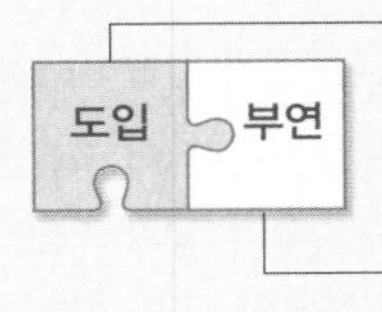

화제 소개
기업은 이익 추구라는 목적에서 탄생했음을 밝힘. (1문단)

화제 설명
이익에는 단기 이익과 장기 이익이 있으며, 기업의 장기적 성장을 위해서는 장기 이익의 추구가 중요함을 언급함. (2문단)

전개 과정 제시
자본주의 초기에는 기업이 단기 이익과 장기 이익을 구별할 필요가 없었지만 기업의 규모가 커질수록 장기 이익을 극대화하고자 하였으며, 오늘날의 기업은 다원적 목적을 추구함을 설명함. (3~5문단)

0 기업의 이익에는 장기 이익과 단기 이익이 있는데, 기업이 장기적으로 존속하고 성장하기 위해서는 장기 이익을 추구하는 것이 필요합니다. 2문단에서 '기업은 단기 이익의 극대화가 장기 이익의 극대화와 상충될 때에는 단기 이익을 과감히 포기하기도 한다.'는 내용이 나와 있습니다. 그런데 이는 단기 이익과 장기 이익이 상충될 경우에 해당하며, 단기적 손해의 감수가 반드시 장기적 이익을 가져오는 것은 아닙니다. 따라서 '단기적 손해를 감수하면 장기적 이익을 보장받는다'는 내용은 적절하지 않습니다.

출제 의도 글의 내용을 세부적으로 정확하게 이해하고 있는지를 확인하는 문제입니다. 각 선택지의 내용이 글의 내용과 일치하는지 여부를 파악할 수 있어야 합니다.

1 자본주의 초기에는 기업의 목적이 경제적 이익을 추구하는 것이 전부였으나 차츰 자본주의가 발달하면서 오늘날의 기업은 경제적 이익뿐만이 아니라 이해 집단의 요구도 만족시키는 사회적 이익을 추구한다고 했습니다. 이런 기업 목적의 성격 변화 과정은 개별적인 것에서 사회적·집단적인 것을 함께 추구하는 방향으로 변화된 것이므로, '인간은 자신의 생존만이 아니라 점차 환경과의 조화도 함께 고려'하게 된 것이 가장 유사합니다.

2 '기업 : 이익'의 관계는 기업의 목적이 이익 추구에 있다는 것을 나타냅니다. '정당 : 정권 획득'의 관계 또한 정당의 목적은 정권 획득에 있으므로 가장 유사한 관계로 볼 수 있습니다.

3 직무 능력을 향상시키기 위해서 사원들의 연수 기회를 확대하는 것은 사회적 이익을 위한 것이 아니라, 기업의 경제적 이익을 극대화시키기 위한 것이므로 '사회적 이익'의 구체적인 사례로 보기 어렵습니다.

4 칫솔질[치쏠질/칟쏠질]은 '치(齒)'라는 한자어와 '솔질'이라는 순우리말로 이루어진 합성어입니다. 이와 관련된 원칙은 제30항 2입니다. 그런데 뒷말 '솔'의 첫소리가 'ㅆ'의 된소리로 발음되므로 ㉠의 표기 원칙은 제30항 2-(1)의 규정에 따른 것임을 알 수 있습니다.

생각읽기

4 이천 년을 이어 온 논쟁

0 ① **1** ④ **2** ④ **3** ⑤

Q 맹자, 순자, 한비자가 욕망에 대처하기 위한 방법으로 각각 제시한 것들은 무엇인가요?

욕망에 대처하기 위한 방법으로 맹자는 과욕과 호연지기를, 순자는 예를, 한비자는 법을 제시하였습니다.

이 글은 인간의 욕망에 대한 맹자, 순자, 한비자의 입장들을 비교하고 있습니다. 맹자는 선한 본성을 지닌 인간이 '과욕'과 '호연지기'를 통해 욕망을 절제함으로써 선한 본성을 확충하는 것이 필요하다고 보았습니다. 반면에 순자는 인간이 이기적인 본성을 지니므로, 외적 규범인 '예'를 통해 욕망을 제어해야 한다고 보았습니다. 그리고 한비자는 인간의 이기적 본성을 이익 추구의 원천으로 보고, 인간의 욕망을 법으로 다스려야 함을 주장하였습니다.

■ 문단으로 생각읽기

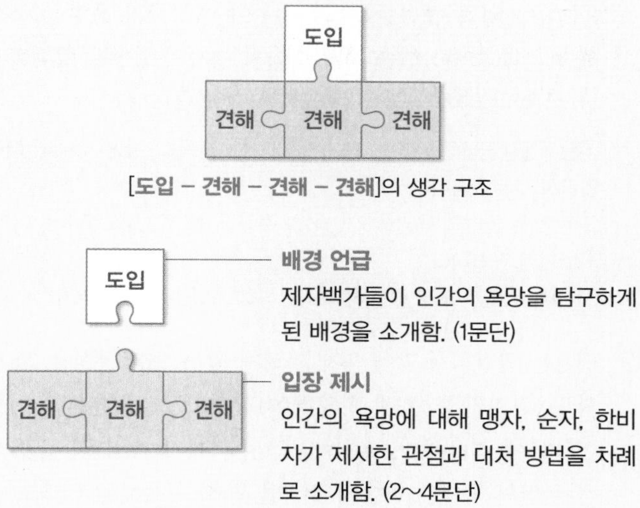

본문 24~27쪽

0 이 글은 인간의 욕망을 바라보는 관점과 그에 대한 대처 방안에 대해 맹자, 순자, 한비자의 입장을 비교해 설명하고 있습니다.

출제 의도 글의 내용 전개 방식을 파악하는 문제입니다. 글의 전개 방식을 파악하기 위해서는 중심 내용이 무엇인지, 그리고 이를 어떤 방법을 활용하여 설명하고 있는지 파악할 수 있어야 합니다.

1 (가)에서 인간의 욕망에 대한 제자백가들의 탐구를 소개한 뒤, (나)에서 맹자, (다)에서 순자, (라)에서 한비자의 입장을 각각 제시하고 있습니다. 따라서 (나), (다), (라)는 대등하게 연결되므로, ④의 구조가 적절합니다.

2 (나)에 따르면 맹자는 '마음의 수양을 통해 욕망을 줄여야 한다.'고 주장하였습니다. 그런데 (다)의 '개인에게 내재된 도덕적 판단 능력만으로는 욕망을 완전히 제어하기 힘들다고 보았다.'에서 알 수 있듯이, 순자는 맹자가 제시한 개인의 수양만으로는 욕망을 절제하는 것이 힘들다고 보고, 왕(나라)이 외적 규범인 '예'를 정하여 백성들의 욕망을 조절해야 한다고 주장했습니다. 따라서 순자의 입장은 맹자보다 한 걸음 더 나아간 금욕주의라 할 수 있습니다.

오답 피하기 ①, ② 순자는 맹자가 제시한 '과욕'과 '호연지기'에 대해 언급하지 않았습니다.
③ 순자는 인간의 욕망을 개인적인 것과 사회적인 것으로 나누어 바라보지 않았습니다.
⑤ 맹자와 순자 모두 공통적으로 인식하고 있는 내용입니다.

3 맹자는 인간의 욕망에 의해 가려져 있는 선한 본성을 '과욕'과 '호연지기'를 통해 확충해야 한다고 보았습니다. 이를 〈보기〉에 적용하면, A음식점의 수익까지 욕심내는 B음식점 주인의 욕망은 마음의 수양을 통해 절제해야 한다고 말할 수 있습니다.

오답 피하기 ① 소문의 진위 여부를 확인하지 않은 손님들의 도덕성에 대한 판단은 이 글의 내용과 관련이 없습니다.
② B음식점 주인의 욕망을 이기적인 본성으로 보고, 사회적인 제재를 말한 사람은 순자입니다.
③ B음식점 주인의 본성 회복을 돕는 의무가 A음식점 주인에게 있다고 보기는 어렵습니다.
④ 맹자는 인간의 본성이 선하다고 보았으므로 B음식점 주인의 마음이 나쁜 본성에서 비롯되었다고 보는 것은 적절하지 않습니다.

생각읽기 5 라캉의 거울 단계 이론

0 ③ 1 ④ 2 ④ 3 ①

Q 라캉이 제시한 '거울 단계'는 어떤 단계를 의미하나요?

라캉이 제시한 거울 단계는, 어린아이가 거울에 비친 자신의 신체 이미지를 매개로 해서 자신의 정체성을 형성하고 그것을 중심으로 외적 세계를 구성하는 단계입니다.

이 글은 라캉의 거울 단계 이론을 통해 인간의 욕망은 순수하게 자신의 내면적 욕망이 반영된 것이 아니라 타자가 욕망하는 것을 욕망하는 것임을 언급하고 있습니다.

문단으로 생각읽기

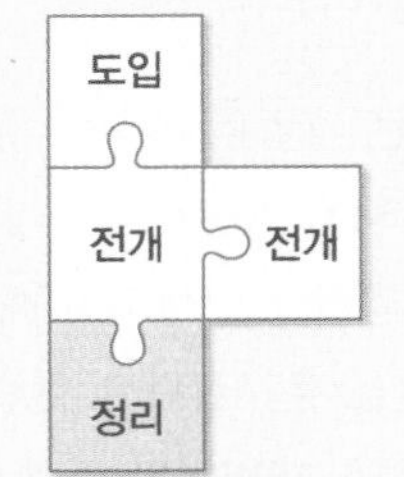

[도입 – 전개 – 전개 – 정리]의 생각 구조

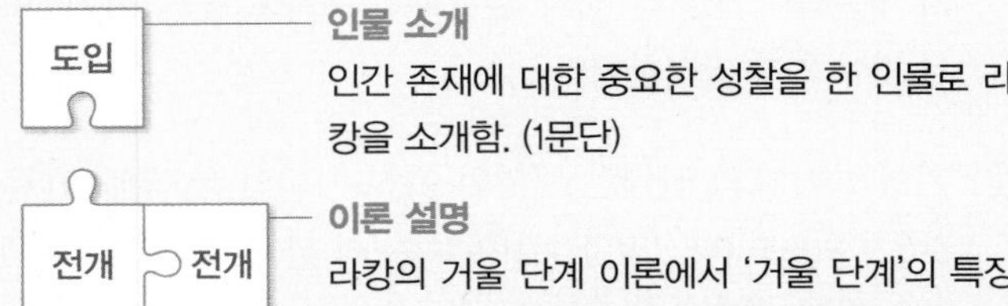

본문 28~31쪽

0 4문단을 보면, 라캉은 욕망이 '타자에게 인정받으려 하고 타자가 욕망하는 것을 욕망한다는 점에서 자기 소외의 표현'이라고 주장했음을 알 수 있습니다. 그러므로 라캉의 이론에서 욕망은 자기 소외적 성격을 지닌다고 본 것일뿐, 자기 소외를 극복하기 위한 방법으로 보는 것은 적절하지 않습니다.

출제 의도 글의 핵심 정보를 파악하는 문제입니다. 글에서 중점적으로 다루고 있는 정보를 정확하게 파악할 수 있는지를 묻고 있습니다.

1 라캉의 이론에 따르면, 아이는 거울에 비친 '이미지'를 매개로 해서 '정체성'을 형성합니다. 이때 '이미지'는 수단이나 방법에, '정체성'은 그를 통해 얻을 수 있는 목표나 목적에 해당됩니다. 그런데 3문단에서 외부로 가시화된 '이미지'는 '타자'적 대상이고, '나의 시선을 머물게 하는 그림자', '나의 내면을 보여 주지 못하는 대상'이라고 하였습니다. 여기서 '타자', '그림자', '대상'은 모두 '이미지'에 대응함을 알 수 있습니다. 한편, 3문단에서는 '그림자'를 통해 '존재감'을 느끼고, '타자'를 통해 '자아'가 구성된다고 했으며, 4문단에서는 '대상'을 통해 '자신'을 확인할 수 있다고 하였습니다. 따라서 '그림자', '타자', '대상'이라는 이미지를 통해 얻을 수 있는 '존재감', '자아', '자신'은 모두 '정체성'에 대응합니다. 그러므로 ㉠ : ㉡의 관계에 해당하는 것은 ㄱ, ㄴ, ㄷ입니다.

오답 피하기 4문단에서 '인간의 욕망은 나의 것이 아니라 타인의 욕망과 그것이 겨냥하는 대상을 향하게' 되고, '순수하게 나의 내면적 의지를 표현'한 것이 아니라 '타자가 욕망하는 것을 욕망한다'라고 하였습니다. 따라서 욕망을 통해 내면적 의지를 얻을 수 있는 것이 아니므로 '욕망 : 의지'는 '이미지 : 정체성'의 관계에 해당하지 않습니다.

2 〈보기〉는 자아가 자생적이라는 것, 다시 말하면 스스로 지각하고 판단하는 자율적인 존재라는 것을 강조하고 있습니다. 이는 '자아는 타자를 매개로 형성된다.'라는 라캉의 주장과는 대립되는 의견입니다. 그러므로 자아의 형성이 자생적이라는 〈보기〉의 관점에 대해 라캉은 자아가 타자를 매개로 구성된다는 사실을 간과했다고 평가할 수 있습니다.

3 ⓐ의 접두사 '뒤-'는 '몹시, 마구, 온통'의 뜻을 더하는 경우와 '뒤집어', '반대로'의 뜻을 더하는 경우로 구별됩니다. ①의 경우는 '몹시, 마구, 온통'의 의미로, ②~⑤의 경우는 '뒤집어, 반대로'의 의미로 쓰였습니다.

생각읽기 **6**

루뱅 보쟁의 정물화 속 오감

0 ④	1 ④	2 ①	3 ⑤

Q 루뱅 보쟁이 「체스 판이 있는 정물–오감」을 통해 전달하고자 한 주제는 무엇인가요?

감각적인 온갖 악덕에 빠질 수 있는 자신을 가다듬고 경계하라는 주제를 전달하고 있습니다.

17세기 네덜란드에서 정물화가 출현하게 된 배경을 소개하고 루뱅 보쟁의 정물화 「체스 판이 있는 정물–오감」에 담긴 의미를 설명한 글입니다. 동일한 주제를 다룬 동시대 다른 미술가들의 작품과 비교해 보쟁의 작품이 갖는 의미와 가치를 설명하고 있습니다.

■ 문단으로 생각읽기

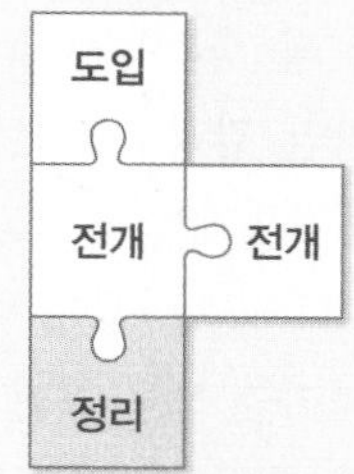

[도입 – 전개 – 전개 – 정리]의 생각 구조

도입

화제 소개
17세기 네덜란드의 그림 후원자들의 미적 취향과 태도를 반영한 정물화에 대해 소개함. (1문단)

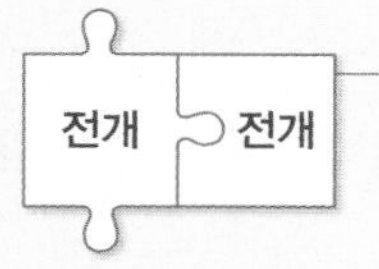

대상 분석
보쟁의 정물화 「체스 판이 있는 정물–오감」의 빛의 사용 방식과 효과, 보쟁의 그림에 그려진 사물들의 상징적 의미를 분석함. (2, 3문단)

정리

의의 제시
보쟁의 그림이 갖는 의미와 가치를 제시함. (4문단)

0 1문단에서는 보쟁의 「체스 판이 있는 정물-오감」과 같은 정물화가 출현하게 된 역사적 배경에 대해 언급하고 있습니다. 17세기에 등장한 시민 계급은 이전의 역사화나 종교화와 달리 자신들에게 친근한 주제와 형식의 그림을 선호하게 되는데, 그들이 화가들을 후원하면서 그들이 갖는 물질에 대한 태도(현실적이고 실용적인 취향)가 정물화에 반영되었다고 설명하고 있습니다.

출제 의도 글에서 다루고 있는 중심 내용을 파악하는 문제입니다. 각 선택지에 해당하는 내용이 글에 제시되어 있는지 일대일 대응을 해 보면 쉽게 답을 찾을 수 있습니다.

1 〈보기〉의 관점은 우선 그림 속에 그려진 사물을 정확하게 확인하고, 그 다음으로 사물들의 의미를 도상적 전통과 관례를 통해 해석하는 것입니다. ㉠과 ㉡은 바로 이 두 단계에 해당합니다. ㉠과 ㉡을 정확하게 읽어 내야 그 다음 단계인 그림의 내재적 의미인 '감각적인 온갖 악덕에 빠질 수 있는 자신을 가다듬고 경계하라'(㉢)는 의미를 해석해 낼 수 있습니다. 그런데 ㉢의 의미를 이끌어 낼 수 있는 것은 그림 속 사물들의 상징적 의미를 모두 종합할 때 가능합니다. 그림 속 사물들은 오감과 특정 의미를 상징하고 있으며 이를 모두 종합하여 ㉢으로 해석하였으므로 ㉢처럼 읽을 수 있는 것입니다. 따라서 '시각이 다른 감각보다 우월하기 때문'에 ㉢처럼 읽을 수 있다고 이해하는 것은 적절하지 않습니다.

2 〈보기〉에서 미각과 관련된 의성어나 의태어는 찾을 수 없습니다.

오답 피하기 ② '파릇파릇'은 '파르스름한 모양.'이므로 '시각'과 연관이 있습니다.
③ '사각사각'은 '벼나 보리 따위를 벨 때, 또는 눈이 내리거나 눈을 밟을 때, 사과 따위를 씹을 때 나는 소리.', '쌔근쌔근'은 '숨쉬는 소리.'를 나타내는 의성어이므로 '청각'과 연관이 있습니다.
④ '몰랑몰랑'은 '여기저기가 야들야들하고 보드랍고 조금 무른 듯한 느낌.'을 의미하는 의태어로 촉각과 관련이 있습니다.
⑤ '물씬물씬'은 '코를 푹 찌르도록 심한 냄새가 자꾸 나는 모양.'을 나타내는 의태어로 후각과 연관이 있습니다.

3 ⓐ는 빛의 섬세한 처리를 통해 '손으로 만지는 듯한 질감'과 '시각적 아름다움'을 드러낼 수 있다고 하였습니다. ⑤에 보면 '따스한 감촉'과 '다양한 색채, 번쩍이는 장식물' 등 촉각과 시각을 살린 빛의 효과가 드러나 있습니다.

오답 피하기 ① 빛과 어둠의 극단적 대비가 드러나 있습니다.
② 빛의 추상적 표현에 관한 것에 해당합니다.
③ 빛의 동심원 형태를 음악화한 것에 대한 설명입니다.
④ 빛이 만들어 낸 분위기와 의미에 관한 것입니다.

생각의 구조화 MIND MAP

생각읽기1 ㉤	생각읽기2 ㉢	생각읽기3 ㉣
생각읽기4 ㉡	생각읽기5 ㉠	생각읽기6 ㉠
1 욕망	2 통제	3 경제적, 사회적
4 한비자	5 타자	6 정물화

생각읽기 1

개벽의 시대를 소망하다

본문 40~43쪽

0 ① 시천주 ② 후천 개벽 ③ 실천(성)
1 ⑤ **2** ③ **3** ②

Q 동학사상에서 말하는 새로운 세상은 어떤 사회인가요?
동학사상은 조선 사회의 전통을 수용하면서도 민중에 의한 새로운 평등 사회(만민 평등의 사회)를 주장하였습니다.

이 글은 『동경대전』을 중심으로 동학의 의미를 살펴보고 있습니다. 동학사상은 불평등한 현실에 대한 근본적 성찰과 상생의 사회를 향한 실천 의지를 고취한다는 측면에서 오늘날에도 시사하는 바가 크다고 말하고 있습니다.

■ **문단으로 생각읽기**

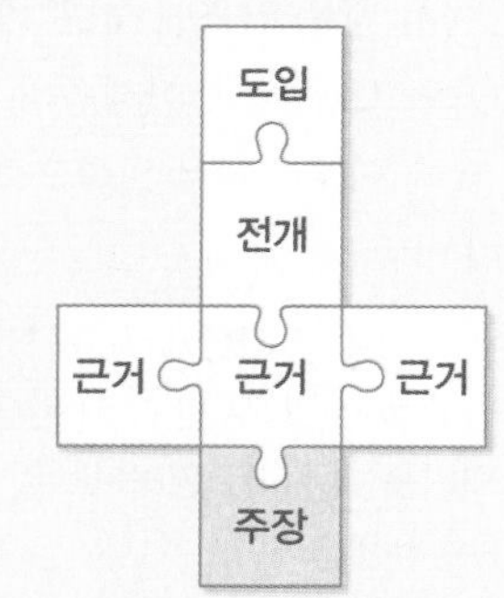

[도입 – 전개 – 근거 – 근거 – 근거 – 주장]의 생각 구조

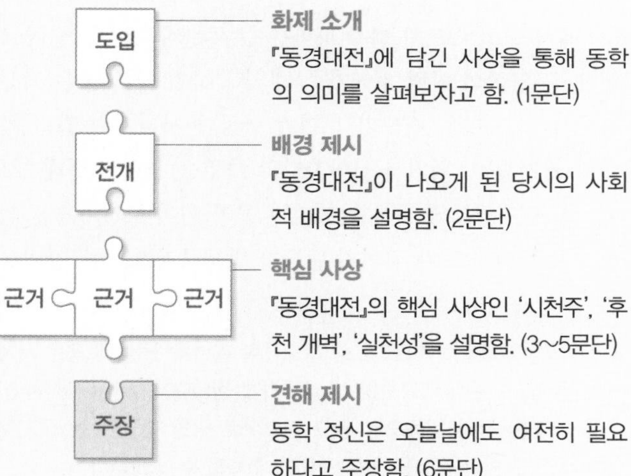

원리로 생각읽기

독해연습 1 1 ㉠ 수정했다 ㉡ 치료했다 ㉢ 수리했다
2 맥락을 고려하여 의미를 좀 더 세부적이고 정확하게 표현할 수 있다.

독해연습 2 1 ❶ 모양이 만들어지다 ❷ 매우 작은 생명체 ❸ 쌓이고 포개어진 물질 ❹ 누르는 힘 ❺ 땅의 열기 ❻ 생기다

0 (다)에서 '시천주' 사상은 모든 사람은 제 안에 가장 거룩하고 성스러운 존재인 하느님을 모시고 있으며, 그렇기에 만민과 만물은 평등하다는 사상이라고 설명하고 있습니다. 또한 (라)에서 '후천 개벽'은 평등사상에 기반하여 민중이 세상의 주인이 되기 위해 문명 전체를 근본적으로 변화시키는 것이라고 설명하였습니다. 마지막으로 (마)에서는 동학사상은 하늘의 뜻을 반드시 실천해야 한다고 강조했다며 이를 동학의 실천성과 연결짓고 있습니다.

출제 의도 핵심어를 찾을 수 있다는 것은 글이나 문단의 중심 내용을 파악할 수 있다는 것을 의미합니다.

1 이 글의 주요 내용은 최제우가 쓴 『동경대전』에 담긴 동학사상과 그 특징입니다. 그러나 글쓴이가 이 글을 쓴 목적이 단순히 『동경대전』의 사상을 독자들에게 알려 주는 것이었다면 (바)를 굳이 쓰지 않았을 것입니다. 즉, 이 글을 통해 글쓴이가 독자들에게 궁극적으로 말하고자 하는 내용은 (바)에서 보듯 오늘날의 우리가 『동경대전』에 담긴 동학사상을 다시 되새기고 현실의 문제를 해결하기 위해 노력해야 한다는 점입니다.

오답 피하기 ① 최제우가 『동경대전』을 쓴 이유는 이 글에 나와 있지 않으므로 이를 알려 주기 위해 이 글을 쓴 것은 아닙니다.
② 『동경대전』에 담긴 다양한 사상을 (다)~(마)에서 설명하고 있으나 이것 자체가 글쓴이가 궁극적으로 말하고자 하는 바는 아닙니다.
③ 『동경대전』이 동학 농민 운동에 영향을 주었다는 설명은 나와 있으나 글쓴이가 궁극적으로 말하고자 하는 바는 아닙니다.
④ 백성들이 동학을 열심히 따른 이유는 (나)에서 추측할 수 있지만, 이는 글쓴이가 말하고자 하는 바를 효과적으로 전달하기 위한 배경 설명에 해당합니다.

2 이 글은 (가)에서 『동경대전』이라는 책에 대해 살펴볼 것임을 밝히고, (나)에서 『동경대전』이 나오기 이전의 시대적 배경을 먼저 설명하고 있습니다. 그리고 (다)~(마)에서 『동경대전』에 담긴 사상을 본격적으로 설명한 후, (바)에서 이를 통해 오늘날의 우리가 생각해야 할 점을 제시하고 있습니다.

3 '부패'는 '부패균에 의해 단백질 및 유기물이 유독한 물질과 악취를 발생하게 되는 변화'라는 뜻도 있지만, '정신 · 정치 · 사상 · 의식 등이 올바른 길에서 벗어나 잘못된 길로 빠짐.'이라는 뜻도 가지고 있습니다. ⓑ에 사용된 '부패'는 글의 맥락으로 볼 때 '정신 · 정치 · 사상 · 의식 등이 올바른 길에서 벗어나 잘못된 길로 빠짐.'이라는 뜻입니다.

생각읽기 2 바나나킥에 숨은 원리

0 ③	1 ②	2 ⑤	3 ②

Q 바나나킥에 숨어 있는 두 가지 과학적 원리는 무엇인가요?

바나나킥에는 베르누이 정리와 난류에 관한 역학의 원리가 들어 있습니다.

이 글은 축구 경기에서 볼 수 있는 바나나킥에 숨겨진 과학적 원리를 설명하고 있습니다. '베르누이 정리'와 '난류에 관한 역학'의 두 가지 원리를 바탕으로 바나나킥의 원리를 그림과 함께 설명하고 있습니다.

■ **문단으로 생각읽기**

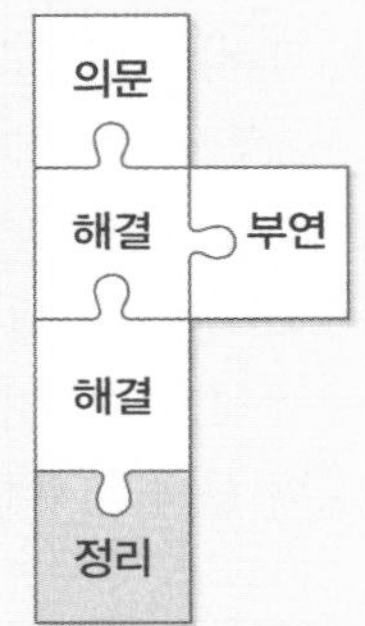

[**의문 – 해결 – 부연 – 해결 – 정리**]의 생각 구조

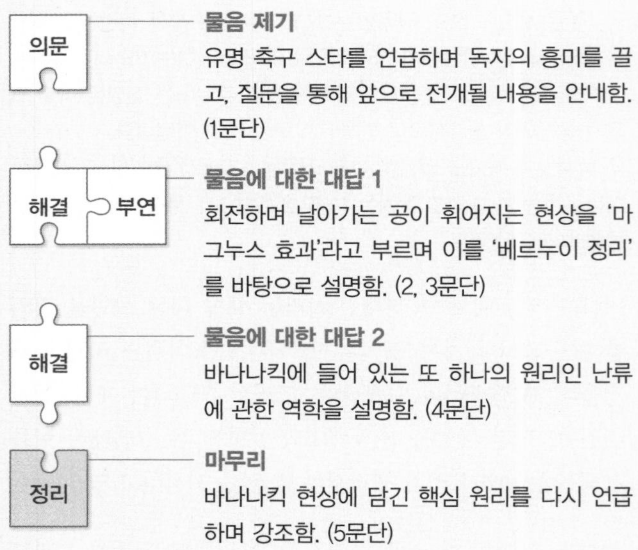

0 이 글은 (가)에서 물음을 통해 화제를 제시한 뒤, (나)와 (다)에서는 베르누이 정리를, (라)에서는 난류에 대한 역학을 제시하며 바나나킥에 숨어 있는 과학적 원리를 밝히고 있습니다. (마)에서는 앞서 제시한 두 원리를 언급하며 글을 마무리하고 있으므로 글의 구조로 가장 알맞은 것은 ③입니다.

출제 의도 글의 구조를 묻는 문제는 글의 내용 전개 과정을 파악할 수 있는가를 묻는 문제입니다.

1 이 글은 축구 경기에서 볼 수 있는 바나나킥에 어떤 과학적 원리가 숨어 있는가를 두 가지 과학 이론, 즉 '베르누이 정리'와 '난류에 관한 역학'을 바탕으로 설명하고 있습니다.

2 비행기가 뜨려면 중력의 반대 방향으로 작용하는 공기의 힘이 필요합니다. ㉠에서 힘은 압력이 높은 쪽에서 낮은 쪽으로 작용한다고 하였으므로, 날개 아래쪽의 압력이 높고 위쪽이 낮으면 힘은 날개 아래쪽에서 위쪽으로 작용하므로 비행기가 뜨게 됩니다.

오답 피하기 ① 가벼운 소재로 동체를 제작하는 것은 비행기의 무게를 줄이는 하나의 방법이 될 수 있겠지만, ㉠의 원리와는 무관합니다.
②, ④ ㉠은 압력의 차이를 이용하는 원리이므로, 공기 저항이나 마찰력의 최소화와는 관련이 없습니다.
③ 추진력이 강한 엔진을 장착하면 비행기의 속력을 높일 수는 있겠지만 이 역시 ㉠과는 관련이 없습니다.

3 (라)에서 공의 속도가 빠를 때에는 공 주변에 생기는 난류로 인해 공 양쪽의 압력 차이가 크게 발생하지 않아 공은 직선으로 날아가지만, 속도가 느려져 난류가 사라지면 압력 차이가 커져 공이 휘면서 날아간다고 하였습니다. 그런데 〈보기〉의 Ⓐ 지점부터 골문 안까지는 공이 휘어져 날아가고 있으므로 공의 속도가 떨어져 난류가 발생하지 않는 구간임을 알 수 있습니다.

오답 피하기 ① (다)에 따르면, 공의 오른쪽 측면을 찼을 때 공은 시계 반대 방향, 즉 왼쪽으로 휘면서 날아가게 됩니다. 〈보기〉에서 Ⓐ 지점을 통과한 공이 왼쪽으로 휘고 있으므로 공을 찬 선수는 정지해 있는 공의 오른쪽 측면을 찼을 것임을 추측할 수 있습니다.
③ (라)에 따르면, 공의 속도가 108㎞/h보다 빠르면 난류가 발생하고 압력 차이도 크게 발생하지 않으므로 공이 휘지 않습니다. 〈보기〉에서 공이 Ⓐ 지점을 통과한 후 휘고 있으므로, Ⓐ 지점을 통과하기 전까지는 공의 속도가 108㎞/h 이상이었을 것임을 알 수 있습니다.
④ (다)에 따르면, 힘은 압력이 높은 쪽에서 낮은 쪽으로 작용합니다. 〈보기〉에서 공은 왼쪽으로 휘고 있으므로 공의 왼쪽에 가해지는 공기의 압력은 오른쪽에 비해 낮을 것입니다.
⑤ (다)에 따르면, 공의 오른쪽 측면을 차서 시계 반대 방향으로 회전할 때, 공의 오른쪽에서는 저항력이 작용하여 공기의 흐름이 왼쪽보다 느려지며, 이때 공은 왼쪽으로 휘면서 날아갑니다.

생각읽기 **3**

밀레와 쿠르베가 본 아름다운 인생

0 ⑤	1 ③	2 ④	3 ③

Q 미술사에서 '사실주의'가 출현하게 된 시대적 배경은 무엇인가요?
19세기 중반부터 프랑스에서는 시민 의식과 자의식이 높아지면서 시민들도 인간답게 살고자 하는 의지를 갖기 시작했고, 이런 사회 분위기 속에서 사실주의 사조가 출현하게 되었습니다.

이 글은 '밀레'와 '쿠르베'라는 사실주의 화가가 그린 작품을 통해 사실주의 사조가 갖는 의의를 설명하고 있습니다. '밀레'와 '쿠르베'의 작품에는 그 이전에는 볼 수 없었던 평범한 사람들이 그림의 주인공으로 등장하는데, 이러한 사실주의 사조는 시민 의식과 자의식이 높아짐에 따라 평범한 사람들의 삶과 행복, 가치에 주목한 결과라는 점을 설명하고 있습니다.

■ **문단으로 생각읽기**

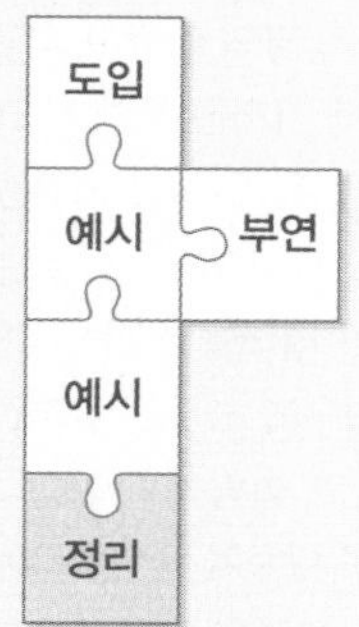

[도입 – 예시 – 부연 – 예시 – 정리]의 생각 구조

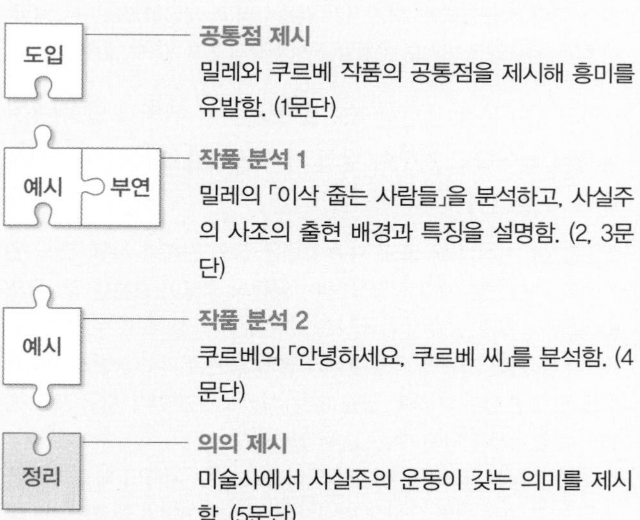

0 이 글은 밀레와 쿠르베의 작품과 같은 사실주의 그림이 이전의 그림들과 달리 평범한 사람들을 주인공으로 하여 그들의 일상적 삶을 그려 냈다며, 사실주의 그림에서 주되게 다룬 제재를 중심으로 사실주의 그림의 특징과 그 의의를 설명하고 있습니다.

출제 의도 글의 화제가 드러나도록 제목을 붙이기 위해서는 글의 중심 화제가 무엇인지 알아야 하는데, 이는 곧 이 글 전체의 내용을 일반화하여 정리할 수 있는지를 평가하는 것입니다.

오답 피하기 ① 사실주의 그림이 나오게 된 시대 상황은 언급하고 있으나 사실주의 그림 자체의 역사에 대해 설명하지는 않았습니다.
② 사실주의의 개념에 대해서는 언급하지 않았습니다.
③ 사실주의가 출현하게 된 배경은 2문단에서만 언급했을 뿐이므로 이 글 전체의 제목으로는 적절하지 않습니다.
④ 밀레와 쿠르베의 작품에서 드러나는 공통점은 밝히고 있지만 차이점은 제시되어 있지 않습니다.

1 사실주의가 출현하기 이전에도 평범한 사람들이 주인공만 아니었을 뿐, 우아하거나 이상적인 대상 이를테면 성경 속 인물이나 왕과 귀족 등과 같은 사람들은 주인공으로 등장하였습니다.

오답 피하기 ① 이 글은 사실주의 화가들로 밀레와 쿠르베를 예로 들어 설명하고 있습니다.
② 3문단에서 밀레와 쿠르베 같은 사실주의 화가들은 농부, 시민, 화가 등 일상에서 만나는 평범한 사람들을 그림의 모델로 정했다고 하였습니다.
④ 19세기 이전의 그림들은 왕과 귀족 소수의 특정 계급만이 누릴 수 있는 문화였으며, 사실주의 화가가 등장한 이후에야 평범한 사람들을 모델로 그들의 삶을 표현할 수 있게 되었습니다.
⑤ 3문단의 '그때(19세기 근대 시기)까지 그림은 왕과 귀족 등 소수의 특정 계급만이 누릴 수 있는 문화였다.'라는 내용으로 보아, 중세의 그림 또한 왕과 소수의 특정 계층만이 누릴 수 있는 문화였을 것임을 추측할 수 있습니다.

2 사실주의 회화로 인해 그림의 표현 대상이 확장되고 그림을 향유하는 계층이 넓어지기는 하였으나, 그렇다고 하여 왕과 귀족들이 더 이상 그림에 관심을 갖지 않게 되어 향유층이 교체된 것은 아닙니다.

3 이 글에서 다루고 있는 사실주의 화가 밀레의 작품과 쿠르베의 작품은 모두 평범한 사람들이 주인공으로 등장합니다. ③의 그림 역시 삼등 열차 안의 평범한 사람들이 그림의 주인공으로 등장하고 있으므로 이 글에 나온 두 회화 작품과 비슷한 성격을 지닌다고 할 수 있습니다.

생각읽기

4 지구의 하루는 왜 길어질까

0 ③ 1 ③ 2 ⑤ 3 ⑤

Q 지구의 하루가 길어지는 이유는 무엇 때문인가요?
지구와 달 간의 작용으로 지구의 자전이 느려지기 때문입니다.

이 글은 지구의 하루가 길어지는 이유에 대해 묻고 그 대답으로 지구와 달 간의 인력과 원운동에 의한 원심력의 영향을 중심으로 설명하고 있습니다.

■ **문단으로 생각읽기**

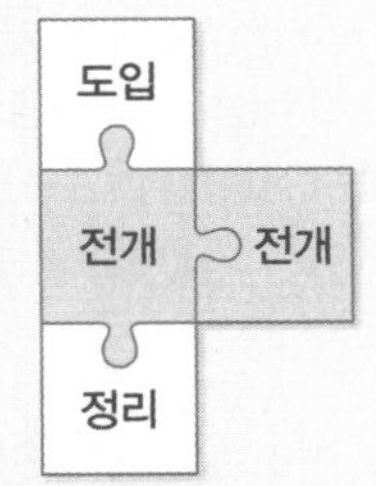

[도입 – 전개 – 전개 – 정리]의 생각 구조

현상 소개
지구의 1년 날수가 줄어든 현상에 대해 소개함. (1문단)

의문과 대답
지구의 하루가 길어지는 이유에 대해 묻고, 그 대답으로 지구의 자전이 느려지기 때문임을 제시하며 지구와 달의 원운동을 중심으로 원인을 체계적으로 분석함. (2, 3문단)

미래 예측
지구의 자전 주기가 느려지고 달이 지구에서 멀어지는 현상이 지속될 경우 앞으로 나타날 상황을 예측함. (4문단)

원리로 생각읽기

독해연습 1 **1** ㉠ 탑신부 ㉡ 기단부
2 그림(시각 자료) 활용하기

독해연습 2 **1** 방실 판막, 동맥 판막 **2** 혈액의 흐름

0 (가)는 산호 화석에 대한 이야기를 바탕으로 지구의 하루가 길어졌다는 화제를 제시하고 있습니다. 그리고 (나), (다)에서는 지구의 하루가 길어지는 현상의 원인을 설명하고, (라)에서 그 결과와 미래를 예측하면서 글을 마무리하고 있습니다.

출제 의도 글의 구조를 파악하는 문제입니다. 글의 구조를 정리해 보면 중심 내용이 어느 부분에 제시되는지 확인할 수 있습니다.

1 이 글은 1년의 날수가 줄어든 현상의 이유를 지구의 자전 속도 변화에서 찾고 있으며, 이 현상이 지속될 경우 나타날 수 있는 상황을 예측하고 있습니다.

2 (나)와 [그림]을 통해 달과 반대쪽의 지구 표면이 부풀어 오른 이유는 지구–달의 원운동에 의한 원심력보다 달의 인력이 작게 영향을 미치기 때문임을 알 수 있습니다.

오답 피하기 ①, ④ (나)에서 달의 인력은 지구와 달 사이의 거리에 따라 다르게 작용하여 달과 가까운 쪽에는 크게, 그 반대쪽에는 작게 영향을 미치게 된다는 점, 즉 인력의 크기는 지구와 달의 거리에 반비례한다는 것을 알 수 있습니다.
② (가)에서 1년의 날수가 줄어들었다는 것은 지구의 하루가 길어졌음을 뜻하고, (나)에서 지구의 하루가 길어진 이유는 바로 지구의 자전이 느려지기 때문이라고 설명하고 있습니다. 따라서 지구의 자전 속도가 느려질수록 1년의 날수가 줄어든다는 것을 알 수 있습니다.
③ (다)에서 자전 속도와 관련된 운동량은 '지구–달 계' 내에서 달의 공전 궤도가 늘어나는 것으로 보존되는데, 이는 외부에서 작용하는 힘이 없다면 운동량은 보존되기 때문이라고 설명하였습니다. 따라서 달은 지구와 멀어져도 운동량을 보존하게 됨을 알 수 있습니다.

3 (다)의 뒷부분을 보면 운동량을 보존하기 위해서 달의 공전 궤도가 늘어나고 지구와 달의 거리는 점점 멀어진다는 것을 알 수 있습니다.

오답 피하기 ① (나)를 통해 지구 표면은 달의 인력과 지구–달의 원운동에 의한 원심력의 영향을 받아 양쪽이 부풀어 오름을 알 수 있습니다.
② (다)를 통해 지구의 자전 주기가 달의 공전 주기보다 빨라 지구의 부풀어 오른 면은 지구와 달을 잇는 직선에서 벗어나 지구 자전 방향으로 앞서게 된다는 것을 알 수 있습니다.
③ (다)를 통해 달의 인력이 앞서 나가고 있는 지구의 부풀어 오른 면을 지구 자전 방향의 반대 방향으로 다시 끌어당겨 지구의 자전을 방해한다는 것을 알 수 있습니다.
④ (다)를 통해 지구의 인력이 달에 작용하여 달의 자전 속도를 느리게 만든다는 것을 알 수 있습니다.

생각읽기 **5**

공간 속 운동에 대하여

본문 60~63쪽

0 ③	1 ③	2 ⑤	3 ⑤

Q 뉴턴과 마흐가 각각 운동의 기준으로 삼은 것은 무엇인가요?
뉴턴은 눈에 보이지 않는 절대 공간을, 마흐는 우주에 분포해 있는 물체들을 운동의 기준으로 삼았습니다.

공간 속 운동에 대한 뉴턴과 마흐의 논쟁을 소개하고 있는 글입니다. 뉴턴은 우리의 오감으로는 느낄 수 없어도 객관적으로 존재하는 절대 공간이 있다고 주장했으며, 마흐는 공간은 실체가 아니라며 운동은 우주의 물질 분포 상태에 달려 있다고 주장했습니다.

■ 문단으로 생각읽기

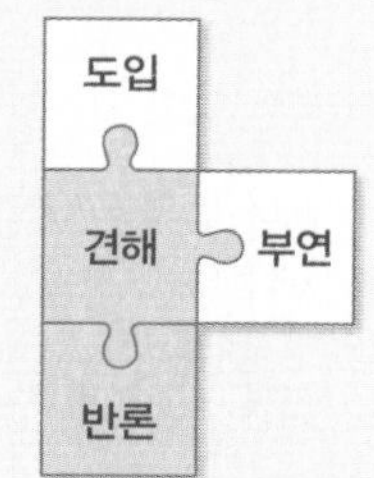

[도입 – 견해 – 부연 – 반론]의 생각 구조

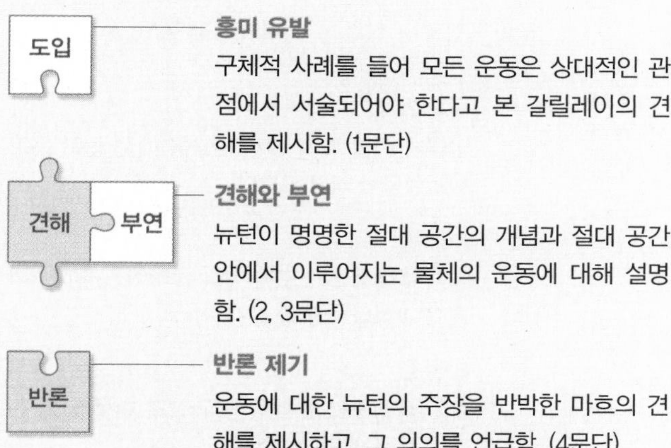

0 [A]에 나타난 뉴턴의 생각에 따르면 속도의 변화는 운동하고 있는 물체들 간의 비교를 통하지 않고도 감지될 수 있습니다. 3문단에서 알 수 있듯이, 마찰력이 없는 얼음판 위에서 스케이트를 신고 회전 운동을 하면 양팔이 바깥쪽으로 당겨지는 느낌을 받을 수 있는데, 이는 절대 공간에 대하여 가속 운동을 하고 있기 때문입니다. 반면에 얼음판 전체를 회전시키고 가만히 서 있는 것처럼 회전 운동이 아니라면 그러한 느낌을 받을 수 없다고 설명하고 있습니다.

출제 의도 제시된 부분의 내용을 정확히 이해하고 있는지를 확인하는 문제입니다. 뉴턴의 절대 공간은 물체의 운동, 즉 물건의 정지 상태와 등속 운동과 관련되므로 이들의 관계를 정확하게 파악해야 합니다.

오답 피하기 ① 뉴턴은 모든 운동이 고정된 좌표계에서의 움직임으로 표현될 수 있다고 했으므로 운동을 좌표계의 어느 한 위치에서 다른 위치로의 이동으로 이해할 수 있습니다.
② 뉴턴은 절대 공간을 기준으로 운동과 정지 상태를 구별할 수 있다고 생각했으므로 적절한 내용입니다.
④ 뉴턴은 인간의 오감으로는 절대 공간을 느낄 수 없다는 것을 인정했습니다. 그럼에도 불구하고 객관적으로 존재하는 물리적인 실체라고 주장했으므로 적절한 내용입니다.
⑤ 뉴턴은 운동하는 물체와 정지해 있는 물체를 구별할 기준점으로 절대 공간을 가정하였습니다.

1 뉴턴이 생각한 공간은 물리적인 실체로서, 운동하는 물체가 특정 시간에 어느 위치에 있는지를 규정지을 수 있는 절대적 배경입니다. 그러나 마흐는 이에 회의를 품고 공간은 한 물체와 다른 물체 사이의 상대적 위치 관계를 서술하는 용어일뿐 물리적인 실체가 아니라고 주장하였습니다. 따라서 ③과 같이 뉴턴의 공간 개념이 마흐에게 계승되어 더 발전했다고 보는 것은 적절하지 않습니다.

2 4문단에서 마흐는 텅 빈 우주에서는 회전 여부를 확인할 방법이 없다고 주장하며 우주 안의 물질 분포 상태에 따라 운동이 달라질 수 있다고 보았습니다. 따라서 우주 내에서 물질의 상태에 따라, 즉 특정 조건에서 밧줄이 느슨하게 당겨질 수 있다고 볼 것입니다.

오답 피하기 ①, ② 텅 빈 우주에서는 당겨지지 않을 것이기 때문에 어떤 조건에서도 밧줄이 팽팽하게 당겨질 것이라는 진술은 적절하지 않습니다.
③ 텅 빈 우주에서는 회전 운동을 판단할 수 없다고 본 것은 맞지만 이 경우 밧줄이 당겨지는 현상은 일어나지 않는다고 말할 것입니다.
④ 특정 조건에서 밧줄이 팽팽하게 당겨질 수는 있지만, 위치 관계가 일정하게 유지되기 때문은 아닙니다. 밧줄이 팽팽하게 당겨지는 것은 우주의 물질 분포 상태 때문입니다.

3 마흐는 공간이란 한 물체와 다른 물체 사이의 상대적 위치 관계를 서술하는 용어라고 보았습니다. 재석은 야구공을 위로 던졌다가 다시 받는 놀이를 하고 있었으므로 그 둘의 위치 관계는 계속 변했다고 파악해야 합니다. 따라서 마흐는 야구공을 기준으로 재석이 정지 상태에 있었다고 말하지 않을 것입니다.

오답 피하기 ① 갈릴레이는 모든 운동은 상대적인 관점에서 파악되므로 기차 안에서 정지 상태로 있는 슬기를 기준으로 본다면 슬기의 책은 정지 상태에 있다고 말할 것입니다.
② 뉴턴은 운동하는 물체가 특정 시간에 어느 위치에 있는지를 규정지을 수 있는 절대적 배경이 공간이라고 보았습니다. 따라서 절대 공간을 기준으로 보면, 절대 공간은 불변하는 실체이므로 같은 기차에 타고 있는 재석과 슬기는 기차가 이동한 만큼 동일하게 위치 이동을 하는 것이므로, 뉴턴은 이 둘의 이동 거리는 동일하다고 말할 것입니다.
③ 슬기를 기준으로 보면 슬기의 책은 정지 상태이나 절대 공간을 기준으로 보면 200km/h 속도로 주행하는 기차를 타고 있는 슬기와 슬기의 책은 운동하고 있다고 말할 것입니다.
④ 마흐에게 공간이란 상대적 위치 관계를 서술하는 용어입니다. 따라서 슬기와 재석의 각 위치는 변함이 없으므로, 마흐는 이 둘의 위치 관계는 각자에게 변함이 없다고 말할 것입니다.

생각읽기

6 운동할 때 우리 몸에서 일어나는 일들

0 ⑤　　1 ⑤　　2 ④　　3 ③

Q 운동 생리학은 우리 생활에 어떤 도움을 주고 있나요?

운동 생리학은 운동을 할 때 일어나는 신체의 반응을 과학적으로 살펴봄으로써 운동을 정확하고 안전하게 지도할 수 있게 하며, 운동을 통한 치료 및 재활에 도움을 줄 수 있습니다.

이 글은 달리기를 할 때 겉으로 드러나는 생리적 현상을 통해 독자의 경험을 환기한 다음, 운동 생리학의 정의를 밝히면서 글을 시작하고 있습니다. 운동을 할 때 우리 몸속에서 일어나는 신체의 반응, 그중에서 ATP 생성 시스템에 초점을 맞추어 그 순서에 따라 단계적으로 상세하게 제시하고 항상성 유지를 위한 신경의 작용을 함께 설명하고 있습니다.

■ 문단으로 생각읽기

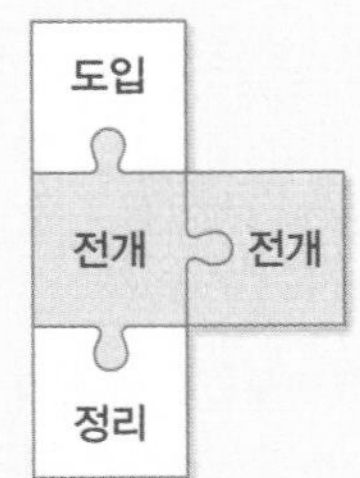

[도입 – 전개 – 전개 – 정리]의 생각 구조

도입

화제 소개
달리기를 할 때의 신체 반응을 예로 들어 운동 생리학을 소개함. (1문단)

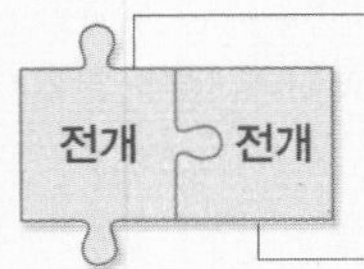

과정 1
뇌에서 전달된 신호에 따라 근육이 수축하기까지의 과정을 설명함. (2문단)

과정 2
ATP 생성 시스템의 작용 과정과 이로 인한 신체 반응을 설명함. (3문단)

과정 3 및 마무리
항상성 유지를 위한 부교감 신경의 작용과 이와 반대되는 교감 신경의 작용을 설명하며 마무리함. (4문단)

0 뇌의 대뇌 피질에서 근육을 움직이게 하는 신호가 발생하면(ⓒ), 이 신호는 척수를 지나 필요한 근육에 연결된 운동 신경을 통해 전달(ⓔ)되고 운동에 필요한 근육인 골격근이 수축됩니다(ⓑ). 그리고 근육의 수축에 필요한 에너지 생성을 위해 ATP 생성 시스템이 작동되며(ⓓ) 이때 ATP 생성 시스템은 무산소 과정을 거쳐 유산소 과정이 이루어지는데, 유산소 과정으로 나타나는 신체 반응에 대응하기 위해 부교감 신경이 활성화됩니다(ⓐ).

출제 의도 어떤 현상이 일어나는 과정에 대해 과학적으로 분석하는 글을 읽을 때에는, 전체적으로 어떤 과정으로 글이 전개되는지를 정확하게 이해하는 것이 중요합니다. 이 문제는 지문 전체의 내용 흐름을 정확하게 이해하고 있는지를 묻고 있습니다.

1 근육 세포에 저장된 ATP가 분해되면서 근육을 수축시키는 에너지가 나온다고 했으므로, 이와 관련하여 수축되어 있는 근육을 찾을 수 있어야 합니다. 2문단에서 허벅지 앞쪽에 있는 근육이 대퇴 사두근이라고 하였는데, ㉢과 ㉤이 이에 해당합니다. 그리고 허벅지 뒤쪽에 있는 대퇴 이두근은 ㉡과 ㉣, 무릎 아래 정강뼈 위에 있는 장딴지근은 ㉠과 ㉥이 해당합니다. 이를 참고할 때, '대퇴 사두근'이 수축하면 무릎이 펴진다고 했으므로, ㉢이 수축했다고 볼 수 있습니다. 그리고 '대퇴 이두근'과 '장딴지근'이 수축하면 무릎이 굽혀진다고 설명했으므로, ㉣과 ㉥도 수축했다고 판단할 수 있습니다. 따라서 ATP의 분해로 만들어진 에너지가 작용하는 근육 중에서 수축과 관련된 근육은 ㉢, ㉣, ㉥입니다.

오답 피하기 ① 현재 수축된 근육인 ㉢이 빠져 있습니다.
② ㉠, ㉡이 동시에 수축하면 무릎이 굽혀진다고 하였습니다.
③ 신체 동작은 골격근의 수축으로 발생한다고 하였으므로, 현재 수축되지 않은 ㉤은 해당하지 않습니다.
④ ㉢은 수축되어 있는 상태입니다.

2 3문단에 따르면 운동의 강도가 강해질 때의 유산소 과정에서 나타나는 신체의 반응은 호흡이 빨라지고, 심장 박동수가 증가하고 혈류량이 많아져 혈압이 상승하며 체온이 상승하는 것입니다. 이러한 현상은 4문단에서 보듯 교감 신경이 작용할 때의 신체 반응과 같습니다. 부교감 신경은 이러한 교감 신경과는 반대로 작용한다고 하였습니다. 그런데 '위의 움직임을 최소화시켜 소화를 억제시킨다.'는 것은 교감 신경의 작용으로 나타나는 반응이므로, 부교감 신경의 작용에는 해당하지 않습니다.

오답 피하기 ①, ②, ③, ⑤ 모두 운동으로 나타나는 신체 변화에 따라 우리 몸에서 항상성을 유지하는 데 필요한 반응과 반대되는 내용입니다.

3 Ⓐ의 지속 시간이 6~9초로 짧은 이유는 크레아틴 인산(PCr)이 근육 세포 내에 극소량밖에 없어서입니다. 그러나 Ⓑ의 지속 시간이 45초~2분 정도로 짧은 이유는 젖산이 축적되면서 ATP 생성을 방해하기 때문이지, 크레아틴 인산(PCr)의 양이 적기 때문으로 보는 것은 적절하지 않습니다.

오답 피하기 ① 50㎏의 역기를 계속 들었다 내려놓는 운동은 격한 운동이므로, 45초 이후에는 Ⓒ의 과정이 일어나게 됩니다.
② Ⓒ에서 ATP를 생산하기 위해 분해되는 물질은 포도당과 지방산인데, 이 중 포도당이 Ⓑ와 동일합니다.
④ Ⓐ에서 발생하는 크레아틴과 인은 배출되지 않지만, Ⓒ에서 발생하는 이산화 탄소는 호흡을 통해 체외로 배출됩니다.
⑤ Ⓒ에서 포도당과 지방산은 모두 산소와 각각 결합하는 과정이 필요합니다. 그리고 운동의 강도가 강해질수록, 필요한 산소와 배출되는 이산화 탄소 및 물이 많아져, 심장 박동은 빨라지고 이로 인해 혈류량도 증가하게 됩니다.

생각의 구조화 MIND MAP

생각읽기1 ㉡	생각읽기2 ㉢	생각읽기3 ㉣
생각읽기4 ㉠	생각읽기5 ㉤	생각읽기6 ㉠
1 시천주	2 바나나킥	3 사실주의
4 자전	5 절대	6 ATP

생각읽기 1 조선에도 디지털 시계가 있었다

본문 72~75쪽

0 ⑤	1 ④	2 ③	3 ⑤	4 ①

Q 장영실이 이전의 물시계보다 더 정확한 물시계를 만들기 위해 한 일은 무엇인가요?

시각을 측정하는 잣대의 길이를 4배가량 키워 눈금을 세밀하게 새겨 넣고, 물받이 통을 비울 때도 연속적으로 시간을 잴 수 있게 통을 2개로 늘리고 자동으로 시간을 알려 주는 장치를 더했습니다.

이 글은 조선 시대 세종 때 장영실이 제작한 자격루의 시간 측정 원리를 설명하고 있습니다. 자격루의 구조와 각 장치의 기능을 중심으로 시간을 어떤 방식으로 정확하게 측정하고 나타낼 수 있었는지를 설명하고 있습니다.

■ 문단으로 생각읽기

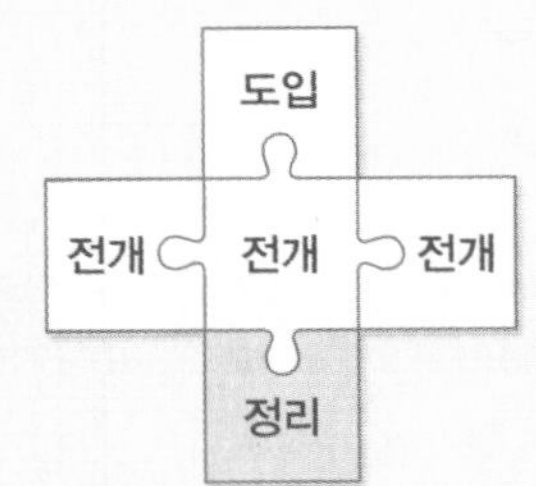

[도입 – 전개 – 전개 – 전개 – 정리]의 생각 구조

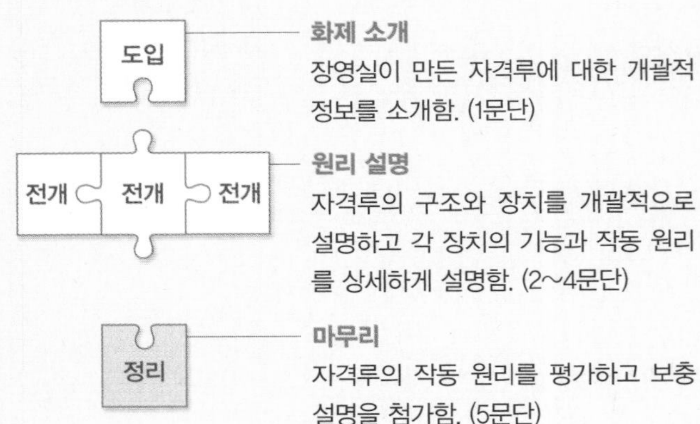

화제 소개
장영실이 만든 자격루에 대한 개괄적 정보를 소개함. (1문단)

원리 설명
자격루의 구조와 장치를 개괄적으로 설명하고 각 장치의 기능과 작동 원리를 상세하게 설명함. (2~4문단)

마무리
자격루의 작동 원리를 평가하고 보충 설명을 첨가함. (5문단)

0 자격루가 정확한 시간을 측정하여 알려 주는 장치임을 고려할 때, 장영실이 자격루를 만든 이유가 시간을 어떻게 하면 더 정확히 잴 수 있는가와 관련되어 있음을 알 수 있습니다.

출제 의도 글의 중심 화제와 관련된 문제는 글을 읽고 세부 내용을 정확히 파악할 수 있어야 합니다.

1 자격루에서 수수호에 물이 차오르면 잣대가 떠오르면서 방목 안에 설치된 장치가 구리로 만든 작은 구슬을 차례대로 떨어뜨리고, 구슬이 떨어지면서 발생하는 운동 에너지가 시보 장치에 전달됩니다. 이때 구슬은 잣대에 있는 것이 아니라 방목 속에 칸칸이 놓여 있습니다.

2 시보 장치에서 일련의 동작은 복잡하면서도 정교한 기계에 의해 자동으로 진행됩니다. 시보 장치에서 인형의 팔뚝은 매 시각마다 인형의 팔뚝과 연결된 제어 장치가 작동하여 움직이고 그 움직임이 종을 울리게 한다는 점에서 사람이 직접 인형을 움직였다는 내용은 적절하지 않습니다.

오답 피하기 ① 3문단에 따르면, 경은 북, 점은 징으로 알려 주었습니다.
② 3문단에 따르면, 시보 장치 상단에 설치된 3개의 인형 중에서 시를 알려 주는 인형은 1개이며, 다른 2개의 인형이 경과 점을 알려 주도록 되어 있습니다.
④ 3문단에서 경점법은 우리의 고유한 시간 표시 방법으로 시간을 더 자세하게 알려 준다고 하였습니다.
⑤ 3문단에서 경점법은 계절에 따라 해가 뜨고 지는 시각이 변하는 것도 고려한다고 하였으므로 시각이 조금씩 변한다면 해가 진 뒤부터 다음 날 해가 뜨기 전까지의 하룻밤을 5등분한 것도 달라졌을 것이므로, 경과 점의 길이도 달라졌을 것입니다.

3 수수호에 물이 차오르면 잣대가 떠오르면서 방목 안에 설치된 장치를 건드려 구슬을 차례대로 떨어뜨립니다. 따라서 ㉡은 연속적으로 흘러내리는 물의 양에 따라 일정한 간격마다 구슬이 떨어지는 원리를 의미합니다.

4 ⓐ는 자동 시보 장치를 가진 정확한 시계 제작이 시계 제작 기술자들의 희망이었다는 의미로, '실현하고 싶은 희망이나 이상'을 가리킵니다. ①의 '꿈'도 소설가가 되고 싶은 희망을 나타내므로, ⓐ와 의미가 가장 유사합니다.

오답 피하기 ② '잠자는 동안에 깨어 있을 때와 마찬가지로 여러 가지 사물을 보고 듣는 정신 현상'을 가리킵니다.
③ '전혀 생각하지 못함.'의 의미를 나타냅니다.
④, ⑤ '실현될 가능성이 아주 적거나 전혀 없는 헛된 기대나 생각.'을 나타냅니다.

생각읽기 2
회화의 조형 원리, '통일성'

0 ⑤	1 ③	2 ④	3 ①	4 ②

Q 회화에서 통일성의 원리를 바탕으로 작품을 감상한다는 것은 어떻게 감상하는 것을 의미하나요?

작품 속의 다양한 조형 요소와 그 조형 요소들이 이루는 일관된 질서가 어떤 것인지를 파악하여 감상하는 것입니다.

이 글은 회화의 조형 원리 중 하나인 통일성의 원리를 자세하게 소개하고 통일성을 중심으로 회화 작품을 감상하는 일의 중요성을 말하고 있습니다. 통일성의 원리는 시각적인 것과 지적인 것으로 구분되며, 통일성을 구현하는 방법으로 인접, 반복, 연속 등의 방법이 사용된다는 점을 밝히고 있습니다.

■ **문단으로 생각읽기**

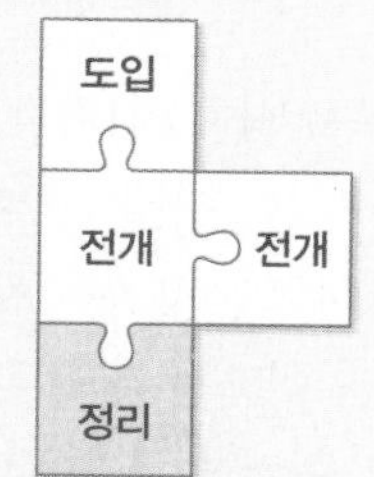

[도입 – 전개 – 전개 – 정리]의 생각 구조

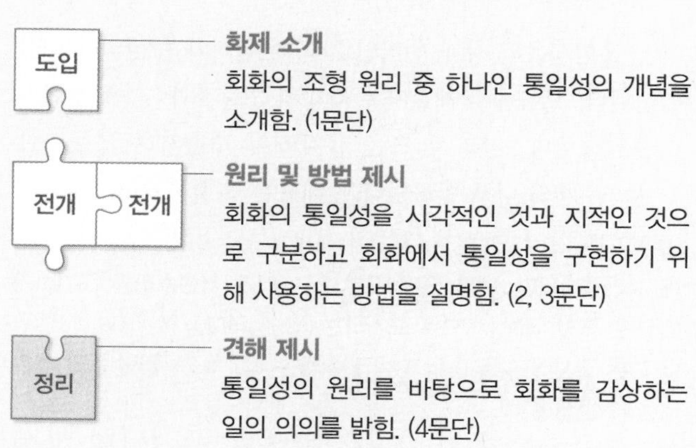

화제 소개
회화의 조형 원리 중 하나인 통일성의 개념을 소개함. (1문단)

원리 및 방법 제시
회화의 통일성을 시각적인 것과 지적인 것으로 구분하고 회화에서 통일성을 구현하기 위해 사용하는 방법을 설명함. (2, 3문단)

견해 제시
통일성의 원리를 바탕으로 회화를 감상하는 일의 의의를 밝힘. (4문단)

0 이 글은 회화의 조형 원리 중 통일성의 원리를 소개하고 있습니다. 마지막 문단에서는 통일성의 원리로 회화를 감상하는 이유에 대해 작가가 의도한 작품의 의미에 한 발 더 다가서서 작품의 의미를 이해할 수 있기 때문이라고 설명하고 있습니다.

출제 의도 문제에서 중심 화제의 의의를 묻는 이유는 전체 내용을 바탕으로 글의 목적을 파악할 수 있는지를 확인하기 위해서입니다.

1 2문단에서 회화의 통일성은 시각적인 것과 지적인 것으로 나눌 수 있다고 하였습니다. 그중 시각적 통일성은 눈으로 볼 수 있는 각 조형 요소들 사이에 존재하는 유사성이나 규칙성 등을 통해 통일성을 이루는 것을 말하고, 지적 통일성은 주제와 관련된 의미나 개념이 통일성을 이루는 것을 말합니다. 따라서 지적 통일성이 조형 요소의 조화, 일치 등과 관련 있다고 제시한 내용은 적절하지 않습니다.

2 ㉠은 어떤 대상을 단순히 눈으로 대상을 받아들이는 개념에서 한층 더 나아가, 기차의 창문 프레임이 시야를 가리는데도 바깥 경치를 볼 수 있듯이 대상을 해석해서 받아들인다는 것을 나타냅니다. 따라서 ㉠은 감상자가 형상을 눈으로 받아들인 뒤 두뇌로 지각하는 과정에서 형상의 형태를 해석하여 인지한다는 점과 관련된다고 할 수 있습니다.

3 질감은 표면이 '거칠다, 매끄럽다, 울퉁불퉁하다'와 같은 만졌을 때 느껴지는 감각을 말하는 것으로, 시각적으로 느껴지고 만져 본 것 같은 감각을 나타냅니다. ①처럼 크고 작은 사과의 대치를 통해서 원근감을 표현한 것은 질감에 해당하지 않습니다.

4 〈보기〉에서 연주자들이 악기를 들고 있는 모습이 거의 유사한 것은 조형 요소 간의 유사성 원리에 해당합니다. 조형 요소 간의 유사성 원리는 통일성의 원리 중 시각적인 것에 해당한다는 점에서 주제와 관련된 의미나 개념에 해당하는 지적 통일성과는 직접적인 관련성이 없습니다.

오답 피하기 ① 드가가 가깝게 보이는 연주자는 크게 그리고 먼 거리에 있는 연주자는 작게 그린 것은 원근법을 적용하는 규칙에 해당하므로 시각적 통일성을 이루고 있다고 할 수 있습니다.
③ 연주자들의 의상이 거의 검은색이거나 시선이 앞으로 향하고 있는 점을 볼 때 연속에 의한 통일성을 확인할 수 있습니다.
④ 연주자의 연주 동작이나 무용수들의 무용 동작이 비슷한 행위들을 보인다는 점에서 반복을 통한 통일성을 확인할 수 있습니다.
⑤ 연주자와 무용수들을 서로 가깝게 배치함으로써 연주와 무용이 서로 연관되어 있음을 보여 주고 있는 데서 인접의 원리를 확인할 수 있습니다.

생각읽기 **3**

훈민정음의 창제 원리와 가치

0 ①	1 ③	2 ②	3 ⑤	4 ⑤

Q 글자를 표기하는 측면에서 알파벳보다 훈민정음이 창의성이 더 발휘되었다고 볼 수 있는 근거는 무엇인가요?

한 음운씩 늘어놓아 표기하는 영어의 알파벳과는 달리, 훈민정음은 음운을 모아서 음절 단위로 표기하여 사용자를 배려하였기 때문입니다.

이 글은 세종이 창제한 훈민정음의 제자 원리인 가획의 원리, 합성의 원리와 모아쓰기 원칙을 소개하고 있습니다. 가획의 원리는 자음의 기본자에 획을 더해 음운을 만드는 방식을 가리키며, 합성의 원리는 모음의 기본자를 서로 합해 음운을 만드는 방식을 가리킵니다. 또한 모아쓰기 원칙은 음운을 모아 음절 단위로 표기하는 방식을 가리킵니다. 이러한 제자 원리를 하나하나 구체적으로 제시하여 훈민정음의 우수성을 설명하고 있습니다.

■ 문단으로 생각읽기

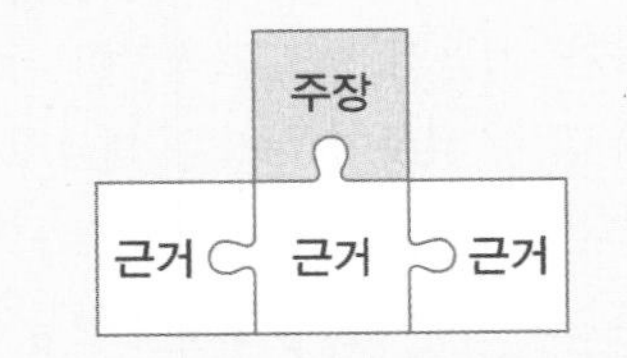

[주장 – 근거 – 근거 – 근거]의 생각 구조

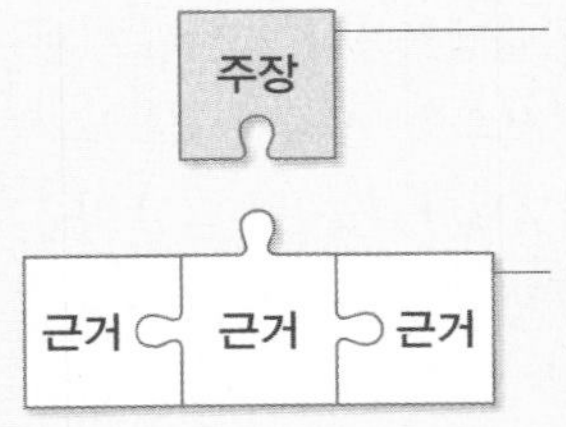

주장 제시
훈민정음을 소개하고 과학적이고 창의적인 글자임을 주장함. (1문단)

근거 제시
훈민정음이 지닌 과학적 우수성의 근거로 자음의 제자 원리, 모음의 제자 원리, 모아쓰기 원칙의 효용성을 제시함. (2~4문단)

본문 80~83쪽

0 이 글은 훈민정음의 가획의 원리와 합성의 원리, 모아쓰기 원칙을 소개하고 있습니다. 가획의 원리는 자음에서 기본자를 정한 후 획을 더하는 방식으로 음운을 만드는 원리이고, 합성의 원리는 모음에서 기본자를 정한 후 기본자를 합해 음운을 만드는 방식이며, 모아쓰기 원칙은 음운을 풀어쓰는 것이 아니라 음절 단위로 모아쓰는 원칙을 가리킵니다. 이를 통해 훈민정음의 음성학적 사실을 제시하는 한편, 표기 방법에서도 얼마나 우수한지를 설명하고 있습니다.

출제 의도 글의 제목을 추리하는 문제를 자주 묻는 이유는 글의 전체적인 내용을 포괄해서 이해할 수 있는가를 확인하기 위해서입니다.

1 훈민정음은 창제 당시의 이름입니다. 한글이라는 명칭은 오늘날에 불리는 이름이므로 창제 당시부터 한글이라는 명칭을 병행하여 썼다는 내용은 적절하지 않습니다.

2 세종 대왕은 훈민정음을 창제할 때 자음의 기본자는 그 발음을 내는 데 쓰이는 발음 기관을 본떠 만들었다고 했습니다. 영국의 언어학자 제프리 샘슨이 자신의 저서에서 한글을 과학적이고 이 세상 최고의 자모(字母)라 칭송한 이유도 말소리를 내는 기관과 관련해 글자를 만든 데 있다고 볼 수 있습니다.

3 ㉡은 훈민정음의 창제 원리인 가획의 원리와 합성의 원리를 말합니다. 모음에서 재출자는 각각의 초출자와 'ㆍ'를 결합해 만들었습니다. 따라서 모음 글자에서 재출자는 초출자에 'ㆍ'를 두 개씩 더해 만들었다는 내용은 적절하지 않습니다.

오답 피하기 ① 자음에서는 소리가 거세게 날수록 기본자에 획을 더해 표기했습니다. 예를 들어 기본자 'ㄱ'에서 거센소리를 표기하기 위해 한 획을 더해 'ㅋ'으로 표기하는 방식입니다.
② 기본 글자에 획을 더한 자음 글자들은 'ㄴ, ㄷ, ㅌ'처럼 동일 계열임을 나타냅니다.
③ 모음 글자는 하늘, 땅, 사람을 본떠 각각 'ㆍ', 'ㅡ', 'ㅣ'를 기본자로 하였습니다.
④ 모음 글자에서 초출자는 'ㅡ'와 'ㅣ'에 'ㆍ'를 합해 만든 것입니다.

4 ㉢은 훈민정음이 자음이나 모음에 바탕을 둔 음운 문자이면서 음절 단위로 표기하는 음절 문자의 성격을 함께 지니고 있음을 나타냅니다. 이는 〈보기〉에서 언급한 것처럼 '달력'을 치려면 자판에서 여섯 번의 음운을 눌러야 하지만 지우려면 두 번만 눌러 음절을 삭제하면 되는 특성과 관련이 있습니다.

생각읽기 4

식물 속 물은 어떻게 이동할까

본문 84~87쪽

0 ① 1 ③ 2 ③ 3 ⑤ 4 ②

Q 식물에서 물이 이동하는 원리에는 어떤 것이 있을까요?

식물은 뿌리에서 삼투 현상이, 줄기에서 모세관 현상이, 잎에서 증산 작용 등이 이루어지면서 뿌리에서 잎으로 물이 이동합니다.

식물이 중력의 반대 방향으로, 즉 뿌리에서 잎까지 물을 끌어올리는 원리를 설명한 글입니다. 뿌리에서 물을 끌어올리는 삼투 현상, 줄기에서 물관을 타고 잎까지 물을 전달하는 모세관 현상, 잎에서 기공을 통해 물이 증발하는 증산 작용을 통해 식물에서 물이 이동하는 원리를 설명하고 있습니다.

문단으로 생각읽기

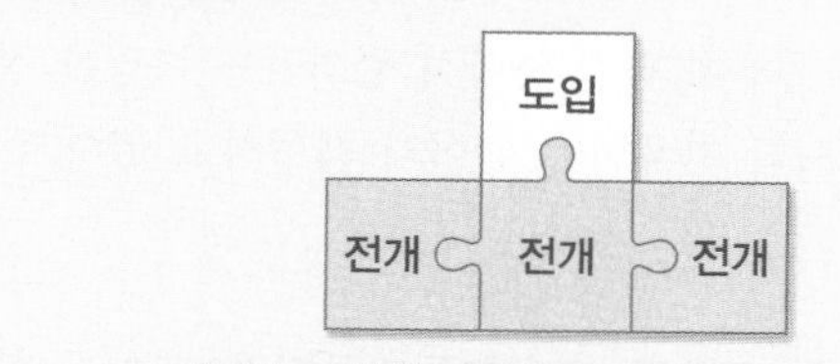

[도입 – 전개 – 전개 – 전개]의 생각 구조

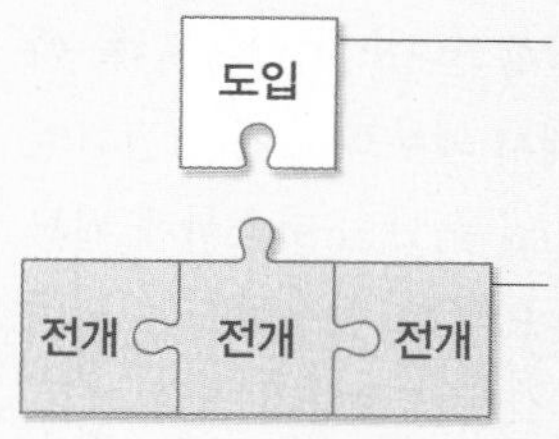

화제 소개
식물에서 물이 중력과는 반대 방향으로 이동하는 원리를 소개함. (1문단)

원리 설명
식물의 뿌리부터 잎까지 물이 이동하는 과정에서 일어나는 삼투 현상, 모세관 현상, 증산 현상에 대해 설명함. (2~4문단)

0 이 글은 식물이 줄기 끝에 달려 있는 잎에 물을 어떻게 공급하는지에 관한 원리를 제시하고 있습니다. 즉 식물에서 중력의 반대 방향으로 물을 끌어올리는 원리를 설명하고 있다는 점에서 ①의 물음에 대한 답변의 글이라 할 수 있습니다.

출제 의도 글의 전체 내용을 파악하는 문제는 글을 읽고 글 전체 내용을 포괄적으로 이해할 수 있는지 묻기 위해 출제합니다.

1 모세관 현상은 물 분자와 모세관 벽의 분자가 결합하려는 힘이 물 분자끼리 결합하려는 힘보다 더 크기 때문에 일어나므로, 관이 가늘수록 물이 올라가는 높이가 높아집니다. 따라서 모세관 현상으로 물을 끌어올리는 힘이 더 많이 생기기 위해서는 식물의 물관의 지름이 작아야 합니다.

2 (가)는 (나), (다)와 달리 잎이 없어 증산 작용이 일어나지 않습니다. 식물은 증산 작용으로 많은 양의 물을 외부로 내보냅니다. 따라서 (나)와 (다)가 더 많은 물을 흡수할 것이므로 물이 더 많이 줄어야 합니다.

오답 피하기 ① (가)에는 줄기가 담겨 있으므로, 물관을 통해 모세관 현상이 일어나게 됩니다.
② (가)는 증산 작용이 일어나지 않아 수증기가 나오지 않지만, (나)는 증산 작용이 일어나므로 비닐에 물방울이 맺히게 됩니다.
④ (가)와 달리 (나), (다)는 잎이 있기 때문에 물이 공기 중으로 증발하는 현상이 일어나며, 아래쪽의 물 분자를 끌어올리게 됩니다.
⑤ (가)와 달리 (나), (다)는 잎이 있다는 점에서 기공을 통해 공기가 식물의 내외로 출입하는 현상이 일어나게 됩니다.

3 물이 담긴 그릇에 가는 유리관(모세관)을 꽂아 보면 유리관을 따라 물이 올라가는 것을 관찰할 수 있는데, 이처럼 가는 관과 같은 통로를 따라 액체가 올라가거나 내려가는 것을 모세관 현상이라고 합니다. 모세관 현상은 물 분자와 모세관 벽의 분자가 결합하려는 힘이 물 분자끼리 결합하려는 힘보다 더 크기 때문에 일어나는데, 관이 가늘수록 물이 올라가는 높이가 높아진다고 하였습니다.

4 〈보기〉에서는 가뭄 때나 광합성을 하지 않는 저녁에는 작물에 물을 직접 주거나 많이 주면 안 되는데, 이는 뿌리가 물에 잠기면 생육이 불량해질 수 있기 때문이라고 하였습니다. 물이 뿌리를 통해 식물 내부로 이동하지 못한다는 것은 뿌리에서 삼투 현상이 일어나지 않는다는 것을 의미합니다. 따라서 〈보기〉는 뿌리에서 물 분자가 뿌리 내부로 이동하는 삼투 현상이 제대로 발생하지 못하기 때문에 일어난 현상이라 할 수 있습니다.

생각읽기 5

이누이트의 지혜가 담긴 이글루

본문 88~91쪽

0 이글루에 담긴 과학적 원리 **1** ⑤ **2** ④
3 ③ **4** ④

Q 이글루에 담긴 과학적 원리에는 어떤 것들이 있나요?

이글루를 얼음집으로 만드는 데에는 융해와 응고의 원리가, 이글루의 난방에는 복사와 기화의 원리가 담겨 있습니다.

이 글은 이누이트가 지은 집인 이글루에 담긴 과학적 원리를 설명한 글입니다. 이누이트들이 과학적 원리를 이해하고 이글루를 지은 것은 아니지만 그들이 사는 환경 속에서 터득한 삶의 지혜가 담겨 있음을 설명하고 있습니다.

■ 문단으로 생각읽기

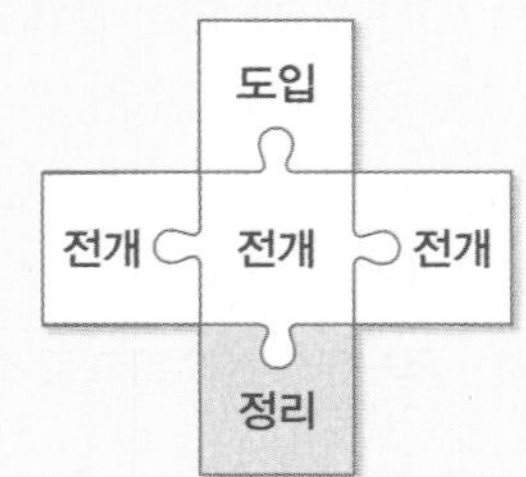

[도입 – 전개 – 전개 – 전개 – 정리]의 생각 구조

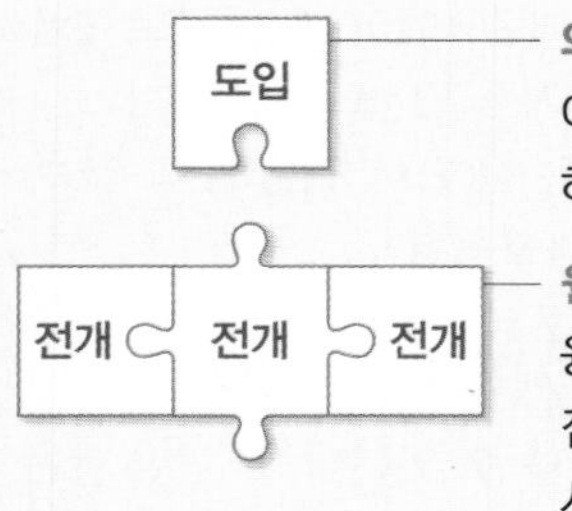

의문 제기
이글루가 어떻게 얼음집이 되고 난방을 하는지에 대해 의문을 제기함. (1문단)

원리 설명
융해와 응고의 원리를 바탕으로 얼음집이 만들어지는 원리를 설명하고, 복사와 기화의 원리를 바탕으로 이글루의 난방 원리를 설명함. (2~4문단)

정리

마무리
이글루에 담겨 있는 과학적 원리들이 이누이트가 생활 속에서 터득한 지혜임을 밝힘. (5문단)

원리로 생각읽기

독해연습 1 **1** 초고층 빌딩의 엘리베이터가 빠르게 이동할 수 있는 비결 **2** 민주주의 체제에서 사회 복지에 대한 강제성은 성립될 수 있을까?

독해연습 2 **1** 단재 신채호가 인식한 조선의 근대 민족 국가 수립의 조건은 무엇일까?
2 고체인 석탄을 액화시키는 이유

0 이 글은 눈 벽돌로 만든 이글루가 얼음집이 되고, 이글루에서 난방을 하는 것과 관련된 원리를 설명하고 있습니다. 특히 이 글의 마지막 문단에서 이누이트들이 과학적 원리를 배운 것은 아니지만 그들이 사는 환경에서 스스로 터득한 지혜를 잘 활용하고 있다고 언급하고 있습니다. 따라서 '이글루에 담긴 과학적 원리'라는 표제에 '생활 속 경험에서 우러나온 지혜가 담겨'와 같은 내용의 부제를 붙일 수 있습니다.

출제 의도 글의 표제와 부제를 파악하는 문제로 글의 전체 내용을 파악하는 한편, 중심 내용을 잘 이해하고 있는지를 묻고 있습니다.

1 이 글은 이글루가 얼음집으로 변하고 난방을 어떻게 하는지와 관련된 과학적 원리를 소개하고 있는 설명문입니다. 따라서 이 글은 이글루에 담긴 과학적 원리라는 특정한 정보를 이해하기 쉽도록 자세하게 풀어서 설명하고 있다고 할 수 있습니다.

2 3문단에서 단파는 지구의 대기를 통과하지만, 복사파인 장파는 지구의 대기에 의해 흡수되기 때문에 지구의 온도가 일정하게 유지되는 온실 효과가 발생한다고 하였습니다. 이와 동일한 원리로 이글루도 내부에서 외부로 나가는 장파인 복사파가 얼음에 의해 차단되어 이글루 안이 따뜻하게 되므로 이글루의 난방은 온실 효과를 이용해 이루어지는 것이지, 온실 효과를 차단한다고 보는 것은 적절하지 않습니다.

3 이글루 안에서 불을 피워 온도가 올라가면 눈이 녹으면서 벽의 빈틈을 메워 주고 다시 출입구를 열어 이를 얼게 만들어 얼음집이 되게 한다는 점에서 ⓒ의 역할은 '이글루 안에서 불을 피웠을 때 녹아내린 눈'이 한다고 할 수 있습니다.

4 이 글에서는 이글루의 난방 방법 중 하나로 이글루의 실내에 뜨거운 물을 뿌리는 것을 제시하고 있습니다. ㄴ은 이글루의 바깥 부분이므로 ④의 설명은 적절하지 않습니다.

오답 피하기 ① 이글루 밖의 지면보다 이글루가 단위 면적당 태양 에너지를 많이 받음으로써 ㄱ의 온도가 높은 것입니다.
② ㄱ에서 이글루 밖으로 복사파가 나가지 못하는 것은 ㄴ과 같은 얼음에 가로막혔기 때문입니다.
③ 3문단의 마지막 문장에서 이글루의 입구는 바람이 불어오는 반대 방향에 만들어 실내 온도를 유지하게 만들었다고 설명하고 있습니다.
⑤ 1문단의 마지막 문장에서 ㄴ이 뿌옇게 보이는 것은 얼음 속에 갇힌 공기에 빛이 부딪혀 산란이 일어나기 때문이라고 했습니다.

생각읽기

6 희망의 사회 윤리, '똘레랑스'

0 ②   1 ⑤   2 ②   3 ①   4 ②

Q '똘레랑스'의 근본정신은 무엇인가요?

똘레랑스의 근본정신은 인간의 완전함에 대한 부정, 즉 자기 생각만 고집하는 편협함을 버리고 서로의 차이를 받아들이는 정신입니다.

이 글은 서구 사회에서 인종, 문화, 종교, 계층의 차이로 인한 격렬한 갈등 끝에 번진 윤리 의식인 똘레랑스의 성격과 원리를 소개하고 있습니다. 똘레랑스는 자기 생각만 고집하는 편협함을 버리고, 비이성적이고 정당하지 않은 것에 대해 이성적으로 반대하며, 각각의 경험과 의견을 교환하는 토론을 통해 또 다른 자아인 타자를 받아들이는 것을 원리로 삼는 윤리 의식입니다.

■ 문단으로 생각읽기

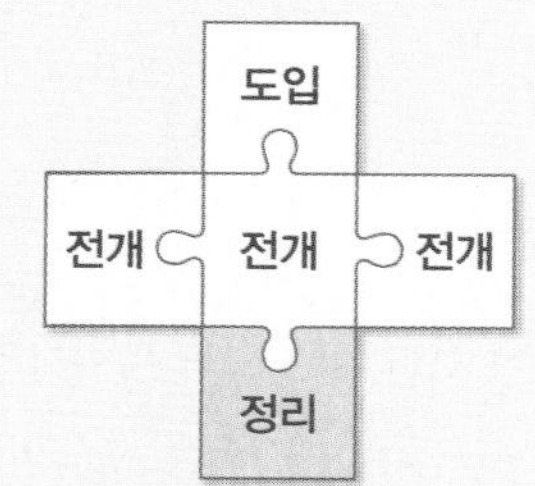

[도입 – 전개 – 전개 – 전개 – 정리]의 생각 구조

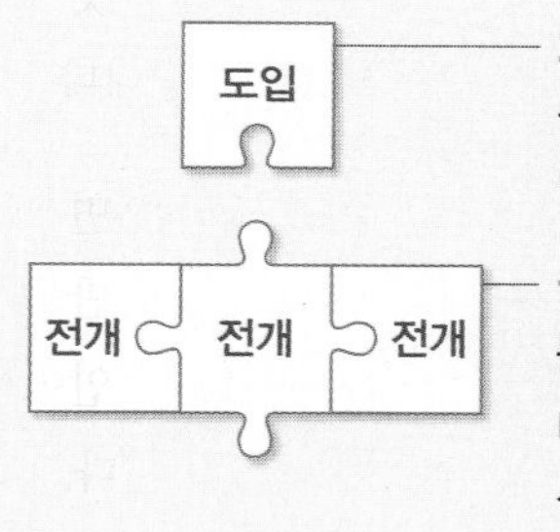

화제 소개
똘레랑스의 개념과 역사적 배경을 설명함. (1문단)

원리 설명
똘레랑스의 원리로 인간의 완전함에 대한 부정(자기중심주의의 포기), 비이성적이고 정당하지 않은 것에 대한 이성적 반대, 토론의 필요성을 제시함. (2~4문단)

정리

마무리
똘레랑스가 억압적인 앵똘레랑스가 주도하는 사회에 희망이 될 것임을 제시하며 마무리함. (5문단)

0 이 글은 똘레랑스의 원리를 세 가지로 나누어 소개하고 있습니다. 인간의 완전함에 대한 부정, 비이성적이고 정당하지 않은 것에 대한 이성적 반대, 토론의 원칙 등 똘레랑스의 원리 등을 설명하고, 이러한 똘레랑스가 힘의 논리, 차별, 억압이 주를 이루는 사회에서 희망이 빛이 될 것이라며 그 의의를 제시하고 있습니다.

출제 의도 글의 핵심 화제를 묻는 문제로 글쓴이가 전달하고자 하는 핵심 내용을 파악하고 있는가를 묻고 있습니다.

1 이 글은 똘레랑스의 기본 이념과 원칙 등을 다양한 설명 방식을 활용해 제시하고 있습니다. 똘레랑스와 관련된 역사적 배경을 소개하면서(②) 구체적 수치를 활용하거나(①) 똘레랑스의 뜻과 어원을 밝혀 설명하고(③), 똘레랑스의 원칙 등을 나열하는(④) 방식을 보여 주고 있습니다. 그러나 기존의 통념을 언급하고 반박하면서 자신의 주장을 펼치는 내용은 제시되지 않았습니다.

2 <보기>에서 각 노조들이 파업을 결의하고 비노조원까지 합세하는 일은 비노조원들도 노조의 파업에 동조하는 모습으로, 노조의 파업이 전개되는 하나의 양상을 나타냅니다. 이는 공동의 목표에 동의한 결과로, 단순히 '차이'만을 존중한 결과와는 아무런 연관이 없습니다.

오답 피하기 ① 똘레랑스의 관점에서 파업을 이해한다면 열린 마음으로 서로의 입장에 대해 대화하려는 태도를 가져야 한다는 의견을 제시할 수 있습니다.
③ 노조원들의 과격 시위를 똘레랑스로 본다면 모든 폭력적인 행위마저 차이의 표현으로 인정할 위험에 빠질 수도 있게 됩니다.
④ 파업을 하는 노동자들을 폭도라고 부르며 비난을 하는 사람들은 파업에 대해 그 행동이나 신념을 받아들이지 않는 비이성적이고 정당하지 않은 반대이므로, 일반적 의미의 앵똘레랑스의 태도를 가진 것으로 볼 수 있습니다.
⑤ 파리 시민들이 노동자의 파업권을 제한하는 일에 반대하고 자신들의 불편함을 감수하는 일은 똘레랑스의 태도에 가까운 것으로, 자기라는 중심을 버리고 또 다른 자아인 타자를 받아들이는 행위라 할 수 있습니다.

3 똘레랑스가 모든 차이와 다양성을 조건 없이 받아들이는 것은 아닌데, 필리프 사시에에 따르면 똘레랑스가 정착하려면 차이의 질서뿐만 아니라 다른 것들의 평화적인 공존을 전제하는 유사성의 질서도 있어야 한다고 보았습니다. 이는 똘레랑스를 실현하는 데에도 평화적인 공존을 위해 보편적이고 이성적인 기준이 있어야 한다는 점을 나타냅니다.

4 똘레랑스의 원리 중 하나인 토론은 아무리 뛰어나고 비판적

인 천재라 할지라도 자신의 이성과 경험만으로 오류를 바로 잡을 수는 없다는 데서 필요한 원리입니다. 즉 인간의 경험이란 한계가 있고 경험을 해석하는 방식 또한 제각각이므로 경험과 의견을 교환하는 토론이 반드시 필요하다고 보았습니다. 그리고 타인과의 이성적인 토론은 내 견해의 부족한 점을 보충해 주고 상대방의 의견도 보완해 준다고 하였습니다. 따라서 ㉡은 경험을 교환하여 서로의 생각을 보완하는 데 필요하다고 할 수 있습니다.

생각의 구조화 MIND MAP

생각읽기1 ㉢	생각읽기2 ㉠	생각읽기3 ㉣
생각읽기4 ㉡	생각읽기5 ㉢	생각읽기6 ㉢
1 자격루	2 통일성	3 제자 원리
4 삼투	5 이글루	6 똘레랑스

생각읽기 1 토마스 쿤의 패러다임 이야기

본문 102~105쪽

0 ⓐ 사고 ⓑ 토마스 쿤 ⓒ 정상 과학 1 ③
2 ⑤ 3 ③ 4 ④

Q 라부아지에가 기존의 연소 이론에 의문을 갖게 된 이유는 무엇인가요?
금속이 녹슬 때 질량이 변화하였기 때문입니다.

이 글은 토마스 쿤이 제시한 패러다임의 개념과 속성을 연소 이론의 사례로 설명하고 있습니다. 플로지스톤이라는 개념의 기존 패러다임이 라부아지에의 이론 즉, 새로운 패러다임으로 대체되는 과정을 토대로 패러다임의 특성을 설명하고 있습니다.

■ **문단으로 생각읽기**

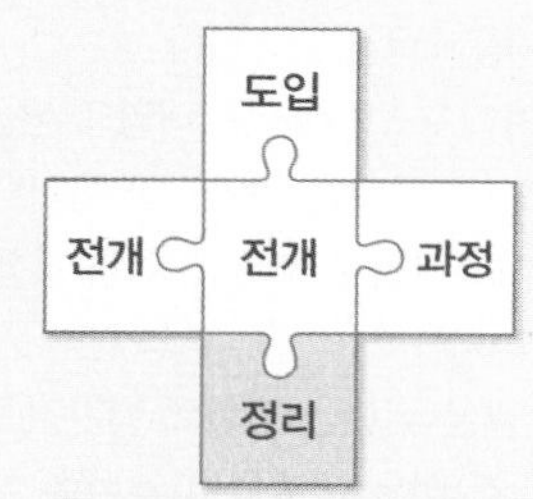

[도입 – 전개 – 전개 – 과정 – 정리]의 생각 구조

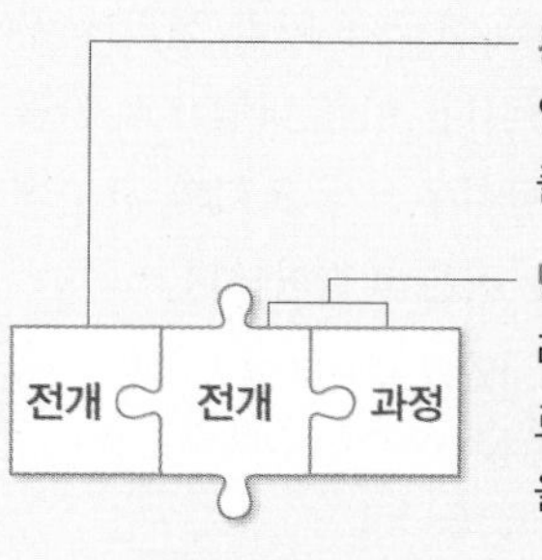

화제 소개
패러다임의 개념과 토마스 쿤의 패러다임 이론을 소개함. (1문단)

통념 제시
연소 현상에 대한 기존의 패러다임인 플로지스톤 이론을 제시함. (2문단)

반박 과정
라부아지에의 연소 이론을 제시함으로써 패러다임이 새롭게 바뀌는 과정을 설명함. (3, 4문단)

내용 정리
쿤이 제시한 패러다임 이론과 과학 혁명 가설을 정리함. (5문단)

원리로 생각읽기

독해연습 1 **1** 에우다이모니아(행복) **2** 행복은 물질적인 것을 통해 느끼는 안락이나 단순한 쾌감과 동일하다.

독해연습 2 **1** 사람들은 이성적인 사고로 자신의 마음을 쉽게 다스릴 수 있다. **2** 무의식이 우리의 마음을 지배한다.

0 패러다임은 토마스 쿤(ⓑ)이 제시한 개념으로, 한 시대 사람들의 사고(ⓐ)를 지배하고 있는 이론적 틀을 의미합니다. 토마스 쿤은 패러다임을 정상 과학(ⓒ)과 변칙 사례의 관계를 바탕으로 설명하였습니다.

출제 의도 중심 화제의 개념을 이해하고 있는지 확인하는 문제입니다. 패러다임이 무엇인지 알면 패러다임이 어떻게 생성, 변화, 소멸되는지 이해할 수 있습니다.

1 토마스 쿤에 따르면, 정상 과학이 변칙 사례를 설명해 내지 못하고 변칙 사례가 미해결 상태로 남으면 새로운 패러다임으로의 급격한 대체 과정, 즉 과학 혁명이 일어난다고 보았습니다.

오답 피하기 ① 정상 과학이 변칙 사례를 설명해 내기도 하는데, 이 경우에는 패러다임의 변화가 일어나지 않습니다.
② 쿤은 옛 패러다임과 새로운 패러다임 중 어떤 패러다임이 더 우월한지는 판단할 수 없다고 하였습니다.
④ 쿤은 기존의 패러다임 밖에서 이루어지는 현상, 즉 기존의 패러다임에서는 예상하지 못했던 현상을 변칙 사례라고 하였습니다.
⑤ 정상 과학이 변칙 사례를 설명할 수 없으면 새로운 패러다임으로의 대체가 일어난다고 했습니다.

2 라부아지에는 플로지스톤이라는 개념으로 연소 현상을 이해하는 것은 문제가 있다고 보았는데, 그의 이러한 주장은 기존의 패러다임 안에서는 설명할 수 없는 변칙 사례에 해당합니다. 이로 인해 플로지스톤으로 연소 현상을 이해하려는 패러다임은 사라지고 라부아지에의 실험 결과를 바탕으로 연소를 산소와의 결합으로 이해하는 새로운 패러다임이 자리 잡게 되었으므로 ⑤는 적절하지 않습니다.

3 ㉠, ㉡, ㉣은 플로지스톤이라는 개념으로 연소 현상을 이해한 옛 패러다임에 해당하고, ㉢, ㉤은 연소를 산소와의 결합으로 이해하는 새로운 패러다임에 해당합니다.

4 〈보기〉의 '어떤 사람들'은 기존의 과학 이론이 옳지 않다는 것을 보여 주는 변칙 사례가 있음에도 기존의 패러다임을 포기하지 않는 것은 비합리적이라고 생각합니다. 여기서 말하는 정상 과학이 설명하지 못하는 변칙 사례란 기존 이론에 오류가 있다는 증거이므로, '어떤 사람들'의 논리대로라면 문제가 있는 기존의 패러다임보다 이 문제를 해결한 새로운 패러다임이 더 우월하다고 판단할 수 있습니다. 이를 바탕으로 할 때, 〈보기〉의 '어떤 사람들'은 (마)의 '새로운 패러다임을 옛것과 비교하여 어떤 패러다임이 더 우월한 것인지 평가할' 수 없다는 입장을 비판할 수 있습니다.

생각읽기 2 1582년, 그레고리력의 등장

0 ③	1 ③	2 ②	3 ⑤	4 ③

Q 그레고리력이 오늘날까지 널리 사용될 수 있었던 이유는 무엇인가요?

그레고리력은 절기에 잘 들어맞는 특성이 있어 일상생활의 감각과 잘 맞기 때문입니다.

이 글에서는 그레고리력이 만들어지게 된 과정과 그레고리력의 특징을 율리우스력과 대비하여 설명하고 있습니다. 그레고리력의 제정은 제정 당시로서는 역법 개혁에 해당하는 것으로서 절기에 더 잘 들어맞는 역법을 만들기 위한 노력의 결과로 볼 수 있습니다.

■ **문단으로 생각읽기**

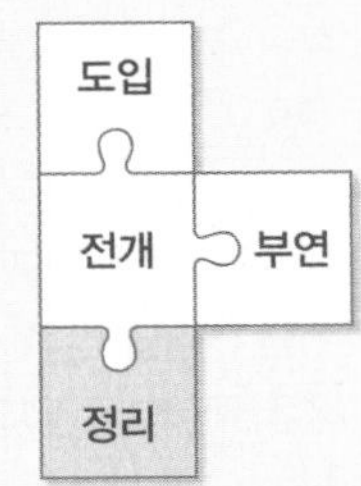

[도입 – 전개 – 부연 – 정리]의 생각 구조

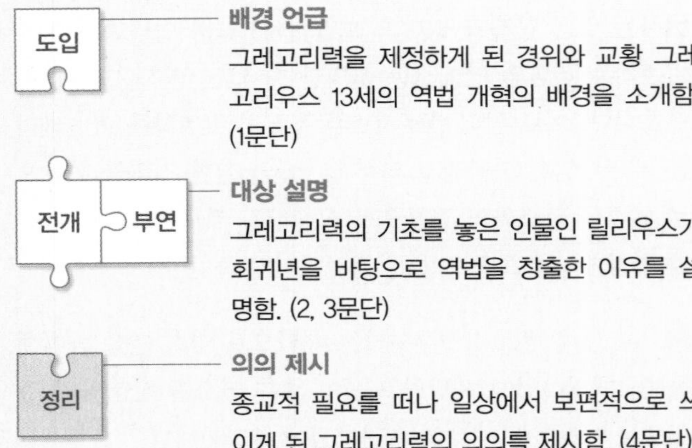

0 1문단을 통해 율리우스력은 '태양력'의 일종임을 알 수 있습니다. 또한 2문단을 통해서 릴리우스가 '율리우스력처럼 눈에 보이는 태양의 운동만을 근거로 1년의 길이를 정할 것을 제안'했다는 것을 알 수 있습니다. 따라서 율리우스력과 그레고리력은 모두 태양의 운동을 근거로 만들어졌음을 짐작할 수 있으므로 서양의 태양력이 보름달의 주기를 고려해서 만들어졌다는 반응은 적절하지 않습니다.

출제 의도 반응의 적절성을 묻는 문제입니다. 반응을 확인하는 문제는 구체적인 상황에 적용하거나 글의 내용을 추론하는 문제의 변형으로 볼 수 있습니다.

오답 피하기 ① 교회의 전통적 규정에 따르면 춘분을 지나서 첫 보름달이 뜬 후 첫 번째 일요일을 부활절로 정했으며, 음력도 보름달이 돌아오는 주기를 기준으로 삼았습니다.
② 그레고리력과 율리우스력에서는 태양의 운동을 근거로 1년의 길이를 정하고자 했으며, 음력은 보름달이 돌아오는 주기를 기준으로 삼았으므로 동서양의 역법은 모두 천체의 운행을 고려하여 만들어졌음을 알 수 있습니다.
④ 그레고리력의 1년은 회귀년 길이의 평균값(365일 5시간 49분 16초)을 채택한 것인데, 이는 보름달의 주기를 기준으로 삼은 음력의 열두 달(354일)과는 일치하지 않습니다.
⑤ 윤달이 첨가된 태음태양력의 윤년은 1년이 354일인 평년에 한 달을 추가한 것입니다. 따라서 29일이나 30일을 더하면 383일이나 384일이 되므로, 율리우스력의 윤년인 366일보다 깁니다.

1 3문단에 따르면 릴리우스는 교회의 요구에 따라 절기에 부합하는 역법을 창출하고자 하였습니다. 이를 바탕으로 만들어진 역법이 그레고리력이므로 릴리우스가 교회의 요구에 맞추어 역법 개혁안을 마련했다는 것은 적절합니다.

오답 피하기 ① 교황청은 1582년 10월 4일의 다음날이 1582년 10월 15일이 되게 하는 과감한 조치를 단행하여 한 번에 율리우스력과 그레고리력 사이의 10일의 오차를 수정하였습니다.
② 부활절을 정확하게 지키기 위해 교황 그레고리우스 13세가 역법 개혁을 명령함으로써 그레고리력이 제정되기에 이르렀습니다. 이 과정에서 릴리우스는 춘분 때의 지구 위치가 공전 궤도상에서 매년 조금씩 달라지는 현상의 원인과 관련된 논쟁을 접어 두었고, 정확한 천문 데이터를 바탕으로 회귀년 길이의 평균값을 채택하자고 하였습니다. 이로 인해 그레고리력은 과학적 논쟁에 휘말리지 않게 되었습니다.
④ 릴리우스는 춘분 때의 지구 위치가 공전 궤도상에서 매년 조금씩 달라지는 현상의 원인과 관련된 논쟁은 접어 두었다고 했습니다.
⑤ 그레고리력은 코페르니쿠스의 지동설이 무시당하고 여전히 천동설이 지배적이었던 시절에 제정되었습니다.

2 ㉠은 ㉡보다 후대에 제정된 것으로, 릴리우스가 정확한 천문 데이터를 바탕으로 회귀년 길이의 평균값을 채택하여 이

를 토대로 만들었습니다.

오답 피하기 ① ㉠에서는 4의 배수인 해가 윤년이 되는 방식을 받아들이되, 100의 배수인 해는 평년이고 400의 배수인 해는 다시 윤년이 된다고 하였습니다. 따라서 100의 배수이지만 400의 배수는 아닌 1700년은 평년이 됩니다. 반면에 ㉡에서는 4년마다 윤년이 돌아오기에 1700년은 윤년이 됩니다.
③ ㉠에서는 4의 배수인 해가 윤년이 되지만 100의 배수인 해는 평년이 되므로, 4의 배수인 해는 모두 윤년이 되는 ㉡보다 윤년이 자주 돌아온다고 말할 수 없습니다.
④ ㉠이 ㉡보다 절기에 더 잘 들어맞는다고 하였습니다.
⑤ ㉠이 ㉡보다 나중에 제정되었지만 더 보편적으로 쓰입니다.

3 [A]를 보면 태양은 고정되어 있고, 지구는 태양과 항성 사이에서 공전하고 있음을 알 수 있습니다. 〈보기〉에서 식당의 중심은 고정되어 있고, 철수는 식당의 중심과 창밖의 폭포 사이에 있으며 전망대를 돌고 있습니다. 따라서 식당의 중심은 태양에 대응하고, 그 중심을 기준으로 도는 '철수(㉮)'는 '지구'에 대응합니다. 한편, [A]에서 춘분과 다음 춘분 사이의 시간 간격인 회귀년이 항성년보다 짧다고 했으므로, 짧은 시간이 회귀년에, 상대적으로 긴 시간이 항성년에 해당함을 알 수 있습니다. 따라서 〈보기〉에서 철수가 폭포에 가장 가까운 창가 위치에서 출발해 다시 폭포에 가장 가까운 창가 위치로 돌아오는 데 걸린 시간 중 짧은 시간인 '57초(㉯)'는 '회귀년'에 대응하고, 긴 시간인 '60초(㉰)'는 '항성년'에 대응합니다.

4 ⓐ는 지위나 신분 또는 자격을 나타내는 조사로 사용되었습니다. '그가 동창회의 차기 회장으로 뽑혔다.'라는 문장에 사용된 '으로' 역시 이와 유사한 의미로 볼 수 있습니다.

오답 피하기 ① '플라스틱으로'의 '으로'는 '어떤 물건의 재료나 원료'를 나타냅니다.
② '토론으로'의 '으로'는 '어떤 일의 방법이나 방식'을 나타냅니다.
④ '현장으로'의 '으로'는 '움직임의 방향'을 나타냅니다.
⑤ '독감으로'의 '으로'는 '원인이나 이유'를 나타냅니다.

생각읽기 3 음원 수익 배분 방식의 변화

0 ⑤ **1** ① **2** ④ **3** ② **4** ②

Q 비례 배분 방식이 음원 사재기 유혹의 원인이 되는 이유는 무엇인가요?

비례 배분 방식에 따르면 차트 상위권에 오를수록 막대한 수익을 얻을 수 있는 방식이기 때문입니다.

이 글에서는 비례 배분 방식으로 음원 수익을 나누는 현재의 음원 수익 배분 방식이 갖는 문제점을 제시한 후, 이에 대한 대안으로 이용자 중심 배분 방식을 제시하고, 이용자 중심 배분 방식의 도입을 촉구하고 있습니다.

■ **문단으로 생각읽기**

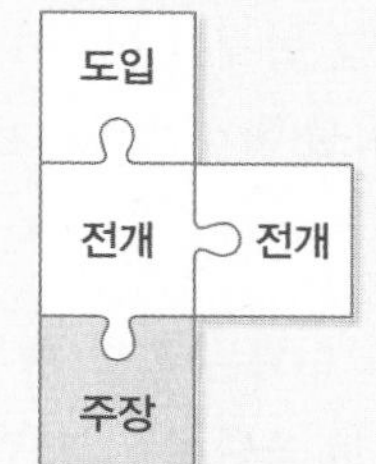

[도입 – 전개 – 전개 – 주장]의 생각 구조

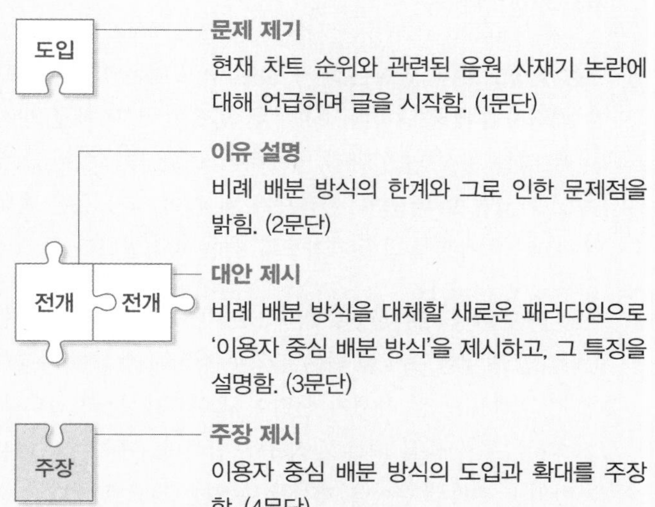

0 이용자 중심으로 음원 수익을 배분하면 음악에 순위를 매기는 차트가 사라지고, 이용자가 낸 돈이 음악가에게 직접 지불되므로, 상위권에 올라야만 수익을 얻을 수 있었던 부익부 빈익빈 현상이 일부 해소될 수 있습니다. 따라서 현재 문제가 되는 음원 사재기 문제가 해결될 것입니다. 이를 바탕으로 할 때 빈칸에 들어갈 내용을 차례대로 정리하면 '음악, 차트, 이용자, 사재기'입니다. ⑤의 '스트리밍'은 빈칸에 들어갈 내용에 해당하지 않습니다.

출제 의도 글의 중심 화제인 '이용자 중심 배분 방식'의 특징을 묻는 문제입니다. 이용자 중심 배분 방식의 특징을 글에서 찾아보고 이를 바탕으로 빈칸에 들어갈 내용을 정리하도록 합니다.

1 비례 배분 방식과 이용자 중심 배분 방식의 차이점을 바탕으로 음원 수익 배분 방식이 이용자 중심 배분 방식으로 전환되어야 하는 이유를 밝히고 새로운 방식의 도입을 강조하고 있습니다.

2 1문단을 보면 차트 순위는 음원 판매 수익에 큰 영향을 끼칩니다. 그래서 현행 음원 수익 배분 방식으로는 차트 상위권에 진입하기 위해 음원 사재기 등의 부정한 방법이 횡행하는 것입니다.

3 이용자 중심 배분 방식은 ⓐ의 '음원 수익 배분 방식의 새로운 패러다임'에 해당하며, ⓑ의 '현행 음원 수익 배분 방식(비례 배분 방식)의 한계를 극복하기 위한 대안'이라고 할 수 있습니다. 또한 ⓔ의 '이용자가 낸 돈이 각자 들은 음악의 아티스트에게 직접 돌아가도록' 하는 방식입니다.

4 현행 비례 배분 방식을 따르면 음원 차트 상위권에 진입한 음악가만 막대한 수익을 얻는 부익부 빈익빈 현상이 나타납니다. 그래서 음원 사재기 논란이 끊이지 않는 것입니다. 그러나 이용자 중심 배분 방식을 도입하면 음원 수익 배분의 빈익빈 부익부 현상을 개선할 수 있을 것으로 기대할 수 있으므로 빈칸에는 ②의 내용이 들어가는 것이 적절합니다.

생각읽기 4 소유의 시대에서 공유의 시대로

0 ③ **1** ④ **2** ④ **3** ④ **4** ⑤

Q 경제 위기를 거치면서 사람들의 소비 패러다임은 어떻게 바뀌었나요?

경제 위기를 거치면서 사람들의 소비 패러다임은 소유가 아니라 사용이라는 패러다임으로 변화되었습니다.

이 글은 세계적인 금융 위기를 거치며 소비 패러다임이 '소유'에서 '사용'으로 전환된 상황을 설명하고 있습니다. 공유 경제는 적은 비용으로 원하는 물건이나 가치를 사용할 수 있다는 측면에서 경제적이고 효율적입니다. 그러나 글쓴이는 피할 수 없는 세계 경제의 주요 흐름인 공유 경제가 착하기만 한 시스템은 아니며 보완과 변화가 필요한 패러다임이라는 점 또한 지적하고 있습니다.

■ 문단으로 생각읽기

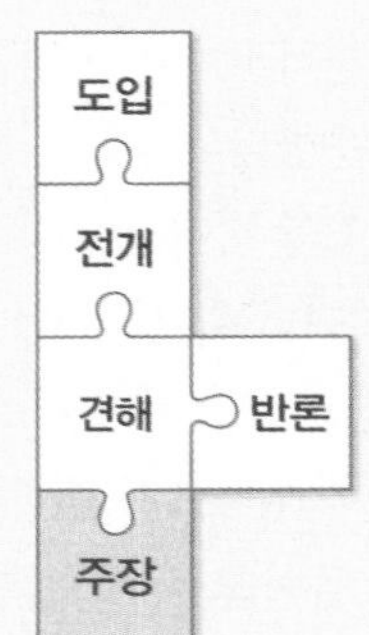

[도입 – 전개 – 견해 – 반론 – 주장]의 생각 구조

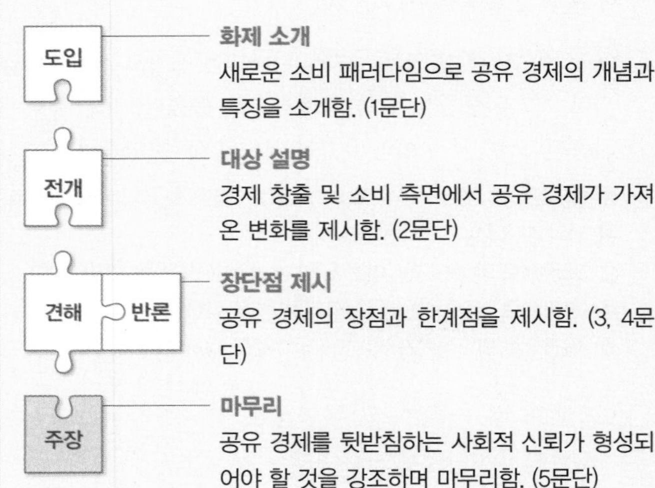

화제 소개
새로운 소비 패러다임으로 공유 경제의 개념과 특징을 소개함. (1문단)

대상 설명
경제 창출 및 소비 측면에서 공유 경제가 가져온 변화를 제시함. (2문단)

장단점 제시
공유 경제의 장점과 한계점을 제시함. (3, 4문단)

마무리
공유 경제를 뒷받침하는 사회적 신뢰가 형성되어야 할 것을 강조하며 마무리함. (5문단)

0 경제 위기 속에서 패러다임의 변화를 겪기는 했지만 '경제 위기(③)' 자체가 공유 경제의 특성을 드러내는 요소는 아닙니다. 공유 경제(①)는 새로운 소비 패러다임(④)으로, 개인이 일상생활 사업가(⑤)가 되어 유휴 자원(②)을 이용해 수익을 창출하는 패러다임입니다.

출제 의도 글의 주제를 고려해 이와 관련된 핵심어를 파악하는 문제입니다. 글에서 중점적으로 다루고 있는 대상이 무엇인지, 이를 표현한 말들이 무엇인지 찾아보아야 합니다.

1 (다)에 따르면, 공유 경제의 핵심은 선의로 필요한 것을 나누는 데에 있음을 알 수 있습니다. 그런데 (라)에서 알 수 있듯이, 사람들은 공유를 통해 잉여 시간까지 노동에 사로잡혀 경쟁하게 될 수 있으며 이러한 상황은 공동체의 유대를 저해하는 결과를 초래할 수도 있다고 했습니다. 그러므로 ④는 이 글의 내용과 일치하지 않습니다.

2 공유 경제란 생산된 제품을 여럿이 공유해 쓰는 협업 소비를 의미하는데, 누군가와 같이 일한다고 해서 그것을 공유 경제라고 할 수는 없습니다. 이러한 맥락에서 볼 때 ④는 공유 경제의 사례로 적절하지 않습니다.

3 (가)는 공유 경제의 개념과 그 탄생 배경, 공유 경제의 기본적인 속성 등 공유 경제에 대한 일반적인 내용이 드러난 문단입니다. 그러나 공유 경제가 우리나라의 금융 위기 극복에 끼친 영향에 관한 내용은 나와 있지 않습니다.

오답 피하기 ① 공유 경제란 한 번 생산된 제품을 여럿이 공유해 쓰는 협업 소비를 기본으로 한 경제를 의미합니다.
② 공유 경제는 2008년 미국의 금융 위기 때 이를 극복하기 위한 방안으로 등장하였습니다.
③ 공유 경제는 경제 가치의 생산과 소비 활동 측면에서 패러다임의 변화를 만들었습니다.
⑤ 사람들은 경제적으로 힘든 시기를 거치며 원하는 물건을 모두 살 수 없게 되자 소비는 소유가 아니라 사용이라는 패러다임의 변화를 겪게 되었고, 이러한 변화가 공유 경제의 탄생으로 이어졌습니다.

4 〈보기〉는 전 세계적으로 전염병이 발발하자 공유에 대한 거부감이 확산되면서 공유 경제의 상징이었던 업체들이 어려움을 겪게 되었음을 보여 주고 있습니다. 이는 공유 경제가 시대적 변화 속에서 새로운 패러다임으로 자리 잡은 것처럼 또 다른 시대적 변화 속에서는 새롭게 등장할 다른 패러다임에 자리를 내줄 수도 있음을 보여 주는 것입니다.

생각읽기 5

조선 시대 실학의 탄생

0 ③	1 ②	2 ④	3 ⑤	4 ④

Q '실학'의 개념에 대한 잠정적 결론은 무엇인가요?

실학을 조선 왕조의 건국 이념인 성리학이 18세기 변화된 현실에 직면하여 나타나기 시작한 새로운 지식 패러다임이라고 보는 것입니다.

이 글은 조선 시대의 지식 패러다임이 성리학에서 실학으로 이행되는 과정을 설명하고 있습니다. 성리학에서 실학으로 시대 이념이 바뀌게 된 배경을 소개하고, 개혁과 개방을 요구하는 시대 요청에 부응한 학문인 실학의 특징을 구체적으로 제시했습니다.

■ **문단으로 생각읽기**

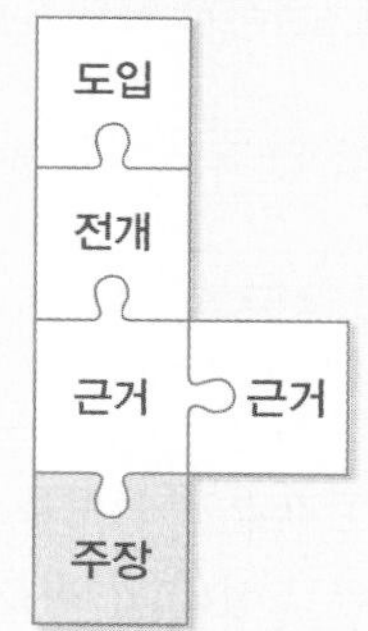

[도입 – 전개 – 근거 – 근거 – 주장]의 생각 구조

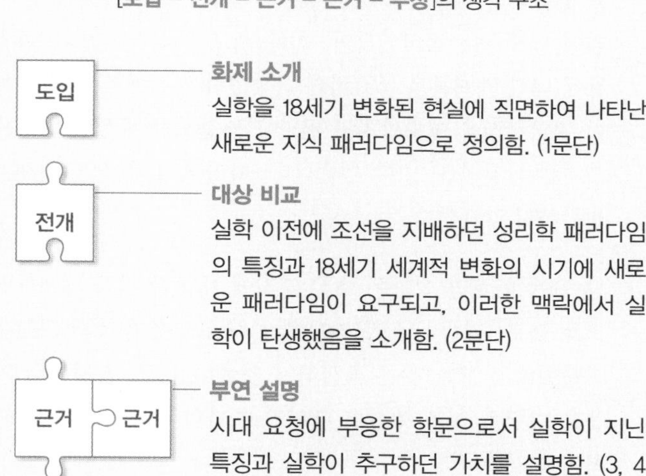

본문 120~123쪽

0 서양의 문화를 받아들여야 한다는 것은 실학자들의 주장에 해당합니다. 나머지는 성리학적 패러다임에 따라 세상을 이해한 내용으로 적절한 것입니다.

출제 의도 핵심 정보를 비교하여 파악할 수 있는지를 확인하는 문제입니다. 어떤 패러다임의 시각에서 세상을 바라보느냐에 따라 세상의 모습은 아주 많이 달라집니다. 성리학과 실학의 패러다임의 차이를 살펴서 성격이 다른 하나를 고를 수 있어야 합니다.

1 이 글은 성리학과 실학의 차이점을 중심으로 내용을 전개하고 있으므로, 공통점을 중점적으로 설명하고 있다는 ②의 진술은 적절하지 않습니다.

오답 피하기 ① 1문단에서 실학이라는 용어를 둘러싼 논란을 소개하고 있습니다.
③ 2문단에서 실학이 태동했던 당시 국외의 세계적 상황을 제시하고 있습니다.
④ 2문단에서 실학 이전의 패러다임으로서의 성리학 패러다임을 설명하고 있습니다.
⑤ 실학이 다른 시기의 학문과 구별되는 특징은 마지막 문단에 나타나 있습니다.

2 〈보기〉는 신분과 관계없이 인재를 등용하고, 실학이 꿈꾸던 세상을 지지했던 조선의 왕 정조에 관한 이야기를 다루고 있습니다. 4문단에 따를 때, 실학이 조선 사회의 신분 차별에 대해 비판적이었으며, 신분 제도나 관리 선발과 임용 등에 대한 개혁론을 중요하게 다루었다는 점에서, 실학자들이 지역감정을 어루만지고 천한 사람들도 거두었던 정조를 지지했을 것임을 알 수 있습니다. 따라서 ④와 같은 이해는 적절하지 않습니다.

3 1문단에 따르면 실학은 조선 후기에 태동한 지식 패러다임으로 볼 수 있습니다. 그러므로 ⑤처럼 조선 왕조의 기틀을 마련했다고 보는 것은 적절하지 않습니다. 조선 왕조의 기틀을 마련한 것은 조선이 세워진 초기의 건국 이념인 성리학이 해당합니다.

4 '탈피'는 '일정한 상태나 처지에서 완전히 벗어남.'이라는 뜻으로, 문맥을 고려할 때 ④에는 '관계하고 있던 조직이나 단체 따위에서 관계를 끊고 물러남.'이라는 뜻의 '탈퇴'를 쓰는 것이 적절합니다.

생각읽기 6 르네상스를 이끈 메디치 가문

0 ⑤	1 ②	2 ⑤	3 ④	4 ④

Q 메디치 가문은 어떤 방법으로 예술가와 학자들이 예술적·학문적 성과를 낼 수 있도록 도왔나요?

메디치 가문은 예술가와 학자들의 공동 작업을 후원하는 등 인문학적·예술적 후원을 통해 그들이 성과를 낼 수 있도록 도왔습니다.

메디치 가문은 중세가 끝나고 새로운 시대가 열리는 변화의 상황을 포착하고, 피렌체에서 새로운 패러다임이 성공적으로 자리 잡는 데 크게 기여했습니다. 메디치 가문은 중세를 암흑의 시대로 규정하고 인간 존엄성을 중요시 여겨야 한다는 새로운 움직임, 즉 패러다임의 변화를 빠르게 인식해 변화를 주도했습니다. 그 결과 피렌체는 많은 예술가들을 탄생시킨 르네상스 시대의 중심 도시가 되었습니다.

■ **문단으로 생각읽기**

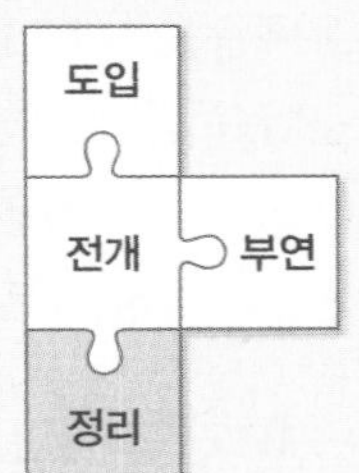

[도입 – 전개 – 부연 – 정리]의 생각 구조

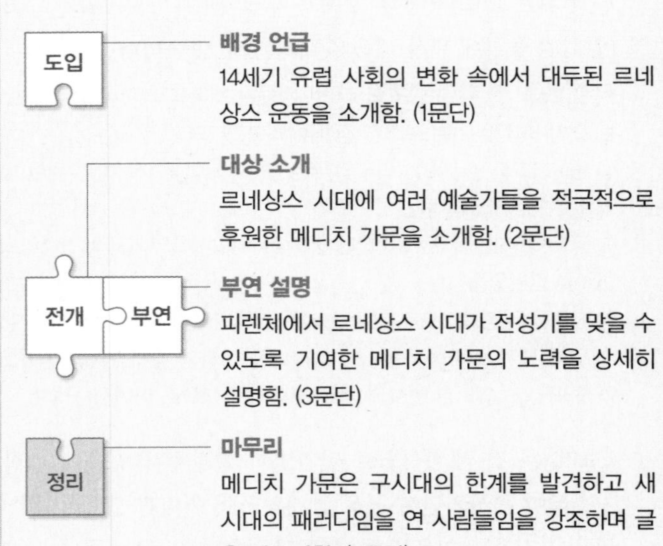

0 메디치 가문은 중세(ⓐ) 시대의 변화를 포착하고 인간(ⓑ)의 존엄성과 개성을 존중하는 패러다임(ⓒ)으로의 변화를 이끌어 갔습니다. 그 결과 피렌체(ⓓ)는 르네상스(ⓔ) 시대의 중심 도시로 자리 잡을 수 있었고, 많은 예술가들은 자신이 가진 것 이상의 역량을 맘껏 펼칠 수 있었습니다.

출제 의도 글의 화제를 활용해 문장을 완성하는 문제입니다. 핵심 화제를 정확하게 파악할 수 있어야 합니다.

1 2문단에 따르면 십자군 원정은 르네상스 시대를 여는 데 기여한 사건이므로 메디치 가문이 흥하는 데 일정 부분의 역할을 했다고 볼 수는 있습니다. 그런데 ②는 십자군 원정이 메디치 가문의 몰락에 영향을 끼쳤다고 본 자료이므로 적절하지 않습니다. 또한 이 글에서 십자군 원정이 메디치 가문에 미친 영향은 언급하지 않으므로 ②의 자료는 불필요한 자료에 해당합니다.

2 〈보기〉는 경영학 용어인 메디치 효과를 설명하고 있습니다. 이질적인 지식들이 결합해 혁신이 일어나는 현상인 메디치 효과는 여러 예술가들을 후원해 르네상스 시대를 꽃피우는 데 크게 기여한 메디치 가문의 사례에서 유래했습니다. 따라서 빈칸에 들어갈 적절한 내용은 메디치 가문이 후원한 여러 분야의 전문가들이 창조적 교류를 통해 융합해 시너지 효과를 냈음을 언급한 ⑤가 적절합니다.

3 ㉠'르네상스'는 크리스트교의 교리를 목숨처럼 지켰던 중세 사회를 암흑으로 규정하고, 크리스트교의 속박에서 벗어나 인간의 존엄성과 자유를 추구한 운동입니다. 따라서 ④는 르네상스에 대한 이해로 적절하지 않습니다.

4 ㉡'지켰다'는 '어떠한 상태나 태도 따위를 그대로 계속 유지하다.'라는 뜻으로 쓰였습니다. 문맥상 ㉡과 의미가 가장 가까운 것은 ④입니다.

오답 피하기 ① '분수를 지키며'의 '지키다'는 '규정, 약속, 법, 예의 따위를 어기지 아니하고 그대로 실행하다.'라는 의미입니다.
②, ③ '조국을 지켰다', '몫을 지키기'의 '지키다'는 모두 '재산, 이익, 안전 따위를 잃거나 침해당하지 아니하도록 보호하거나 감시하여 막다.'라는 의미입니다.
⑤ '절개를 지키기'의 '지키다'는 '지조, 절개, 정조 따위를 굽히지 아니하고 굳게 지니다.'라는 의미입니다.

생각의 구조화 MIND MAP

생각읽기1 ㉡	생각읽기2 ㉠	생각읽기3 ㉣
생각읽기4 ㉤	생각읽기5 ㉢	생각읽기6 ㉠
1 패러다임	2 그레고리력	3 이용자
4 공유 경제	5 실학	6 메디치

생각읽기 1 꿀벌은 어떻게 의사소통을 할까

본문 132~135쪽

0 ⑤	1 ④	2 ④	3 ②	4 ③

Q 탐색벌은 동료 꿀벌들에게 어떤 방법을 사용하여 꿀의 위치를 알려 주나요?

춤을 추는 속도와 방향으로 꿀의 위치를 알려 줍니다.

이 글은 인간 이외의 다른 동물들의 의사소통 체계에 대해 살펴보고 있습니다. 특히 꿀벌의 언어를 중심으로 춤으로 표현된 꿀벌 언어의 특징과 정보 전달 체계를 설명하고, 인간 언어와의 차이점을 들어 동물들의 정보 전달 체계의 특징에 대해 간략하게 제시하고 있습니다.

■ **문단으로 생각읽기**

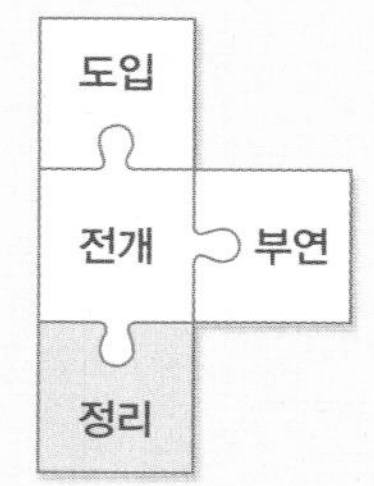

[도입 – 전개 – 부연 – 정리]의 생각 구조

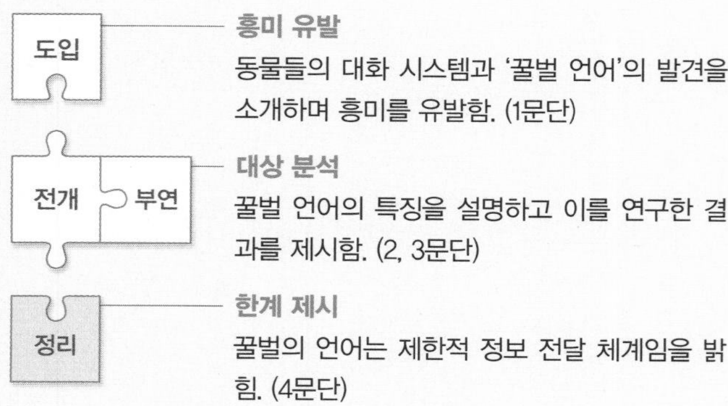

흥미 유발
동물들의 대화 시스템과 '꿀벌 언어'의 발견을 소개하며 흥미를 유발함. (1문단)

대상 분석
꿀벌 언어의 특징을 설명하고 이를 연구한 결과를 제시함. (2, 3문단)

한계 제시
꿀벌의 언어는 제한적 정보 전달 체계임을 밝힘. (4문단)

원리로 생각읽기

독해연습 1 1 시각적 요소, 음성적 요소, 언어적 요소이다.
2 전체 주어는 '런던의 새로운 지하철 노선도는', 서술어는 '구별되었다'인데, 서술어 '구별되었다'가 요구하는 '와(부사어)'가 갖추어지지 않았다.

독해연습 2 1 선택해야 한다. / 방법을 2 '발생시킬 수도 있다'는 '발생시킨다'처럼 예외 없이 모든 경우에 발생하는 것은 아니라는 의도를 나타낸다.

0 이 글은 꿀벌의 언어에 대해서 설명하면서 인간의 언어와 다르게 꿀벌 언어는 춤이라는 정보 전달 체계를 바탕으로 꿀이 있는 곳까지의 거리와 방향에 대한 제한적인 몇 가지 정보만을 전달하는 기능을 수행함을 밝히고 있습니다. 따라서 '꿀벌의 춤'과 '정보 전달 체계'를 포함한 ⑤가 제목으로 가장 적절합니다.

출제 의도 글의 제목을 추리하여 글쓴이의 의도를 정확하게 이해하고 있는지를 확인하기 위한 문제입니다.

1 〈보기〉의 실험에서 보듯이 꿀벌을 날지 않고 걷게 하거나, 꿀을 벌집보다 수직으로 높게 위치한 곳에 둔 경우에는 탐색벌이 위치를 정확하게 인식하지 못했습니다. 따라서 꿀벌의 언어로는 꿀벌이 날아서 이동한 수평적 거리에 꿀이 위치할 경우에만 정보를 정확히 전달할 수 있다는 결론을 이끌어 낼 수 있습니다. 따라서 수직적 거리를 더 정확하게 전달할 수 있다는 ④는 적절하지 않은 분석입니다.

2 이 글에서 글쓴이는 꿀벌의 춤과 인간의 언어는 차이가 있다고 말하고 있습니다. 꿀벌의 춤은 특정한 상황에서 특정 정보만을 제공할 수 있습니다. 하지만 인간의 언어는 새 단어나 문장을 무한히 만들어 다양한 정보를 전달할 수 있는데, 이는 모든 상황에 적용할 수 있는 언어의 창조성이 있음을 의미합니다.

오답 피하기 ① 꿀벌의 춤도 상대가 존재하여 서로 주고받을 수 있습니다.
② 꿀벌의 의사소통은 춤과 같은 몸짓으로 전달되지만 인간의 언어는 말과 글을 사용합니다.
③ 꿀벌의 의사소통은 꿀의 방향과 거리를 나타내는 단순한 정보 전달 체계이지만 인간의 언어는 복잡하고 다양한 정보를 전달할 수 있습니다.
⑤ 꿀벌의 춤도 비록 제한적이기는 하지만 특정 의미나 의사를 교환할 수 있는 체계를 가지고 있습니다.

3 꿀벌의 춤과 같이 새들의 다양한 노래도 제한적인 정보 전달 체계로서 단순한 기능만을 수행합니다. 즉 새들의 노래가 다양한 형태를 띠고 있어도 다양한 의미를 전달하는 것이 아니라 제한적이고 단순한 의미만을 전달할 수 있습니다.

4 B′의 80°는 춤의 가운데 선의 각도로 벌집과 태양을 잇는 선과, 벌집과 꿀의 소재지가 잇는 선이 이루고 있는 각도를 나타냅니다.

오답 피하기 ① 춤을 빠르게 출수록 거리가 가깝다는 뜻입니다.
② 꿀의 소재지가 벌집과 태양을 잇는 일직선상에 있는 것은 A입니다. 꿀의 소재지인 A의 방향이 태양을 향하는 방향에 있으므로 탐색

벌은 위로 향하게 춤을 춥니다.

④ C처럼 꿀의 소재지 방향이 태양과 정반대 쪽이면 C'와 같이 가운데 선이 수직 아래로 향하게 춤을 춥니다.

⑤ 꿀의 소재지가 D의 위치에 있다면 B보다 각도가 크므로 춤도 각도가 넓어진 형태로 추게 됩니다.

생각읽기 2 마방진 이야기

0 ③ 1 ⑤ 2 ② 3 ①

Q 중국에서는 '낙서'에 어떤 의미가 담겨 있다고 생각하였나요?

중국에서는 '낙서'가 세상의 비밀과 진리를 함축하고 있다고 믿기 시작하여 주역의 원리를 함축하거나 우주의 진리를 표상한다고 생각하였습니다.

이 글은 마방진의 개념과 기원, 그리고 응용 사례를 설명한 글입니다. 그리고 5천 년 동안 수많은 수학자들이 마방진의 비밀을 밝히려 연구했지만 여전히 명쾌한 해답을 얻지 못하고 있음을 밝히며 글을 마무리하고 있습니다.

■ **문단으로 생각읽기**

[도입 – 전개 – 부연 – 정리]의 생각 구조

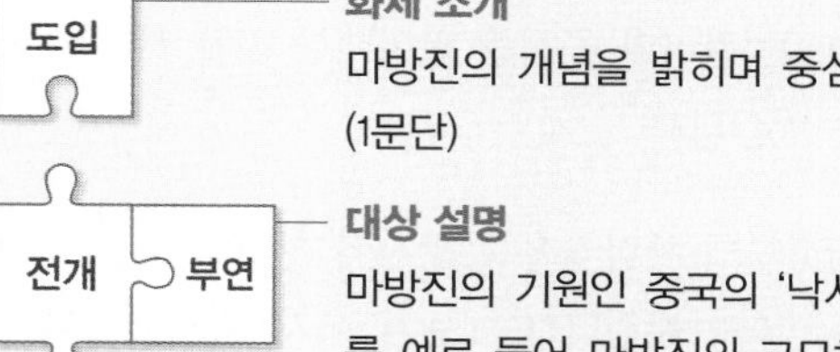

화제 소개
마방진의 개념을 밝히며 중심 화제를 소개함. (1문단)

대상 설명
마방진의 기원인 중국의 '낙서'와 뒤러의 판화를 예로 들어 마방진의 교묘하고 신비한 특성을 설명하고 마방진을 응용한 사례를 제시함. (2, 3문단)

마무리
마방진에 관한 연구가 계속 진행되고 있지만 여전히 해답을 찾지 못하고 있음을 언급하며 마무리함. (4문단)

0 1문단에서 마방진의 개념, 2문단에서 마방진의 기원에 관해 이야기하고 있으며, 3문단에서 마방진이 응용되는 다양한 사례를 제시하고 있습니다. 그리고 정사각형으로 배열한 n행 n열 마방진(3행 3열 마방진, 4행 4열 마방진)과, 가로와 세로의 줄에 서로 다른 요소들을 중복되지 않게 배치하는 '라틴 방진', 컴퓨터를 동원해 고안한 3차원 입체 마방진 등과 같은 마방진의 종류에 대해서도 언급하였습니다. 하지만 마방진의 폐해에 대한 내용은 이 글에서 언급하지 않습니다.

출제 의도 글에서 언급한 내용을 확인하는 문제는 글의 세부 내용을 정확히 이해하고 파악하고 있는지를 확인하기 위한 문제입니다.

1 1문단에서 이 글의 핵심 용어인 '마방진'의 뜻을, '방진'에 대한 정의와 '마방진'에 대한 정의를 통해 설명하여 독자의 이해를 돕고 있습니다(ㄹ). 2문단에서 중국의 '낙서'와 뒤러의 「멜랑콜리아 I」이라는 작품에 새겨진 마방진을 예로 들어 마방진이 가진 교묘하고 신비한 특성에 대해 설명하고 있습니다(ㄷ).

2 마지막 문단에 따르면 5천 년 역사 동안 수많은 수학자들이 연구했음에도 불구하고 아직까지도 마방진 전체를 아우르는 수학적인 해답을 얻지 못하고 있다고 했으므로 마방진 전체를 아우르는 원리와 공식을 밝혀내는 것을 현대 수학의 과제로 볼 수 있습니다.

3 이 글에서 예로부터 사람들은 마방진이 신비한 힘을 가졌다고 여겼음을 이야기했습니다. 〈보기〉에서 뒤러는 4행 4열 마방진이 활력의 상징인 주피터와 연결된다고 믿고, 사색에 열중한 나머지 우울한 기질이 생긴 예술가나 수학자의 머리를 쉬게 하기 위해 주피터의 도움이 필요하다고 생각하여 그림에 4행 4열 마방진을 그려 넣었다고 하였습니다. 이를 통해 뒤러가 마방진이 교묘하고 신비한 힘을 가졌다고 믿고 있었으며, 이러한 믿음이 그림에 반영되었다고 볼 수 있습니다.

생각읽기 3 만리장성은 무너지지 않는다

0 ④ **1** ② **2** ② **3** ②

Q 만리장성의 벽돌에 붙은 접착 물질은 무엇으로 만들어졌나요?
찹쌀 죽과 모르타르를 혼합한 고강도의 찹쌀 모르타르로 만들어졌습니다.

이 글은 만리장성의 규모와 언제, 누가, 왜 만들었는지에 대해 언급하며, 오늘날까지 무너지지 않고 천 년이 넘는 시간 동안 유지될 수 있었던 비밀이 찹쌀 모르타르에 있음을 설명하고 있습니다.

■ **문단으로 생각읽기**

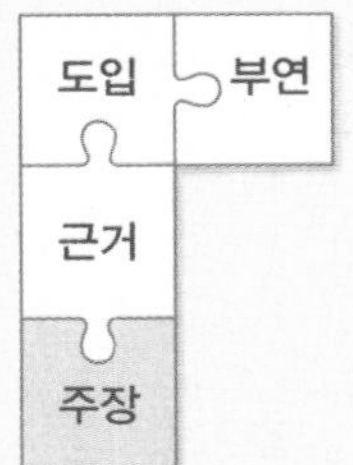

[**도입 – 부연 – 근거 – 주장**]의 생각 구조

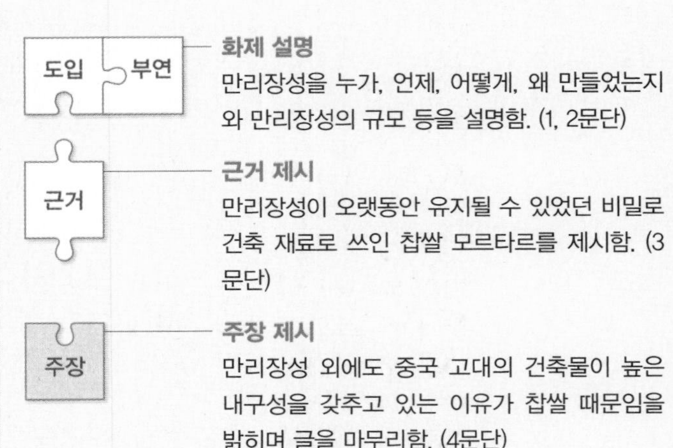

0 만리장성은 중국의 거리 단위로 만 리가 넘고, 장성으로도 불리며, 10년 동안 만들어진 것이 아니라 10년이 넘는 기간 동안 계속 건설이 이루어졌으며 언제 공사가 끝났는지는 알려지지 않았다고 했습니다. 그리고 만리장성은 오랜 세월 동안 여러 사람들의 노력에 의해 만들어진 것으로 역사 기록에 남아 있으며, 이에 대한 대표적인 기록으로 『사기』가 있다고 설명하고 있습니다.

출제 의도 안내문을 작성하기 위해서는 전체 글을 내용을 정확하게 이해하고 있어야 합니다. 글의 내용을 제대로 이해하고 있는지를 확인하는 문제입니다.

1 만리장성이 오랜 세월 동안 보존될 수 있었던 이유는 3, 4문단에서 확인할 수 있습니다. 만리장성은 찹쌀 죽과 모르타르를 혼합한 찹쌀 모르타르를 사용하여 건축했기 때문에 높은 내구성을 갖추게 되었고, 이로 인해 만리장성은 오랫동안 보존될 수 있었던 것입니다.

2 1문단에서 진시황은 나라를 방어할 목적으로 만리장성을 지었으며, 주로 북방 유목 민족인 흉노족의 침입 등을 대비하기 위해서 지었다고 했습니다.

오답 피하기 ① 진시황의 명에 의해 만리장성이 건설되기 시작하였지만, 처음에 만리장성을 지은 것은 흉노족을 막기 위한 것으로 황제의 권위를 높이기 위한 것이 본래 목적은 아니었습니다.
③ 중국 역사상 최초로 통일 국가를 세운 진시황이 새로운 국가들이 생기는 것을 막고 외적을 방어할 목적으로 만리장성을 건설하였습니다. 만리장성은 이미 통일이 된 상황에서 만든 것입니다.
④ 만리장성에 우수한 건축 재료인 찹쌀 모르타르가 사용되었는데, 이 재료는 중국 고대의 무덤이나 탑, 성벽 등에도 이미 이용되고 있었으므로 이 재료의 우수성을 실험하기 위해 만리장성을 쌓았다고 이해하는 것은 적절하지 않습니다.
⑤ 수많은 노동력을 동원한 것은 만리장성을 쌓기 위한 목적으로, 만리장성을 쌓은 목적이 노동력을 동원하기 위해서인 것은 아닙니다.

3 ㉡에서는 만리장성이 공사 기간, 동원된 인원, 건축술, 수많은 사연 등으로 여러 면에서 사람들을 놀라게 하고 있음을 강조하고 있습니다. 이를 통해 만리장성이 여러 측면에서 놀라운 점이 있음을 밝히며 독자의 관심과 흥미를 유도하고 있습니다.

생각읽기 4 동서양 미술에 담긴 비밀 코드

0 ③	1 ③	2 ④	3 ③	4 ④

Q 고대의 조각품을 올바르게 감상하기 위해 일차적으로 이해해야 하는 것은 무엇인가요?

고대의 조각품이 상징하는 무엇이 당시 사람들의 종교적 숭배의 대상이었음을 이해해야 합니다.

이 글은 「밀로의 비너스」를 사례로 제시하며 고대의 조각품이 미적 정서보다는 종교적 숭배의 대상임을 밝히고 이와 관련하여 고대 조각품을 바라보는 바람직한 감상법을 제시하였습니다. 그리고 서양에서는 주로 인체를, 동양에서는 자연물을 주된 표현의 대상으로 삼았으나 궁극적인 지향점은 같음을 말하며 서양 미술과 동양 미술에 담긴 비밀 코드를 설명하고 있습니다.

문단으로 생각읽기

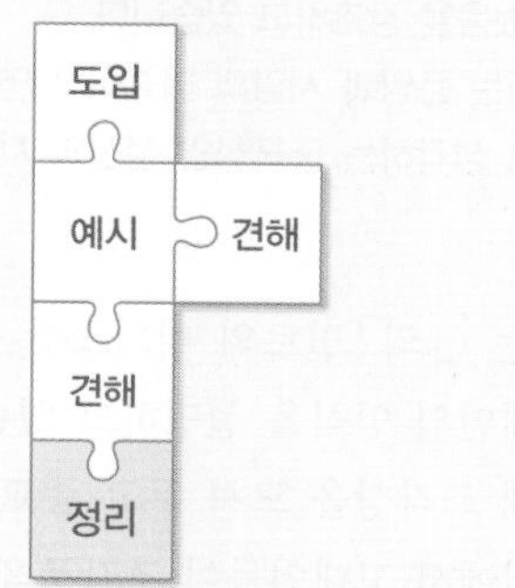

[도입 – 예시 – 견해 – 견해 – 정리]의 생각 구조

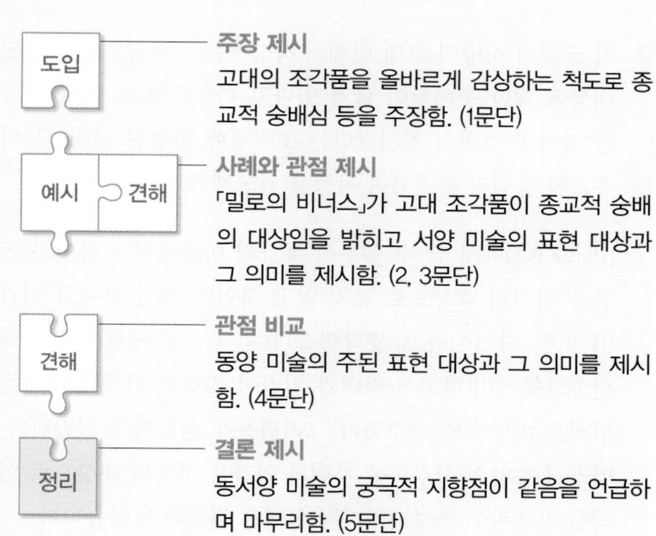

주장 제시
고대의 조각품을 올바르게 감상하는 척도로 종교적 숭배심 등을 주장함. (1문단)

사례와 관점 제시
「밀로의 비너스」가 고대 조각품이 종교적 숭배의 대상임을 밝히고 서양 미술의 표현 대상과 그 의미를 제시함. (2, 3문단)

관점 비교
동양 미술의 주된 표현 대상과 그 의미를 제시함. (4문단)

결론 제시
동서양 미술의 궁극적 지향점이 같음을 언급하며 마무리함. (5문단)

0 (다)에서는 서양의 고대 조각상이 주로 인체를 표현의 대상으로 삼고 있는데, 이때의 인체 탐구 정신은 지극히 사실적이면서도 이상화된 것이었음을 강조하고 있습니다. 따라서 (다)는 서양 미술이 인체를 주된 표현의 대상으로 삼았다는 내용을 중심으로 전개하고 있음을 알 수 있습니다.

출제 의도 글의 문단별 내용을 글쓴이의 의도에 맞게 바르게 요약할 수 있는지 묻는 문제입니다.

오답 피하기 ①, ② (가)와 (나)에서는 고대 조각품은 조각이 상징하는 그 무엇에 대한 숭배심이 들어 있으므로 이를 중심으로 감상해야 하며, 현대 조각품을 감상하는 방법으로 감상해서는 안 된다는 점을 이야기하고 있습니다. 따라서 (가)는 동양과 서양의 고대 조각품이 아니라 고대 조각품과 현대 조각품의 감상 방법을 달리해야 함을 강조하고 있다고 보아야 합니다. 그리고 (나)는 현대 조각품과 고대 조각품을 감상하는 방법이 달라야 함을 설명하고 있습니다.
④ (라)에서는 동양의 미술이 자연을 그대로 모방한 것이 아니라 자연을 탐구하고 그 속에 담긴 비밀을 파악함으로써 인간의 본성을 탐구하고자 했음을 강조하고 있습니다.
⑤ (마)에서는 동양과 서양의 미술이 자연이 곧 인간이고 인간이 곧 자연이라고 생각하는 궁극적인 정신의 지향점이 일치한다고 하였습니다.

1 (나)에서는 ㉠의 「밀로의 비너스상」을 통해 고대 조각품에 담긴 고대인의 인식을 설명하고 있습니다. 동굴 속 신전에 고대 인체 조각상을 모셔 두고 종교적 숭배 대상으로 삼았다는 사실에서 고대인들이 조각품을 바라보는 태도를 확인할 수 있습니다.

2 이 글에서 서양의 고대 인체 조각상에는 조각상으로 표현된 대상에 대한 숭배심이 담겨 있다고 하였으므로, 이를 조각한 작가의 주관적 정서보다는 조각상에 반영된 고대인들의 종교적 관점과 관련하여 작품을 감상해야 합니다.

3 (라)와 (마)에서 알 수 있듯이 동양의 미술에서는 자연과 인간을 별개의 대상으로 보지 않고 자연이 곧 인간이고 인간이 또한 자연이라고 생각했습니다. 〈보기〉에서도 동양의 산수화를 설명하면서 자연과 인간이 밀접한 관계에 있다는 인식을 바탕으로 산수화가 그려졌음을 설명하고 있습니다. 따라서 동양의 산수화에 자연과 인간을 별개의 대상으로 인식한 자연관이 반영되었다는 설명은 적절하지 않습니다.

오답 피하기 ① 동양에서는 산수화는 기운생동(氣韻生動)해야 한다고 생각해서 천지만물의 생생한 느낌을 표현하며, 자연을 스스로 살아서 움직이는 것으로 인식한 사고방식을 담아냈습니다.
② 동양의 산수화에서는 자연과 인간을 밀접한 관계로 인식한 가치관이 반영되어 있는데, 이러한 전통은 오랫동안 지속되었습니다.
④ 이 글의 (라)에서 동양의 미술은 단순히 자연을 모방하는 데 목적이 있는 것이 아니었음을 밝히고 있으므로, 〈보기〉에 제시된 동양의 산수화도 단순히 자연물을 모방하는 것에 목적을 두지 않았을 것임을 짐작할 수 있습니다.
⑤ 〈보기〉의 세 번째 문장에서 알 수 있듯이, 동양에서 자연은 소중하고 절대적인 것이었습니다. 이러한 자연관을 반영하여 동양의 산수화가 그려졌습니다.

4 '유구(悠久)'는 '아득하게 오래다.'라는 의미를 가지고 있습니다.

생각읽기 **5**

새들이 경계음을 내는 이유

0 ④	1 ①	2 ①	3 ③	4 ④

Q 새들이 경계음을 내는 이유는 무엇인가요?
포식자로부터의 위험을 경고하여 무리의 다른 새들을 보호하기 위해 경계음을 냅니다.

이 글은 이기적인 행동이나 일탈 행동으로 보이는 새들의 경계음에 담긴 의미를 분석한 글입니다. 케이비 이론과 '대열을 이탈하지 마라' 이론을 바탕으로 새들의 경계음이 집단(무리)의 생존을 위한 어쩔 수 없는 선택으로서 자신을 희생하고 집단을 돕는 이타적인 행위임을 밝히고 있습니다.

■ 문단으로 생각읽기

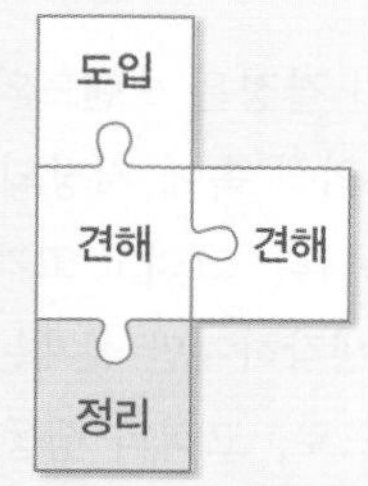

[도입 – 견해 – 견해 – 정리]의 생각 구조

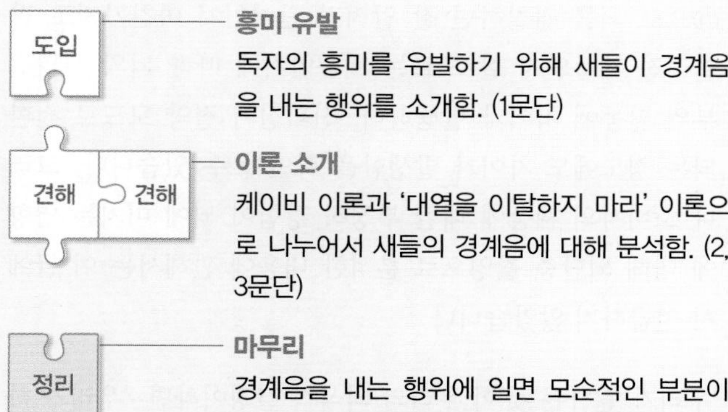

흥미 유발
독자의 흥미를 유발하기 위해 새들이 경계음을 내는 행위를 소개함. (1문단)

이론 소개
케이비 이론과 '대열을 이탈하지 마라' 이론으로 나누어서 새들의 경계음에 대해 분석함. (2, 3문단)

마무리
경계음을 내는 행위에 일면 모순적인 부분이 있을 수 있지만 집단을 위한 이타적 행위임을 밝힘. (4문단)

0 표제는 위협을 받는 개체의 행동을 나타내고, 부제는 그 행동의 의미를 해석하는 것으로 구성되었습니다. 이 글의 전체 내용으로 볼 때 포식자의 위협으로부터 무리를 지키기 위해 경계음을 내므로 이러한 행동은 무리 전체를 위하는 이타적 행동에 해당합니다.

출제 의도 글의 제목은 남들에게 자신이 이해한 내용을 잘 드러낼 수 있는 것으로 정해야 합니다. 글쓴이의 주장이 잘 드러나면서도 읽는 이의 관심을 끌 만한 것이 좋습니다.

1 (나)에서 '케이비'라는 용어가 나온 유래를 설명하고 있고(ㄱ), (나)~(라)에서 포식자에게 위협을 받고 있는 새들의 사례를 가정하고 이를 통해 새들의 행동과 그 결과에 대해 예측한 내용을 제시하고 있습니다(ㄴ). 하지만 실험이나 그 결과에 대한 내용(ㄷ)은 없으며, 또한 새들의 행동을 케이비 이론과 '대열을 이탈하지 마라'는 이론으로 분석하고 있을 뿐, 여러 가지 사항을 종류별로 나누어 설명(ㄹ)하고 있지는 않습니다.

2 ㉠의 상황은 케이비 이론을 설명하기 위한 가정입니다. 먼저 숨는다고 하여도 무리 중 한 마리라도 포식자인 매의 주의를 끌게 되면 무리 전체가 위태롭게 됩니다. 따라서 먼저 숨는다고 위험에서 완전히 벗어나는 것은 아닙니다.

3 포식자를 발견한 새는 '대열을 이탈하지 마라' 이론에 따르면 혼자 숨거나 도망치지 않을 것입니다. 대열을 이탈하지 않은 채 무리와 아무렇지 않게 있을 수 있겠지만 이 행동에는 큰 위험이 따르므로 ③과 같이 행동하는 것이 가장 적절합니다.

4 (마)에서 말하고 있는 모순 상황은 경계음을 내는 개체가 포식자의 시선을 끌어서 죽기 쉬워진다는 것입니다.

오답 피하기 ① 경계음이 무리들에게 경고를 주지만 포식자를 내쫓지는 못합니다.
② 경계음은 무리를 위한 것이기는 하지만, 이로 인해 포식자의 시선을 끌게 됩니다.
③ 경계음은 무리를 안전하게 할 수 있지만 소리를 내는 개체는 위험해집니다.
⑤ 경계음을 내는 행위가 개인에게는 위험하지만 무리에게는 안전을 가져다줄 수 있습니다.

생각읽기 **6**

뇌, 욕망의 비밀을 풀다

0 ③	1 ⑤	2 ③	3 ⑤	4 ④

Q 제품 구매를 결정할 때, 뇌가 무의식적으로 작업하는 것이 효율적인 이유는 무엇인가요?

뇌는 의식적으로 작업할 때보다 무의식적으로 작업할 때 의식의 비용인 에너지의 소비량이 적게 들기 때문입니다.

뇌가 무의식적으로 행동하는 이유 세 가지와 뇌단층 촬영 결과를 바탕으로 소비자의 무의식적 구매 행위에 대해 설명하고 있습니다. 우리는 의식적으로 구매한다고 생각하지만 정작 우리는 무의식적으로 구매할 때가 많다는 결론을 제시하고 있습니다.

■ 문단으로 생각읽기

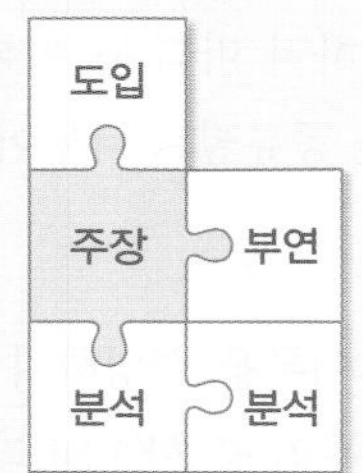

[도입 – 주장 – 부연 – 분석 – 분석]의 생각 구조

도입 — **통념 소개**
독자의 흥미를 유발하기 위해 제품 구매 결정과 뇌 속 상황을 연결지어 설명함. (1문단)

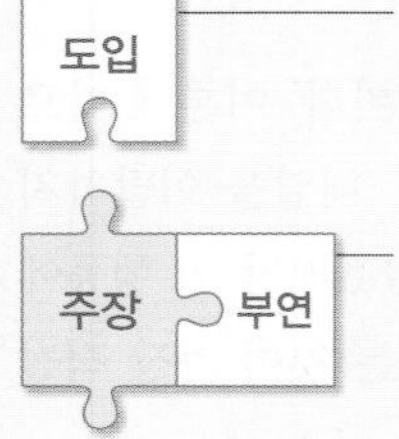

이유 제시
뇌가 무의식적으로 행동하는 세 가지 이유와 뇌단층 촬영 장치를 통한 관찰 내용을 제시함. (2, 3문단)

분석 분석 — **비교 분석**
뇌에서 정보를 의식적으로 처리할 때와 무의식적으로 처리할 때의 차이점을 분석하여 제시하고 소비자의 무의식적 구매 행위가 일어남을 밝힘. (4, 5문단)

0 이 글에 따르면, 사람들은 자신이 신중하고 의식적으로 판단하여 물건을 구매했다고 착각하고 있습니다. 5문단에서 '소비자들은 본인이 얼마나 신중하게 고민해서 이 제품을 의식적으로 구매했는지 확신에 찬 어조로 말한다.'라고 하였는데, 이를 통해 소비자의 구매 행태를 조사할 때 주로 나올 대답이 ③일 것임을 짐작할 수 있습니다.

출제 의도 소비자들이 자신의 구매 행위를 어떻게 인식하고 있는지를 묻고 있습니다. 결국 이와 관련한 글의 내용을 정확하게 이해하고 있는지를 확인하는 문제입니다.

1 뇌가 무의식적으로 작동하면 에너지 소비량이 훨씬 많이 줄어듭니다. 그리고 이 글을 통해 뇌의 무의식적 작동이 근육 사용보다 더 많은 에너지를 필요로 하는지는 알 수 없습니다.

2 글쓴이는 고객이 내린 결정은 브랜드와 상품에 대한 자신만의 고유한 경험이 무의식 속에 저장되어 있다가 발현된 것(ㄹ)이라고 보고 있습니다. 그리고 고객은 자신이 의식에 따라 결정한 것이라고 생각하지만 실제는 무의식에 따라 결정된 것이라고 하였으므로, 고객의 행동이 의식에 따라 결정된 것은 아니라고(ㄱ) 볼 수 있습니다.

3 ㉠으로 뇌를 관찰하면 잘 알려진 단어인지 마찬가지로 잘 알려진 제품인지 잘 모르는 제품인지에 따라 뇌의 신피질 부위 활동에 차이가 발생하며, 신피질이 절약 모드로 전환되는 정도에도 차이가 발생함을 확인할 수 있습니다. 그러나 소비자의 제품에 대한 부정적 경험이 뇌에 미치는 영향에 대해 뇌단층 촬영으로 분석한 내용에 관해서는 이 글에서 언급하지 않았습니다.

4 '우리가 원하는 것'이 우리의 의식적 결정이라면 '우리가 하는 것'은 무의식적으로 결정된 것을 말합니다. 5문단에서는 의식은 그 자체가 행동에 관여하지 않았음에도 나중에 행위와 행동에 의미를 부여한다고 설명하고 있습니다. 따라서 구매 행위에서 '우리가 원하는 것'은 '우리가 하는 것'에 미치는 영향이 작다고 볼 수 있습니다.

오답 피하기 ① '우리가 하는 것'은 무의식적으로 결정된 구매 행위를 가리킵니다.
② 구매 행위는 무의식적으로 이루어지는 경우가 많으므로 실제 '우리가 원하는 것'과 '우리가 하는 것'이 일치하지 않을 수 있습니다.
③ 우리의 구매 행위는 의식적으로 원하는 것을 한 것이라고 착각하지만 실제는 무의식적으로 결정된 것이라고 하였습니다.
⑤ '우리가 하는 것'이 무의식적으로 이루어진 것인데, 사람들은 자신의 의식에 따라 의지적으로 결정한 것이라고 생각하는 경향이 있습니다.

생각의 구조화 MIND MAP

생각읽기1 ㉡	생각읽기2 ㉡	생각읽기3 ㉠
생각읽기4 ㉢	생각읽기5 ㉣	생각읽기6 ㉤
1 꿀벌	2 마방진	3 만리장성
4 인체	5 이타적	6 무의식

생각읽기 1

본질이란 무엇인가

본문 162~165쪽

0 ④ **1** ⑤ **2** ⑤ **3** ①

Q 본질이란 사물의 어떤 특성을 의미하나요?

본질은 어떤 사물의 불변하는 측면 혹은 그 사물을 다른 사물과 구별시켜 주는 특성을 의미합니다.

이 글은 사물의 본질에 대해 비트겐슈타인의 견해를 들어 설명하고 있습니다. 비트겐슈타인에 따르면 대상의 본질이 따로 존재하여 우리가 발견하는 것이 아니라 사후적으로 구성된 것이므로, 본질주의자가 강조한 사물의 본질은 인간의 가치가 투영된 것에 불과하다고 말하고 있습니다.

■ **문단으로 생각읽기**

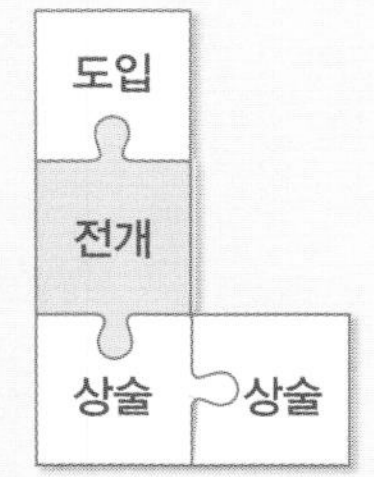

[도입 – 전개 – 상술 – 상술]의 생각 구조

도입 — **화제 소개**
'본질이란 무엇인가'라는 질문을 던져 본질주의자들의 주장을 소개함. (1문단)

전개 — **대상 설명**
본질주의자들이 주장하는 사물의 본질이란 사실 사후적으로 구성된 것이라고 반박함. (2문단)

상술 상술 — **대상 구체화**
비트겐슈타인의 저서를 인용하고 마그리트의 그림을 사례로 들어 본질이란 불변하는 것이 아니라 사후적으로 구성된 것이라고 구체적으로 설명함. (3, 4문단)

원리로 생각읽기

독해연습 1 **1** 구체적 사례

독해연습 2 **1** 동물들이 길을 찾는 방법의 종류 **2** 각각의 방법을 활용해 살아가는 동물들의 구체적 사례를 제시하고 있다

0 본질주의자는 사물 본연의 핵심적인 측면을 중시하는데, 가령 책상의 본질적 기능은 책을 놓고 보는 것이라고 봅니다. 그런데 2문단에서부터 본질주의자가 규정한 사물의 본질은 사후적 구성 논리에 의한 것이며 절대적인 것이 아님을 밝히고 있으므로, 본질주의자의 주장에 대해 본질은 사후적, 즉 경험에 의해 획득된 것에 불과하다고 비판할 수 있습니다.

출제 의도 비판적 이해를 묻고 있지만 글에서 주로 다루고 있는 내용을 파악하고 있는지를 확인하는 문제입니다.

1 글쓴이는 비트겐슈타인의 말을 인용하여 사물의 본질은 사후적 구성 논리에 의한 것이며 절대적인 것이 아님을 밝히고 있습니다.

2 〈보기〉에 따르면, 불교에서 본질이라는 것은 '자기 동일성'을 의미하는 '자성'이라고 하였으므로 불교에서의 '자성'은 '본질'을 의미합니다. 그런데 불교에서는 자성이 존재하지 않는다는 '무자성'을 강조합니다. 이는 본질이 없다는 것으로, 본질에 대한 맹신을 치유하기 위해 제안된 개념입니다. 비트겐슈타인은 본질이란 사후적 구성의 반복에 의해 형성된다고 보고 있으므로, 결국 본질에 대한 맹신은 사후적 구성이 반복됨으로써 그것을 본질적 기능이라고 믿으며 편집증적으로 집착할 경우 발생한다고 볼 것입니다.

오답 피하기 ① 본질주의자는 본질은 사물 자체가 본래부터 가지고 있는 변하지 않는 단 하나의 속성이라고 주장합니다. '자성'은 본질에 해당하므로, 본질주의자는 개인이 생각하는 가치가 투영된 것이 아닌 본래부터 가지고 있는 불변의 속성이 '자성'이라고 주장할 것입니다.
② '자기 동일성'은 '본질'에 해당하므로, 본질주의자들은 후천적으로 획득된 것이 아니라고 할 것입니다.
③ '공'의 핵심적인 의미는 '무자성'으로, 이는 본질이 존재하지 않는다는 의미이므로 '공'이 본질의 가치를 강조한다고 본 것은 적절하지 않습니다.
④ '무자성'의 경지는 본질이 존재하지 않는 경지이므로, '무자성'의 경지를 대상의 본질을 정확하게 파악할 수 있는 경지라고 이해하는 것은 적절하지 않습니다.

3 ⓐ '불변하다'는 '사물의 모양이나 성질이 변하지 아니하다. 또는 변하게 하지 아니하다.'의 사전적 의미를 가집니다. 그런데 '서로 다른 일이나 사물을 구별하여 가르다.'는 '분별하다'의 의미에 해당하므로 ⓐ의 사전적 의미로 적절하지 않습니다.

생각읽기 2

미니멀리즘 조형

0 ② **1** ② **2** ④ **3** ①

Q 미니멀리즘 조형물에 잘 나타나는 두 가지 원리는 무엇인가요?
미니멀리즘 조형물에는 단순성과 확장성의 원리가 잘 나타납니다.

이 글은 제2차 세계 대전 이후 등장한 예술적 경향인 미니멀리즘을 소개하고, 미니멀리즘에 의한 조형의 특징을 '단순성의 원리'와 '확장성의 원리' 두 가지로 나누어 구체적으로 설명하고 있습니다.

■ **문단으로 생각읽기**

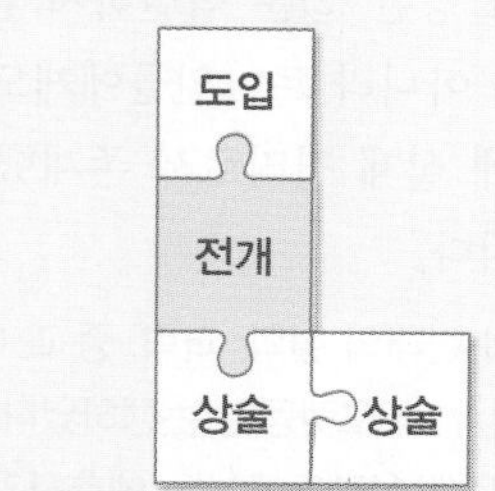

[도입 – 전개 – 상술 – 상술]의 생각 구조

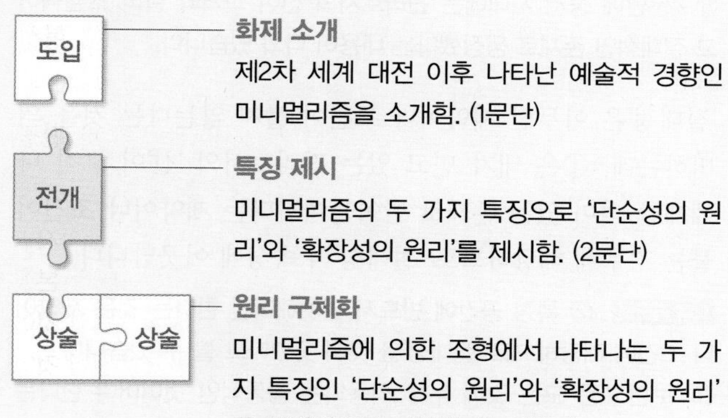

0 (라)에 따르면, 〈보기〉의 작품에서 산업 재료 L빔들을 그대로 바닥에 배치한 것은 감상자의 시선을 작품 주위의 배경으로까지 이동시켜 감상을 확대시키고, 나아가 작품이 놓인 공간을 관람만을 위한 전망대로서가 아닌 예술적 감상을 위한 총체적 공간으로 만들어 예술적 환경에 대한 새로운 경험을 이끌어 내고 있음을 알 수 있습니다. 따라서 L빔들의 바닥 배치가 일정한 위치에서 작품을 감상하도록 공간을 한정시킨 것이라는 감상은 적절하지 않습니다.

출제 의도 미니멀리즘 조형의 가장 핵심적인 특징을 구체적인 작품에 적용하여 이해할 수 있는지를 묻고 있습니다.

오답 피하기 ① (라)의 "확장성의 원리'는 조형물이 놓인 배경에까지 공간 체험을 확대하여 예술적 환경에 대한 새로운 경험을 하는 것을 말하는 것이다.'라는 내용에서 확인할 수 있습니다.
③ (라)에서 미니멀리즘 조형물을 인지함과 동시에 작품 주위의 배경으로까지 시선이 이동되어 감상이 확대됨을 확인할 수 있습니다.
④ (다)의 '작품에서 매개 요소가 최소화되면 감상자가 떠올릴 수 있는 대상은 오히려 더 많아'진다는 내용에서 확인할 수 있습니다.
⑤ (다)에서 단순 기하학적 형태에 의한 구상은 감상자 마음속에 잠재하고 있는 이미지를 보편적인 형상으로 떠올리기가 더 쉬워지게 한다는 것을 확인할 수 있습니다.

1 이 글은 (가)에서 중심 대상인 미니멀리즘에 대해 소개하고, (나)에서 이러한 미니멀리즘이 가지는 특징으로 '단순성의 원리'와 '확장성의 원리' 두 가지를 제시한 후, (다)와 (라)에서 이들 원리를 구체적으로 설명하고 있습니다. 이때 (다)와 (라)는 문단 성격이 동일하므로 구조도는 ②가 적절합니다.

2 (다)에서 미니멀리즘은 작품 표현에 사용되는 재료, 소재, 형태 등의 매개 요소를 최소화함으로써 감상자가 더 많은 대상을 떠올리기 쉽도록 한다고 하였습니다.

오답 피하기 ① (나)에서 미니멀리즘은 음악에서 변함없는 강세 및 빠르기로 나타난다고 하였습니다.
② (다)에서 미니멀리즘에 의한 조형은 매개 요소를 변형하거나 가공하지 않고 원재료에 가깝게 사용한다고 하였습니다.
③ (다)에서 미니멀리즘에 의한 조형은 일상의 사물을 그대로 사용하는 오브제 트루베에 의한 구상으로 표현되기도 한다고 하였습니다.
⑤ (가)에서 미니멀리즘은 간결하고 절제된 표현 기법으로 대상의 본질을 표현하려는 예술적 경향을 지닌다고 하였습니다.

3 ㉡은 ㉠을 재료로 하여 완성해야 할 결과물에 해당합니다. 이것은 재료인 '원석'을 갈고 닦아 결과물인 '다이아몬드'를 만드는 것과 유사합니다.

오답 피하기 ② '일교차'는 '감기 환자' 증가의 원인에 해당합니다.
③, ⑤ '자전거'와 '자동차', '자유'와 '평등'은 대등한 관계입니다.
④ '산문 문학'은 '문학'의 한 종류로, 의미상 상하 관계입니다.

생각읽기 3

진리란 무엇인가

0 ⑤	1 ②, ④	2 ①	3 ③	4 ③

Q '진리'가 되기 위해 갖추어야 할 세 가지 속성에는 무엇이 있나요?

진리가 되기 위해서는 '절대성', '보편성', '불변성'의 세 가지 속성을 갖추어야 합니다.

이 글은 진리를 규정하기 위해 각 분야의 권위자들이 오랫동안 논쟁해 왔다는 것을 먼저 언급한 뒤에, 진리의 세 가지 속성인 '절대성', '보편성', '불변성'에 대해 설명하고, 이와 관련하여 원시 시대, 고대 시대, 중세 시대, 근대에 이르는 역사의 흐름 속에서 각 시기마다 진리로 여겨졌던 대상들이 무엇이었는지 차례로 소개하고 있습니다.

■ **문단으로 생각읽기**

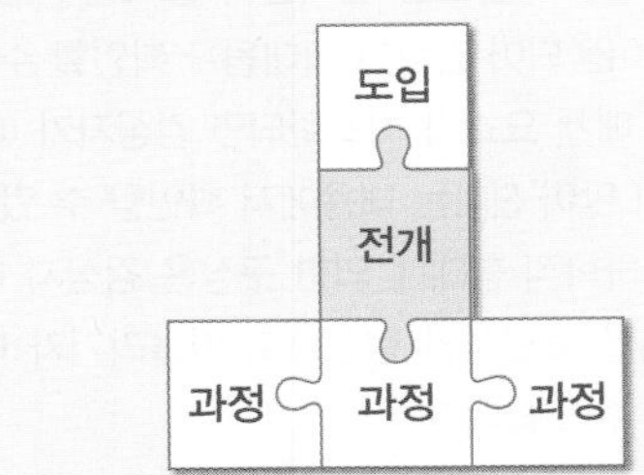

[도입 – 전개 – 과정 – 과정 – 과정]의 생각 구조

도입

논쟁 언급
진리를 규정하기 위해 각 분야의 권위자들이 오랫동안 논쟁해 왔음을 언급함. (1문단)

전개

속성 제시
진리를 설명하기 위한 세 가지 속성으로 '절대성', '보편성', '불변성'을 언급함. (2문단)

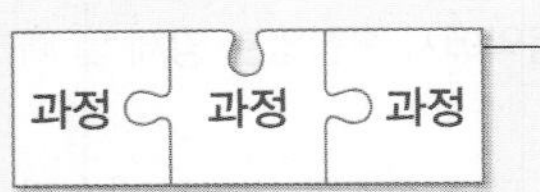

대상 설명
원시 시대, 고대 시대, 중세 시대, 근대의 각 시기마다 진리의 대상이 '자연신', '신화', '신', '이성'으로 달라져 왔음을 설명함. (3~5문단)

본문 172~175쪽

0 이 글은 원시 시대, 고대 시대, 중세 시대, 근대에 이르는 각 시기마다 진리로 여겨졌던 대상들이 무엇이었는지 차례로 소개하고 있습니다. 따라서 '진리는 역사의 흐름 속에서 어떻게 모습을 달리해 왔을까?'라는 질문은 이 글을 읽은 후에 해결할 수 있는 질문입니다.

출제 의도 글을 읽은 후에 해결할 수 있는 질문을 선택하는 문제도 핵심 내용을 묻는 문제와 마찬가지로 글의 내용을 제대로 파악하고 있는지를 확인하는 문제입니다.

1 진리는 절대적이고 보편적이며 불변적인 속성을 가지고 있지만 역사 속에서 각 시대마다 그 모습을 바꿔 왔다고 했으므로, 이를 반대로 설명한 ②는 적절하지 않습니다. 또한 고대 그리스인들뿐만 아니라 로마인들에게도 신화 속 등장인물이 그들의 세계에 실제 진리로서 존재했다고 했으므로 ④도 적절하지 않습니다.

오답 피하기 ① 1문단에서 현대의 철학, 과학, 종교, 예술 분야의 전문가들이 진리를 규명하기 위해 오랫동안 논쟁하였다고 했습니다.
③ 3문단을 보면 원시 시대 사람들에게는 예측하기 힘든 자연 현상 하나하나가 신성한 진리였다는 내용이 나와 있습니다.
⑤ 4문단에 중세 시대에는 진리로서의 신이 과거와 달리 초월적이고 절대적인 존재로 등장했다는 내용이 나와 있습니다.

2 '절대성'은 아무런 제약이나 조건이 붙지 않는다는 것을 의미하는데, ①은 내가 믿고 있는 진리로서의 '신'이 오직 나에게만 의미 있는 존재로 받아들여진다는 제약이나 조건이 붙는 경우에 해당하므로 '절대성'의 속성에 어긋납니다.

오답 피하기 ② 특정 공간에 반드시 위치해야만 한다는 것은 제약이나 조건에 해당하므로 '절대성'을 갖지 못했다고 볼 수 있습니다.
③ '보편성'은 모든 것에 두루 적용되는 공통적인 것이어야 한다는 의미이므로 지구에서는 진리로 인정되는 존재가 지구 밖에서는 진리로 통용되지 않는다면 '보편성'을 갖지 못했다고 볼 수 있습니다.
④ '불변성'은 모양이나 성질이 변하지 않는다는 의미이므로 신의 영향력이 계속 유지되어야만 '불변성'을 갖추었다고 볼 수 있습니다.
⑤ '신'이 초월적 능력을 상실하게 된 것도 그 성질이 변한 것이므로 '불변성'을 갖지 못한 것이라고 볼 수 있습니다.

3 〈보기〉의 내용은 물리학과 화학, 생리학의 발전이 가져온 부정적인 영향에 해당합니다. 〈보기〉의 시작 부분에 언급된 표지가 '그러나'이므로 '수학', '물리학', '철학'을 기본적인 학문으로 하여 기술과 산업을 긍정적으로 발전시켰다는 내용 바로 뒤인 ㉰에 들어가는 것이 문맥상 가장 자연스럽습니다.

4 ㉢ '그래서'는 앞에 나온 내용이 뒤에 나올 내용의 원인이나 근거임을 알려 줍니다. 뒤의 내용을 앞의 내용과 다른 방향으로 전개할 것임을 나타내는 접속어는 '그런데'입니다.

생각읽기 **4**

정의란 무엇인가

본문 176~179쪽

0 정의의 복잡성 **1** ③ **2** ② **3** ② **4** ④

Q 정의가 목적에 맞게 잘 구현되도록 하려면 어떻게 해야 하나요?
정의를 추동하는 심리적 에너지의 복잡성을 알고 그 본질이 훼손되지 않도록 해야 합니다.

이 글은 정의의 복잡성에 대한 고찰을 바탕으로 정의의 근원을 살펴보고 있습니다. 플라톤이 정의의 동력으로 설명한 시모스와 근대 사상가들이 정의의 근원으로 제시한 동정심이나, 선의를 언급한 다음 이것들의 문제를 지적하고, 정의의 복잡성에 대한 이해를 바탕으로 정의가 우리 사회를 긍정적으로 바꾸는 동력이 되고 진정한 인간관계의 방법론이 되도록 해야 한다고 주장하고 있습니다.

■ 문단으로 생각읽기

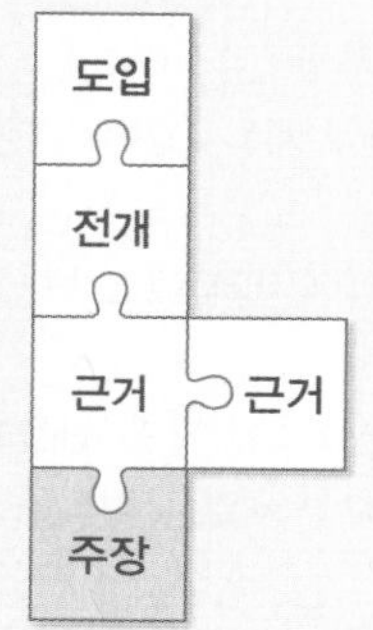

[도입 – 전개 – 근거 – 근거 – 주장]의 생각 구조

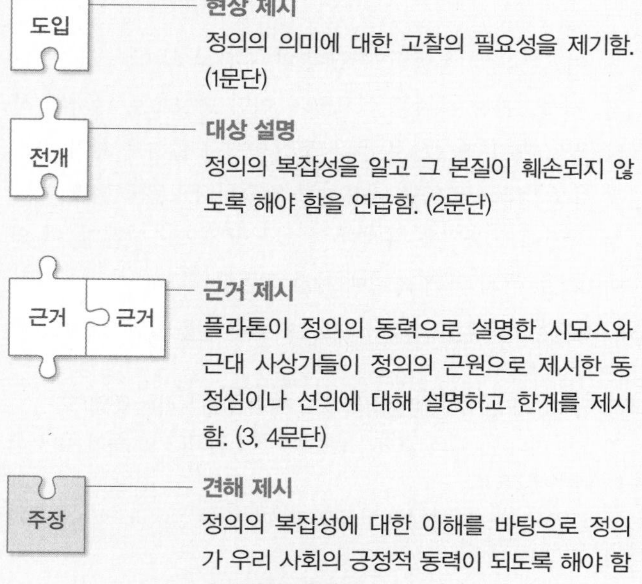

현상 제시
정의의 의미에 대한 고찰의 필요성을 제기함. (1문단)

대상 설명
정의의 복잡성을 알고 그 본질이 훼손되지 않도록 해야 함을 언급함. (2문단)

근거 제시
플라톤이 정의의 동력으로 설명한 시모스와 근대 사상가들이 정의의 근원으로 제시한 동정심이나 선의에 대해 설명하고 한계를 제시함. (3, 4문단)

견해 제시
정의의 복잡성에 대한 이해를 바탕으로 정의가 우리 사회의 긍정적 동력이 되도록 해야 함을 주장함. (5문단)

0 이 글과 〈보기〉에서는 정의가 우리 사회를 긍정적으로 바꾸는 동력이 되도록 하기 위해 정의의 복잡성을 이해하는 것이 중요하다고 주장하고 있습니다. 따라서 〈보기〉의 표제 '정의의 의미에 관한 고찰'의 부제로는 '정의의 복잡성에 대한 이해를 중심으로'가 오는 것이 적절합니다.

출제 의도 부제를 찾는 문제는 글의 핵심 내용을 잘 파악하고 있는지를 확인하기 위한 문제라고 할 수 있습니다.

1 3문단에서 플라톤은 정의가 '시모스'에 긴밀하게 이어져 있다고 보고, 시모스를 정의의 동력으로 생각했음을 설명하고 있으므로, ③은 적절하지 않습니다.

2 이 글에는 정의가 우리 사회를 긍정적으로 바꾸는 동력이 된다는 언급은 있지만 이를 증명하는 구체적인 사례는 제시되지 않았습니다. 따라서 이와 관련하여 구체적인 사례를 언급하면 독자의 이해를 도울 수 있을 것이라는 의견을 제시할 수 있습니다.

오답 피하기 ① 이 글에서 그리스 철학자 '플라톤'의 말을 함께 인용하고 있으므로 적절하지 않습니다.
③ 정의의 복잡성을 고찰함으로써 정의가 사회를 긍정적으로 바꾸는 동력이 되게 해야 한다고 했으므로, 정의의 개념이 시대의 흐름에 따라 변화된 과정을 살피는 것은 집필 의도와 거리가 멉니다.
④ 정의를 구현하는 데 방해가 되는 요인에 대한 구체적인 언급을 한 적이 없으므로 이에 대한 해결책을 추가로 언급할 필요는 없습니다.
⑤ 정의를 구현하기 위해 노력하는 다양한 이익 공동체들의 활동을 소개하는 것은 이 글의 초점과 거리가 먼 내용입니다.

3 염소 목동들을 놓아줄지 말지를 고민하는 단계에서는 이성의 원리와 감성의 측면이 복잡하게 작용했을 것입니다. 그런데 그들을 놓아주어야 한다고 주장하는 단계에서는 감성적 측면인 동정심이나 선의가 더 많이 작용했을 것이므로 부대원들이 이성적 원리로만 접근했다고 보는 것은 적절하지 않습니다.

오답 피하기 ① 부대원들이 목동을 놓아주는 것과 죽이는 것을 선택하기 위해 고민하는 과정에서 정의를 추동하는 심리적 에너지가 복잡하게 작용했을 것으로 볼 수 있습니다.
③ 부대원들을 잃게 된 루트렐이 자신의 행동을 후회하면서 복수심을 불태웠을 것이므로 시모스를 강하게 느꼈다고 볼 수 있습니다.
④ 무장하지 않은 민간인을 해치고 싶지 않았을 것이므로 동정심이나 선의가 정의의 동력으로 작용했다고 볼 수 있습니다.
⑤ 부대원들 간에 의견을 달리한 것은 민간인을 해치지 않겠다는 동정심이나 선의가 테러 조직을 소탕해야 하는 해군 특수 부대의 임무와 상충되었기 때문이라고 볼 수 있습니다.

4 ⓓ '확보'의 사전적 의미는 '확실히 보증하거나 가지고 있음.'이고, '틀림없이 그러한가를 알아보거나 인정함.'을 뜻하는 단어는 '확인'입니다.

생각읽기 5 # 시간이란 무엇인가

본문 180~183쪽

0 ③ 1 ④ 2 ② 3 ④

Q 인류가 시간을 정확하게 측정할 수 있게 된 계기는 무엇인가요?
도시가 발달하면서 기계식 시계가 발명되었고, 이로 인해 시간을 정확히 측정할 수 있게 되었습니다.

이 글은 시간을 인식하는 방법이 어떻게 변화해 왔는가에 대한 관심을 유도한 후, 시간에 대한 전통적인 인식을 보여 주는 농경 사회의 해시계와 도시가 발달하면서 발명된 기계식 시계의 시간 측정 방법 및 활용 범위에 대해 설명하고 있습니다. 그리고 이러한 시간에 대한 인식과 측정 방법의 변화가 우리 삶에 미친 영향을 언급하면서 마무리하고 있습니다.

■ 문단으로 생각읽기

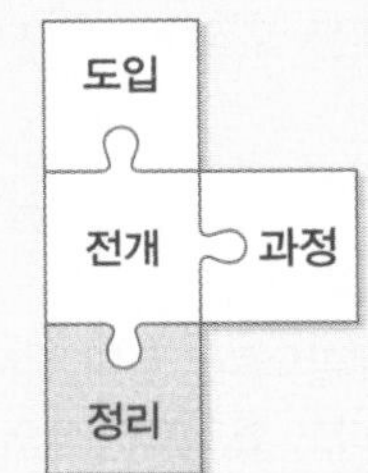

[도입 – 전개 – 과정 – 정리]의 생각 구조

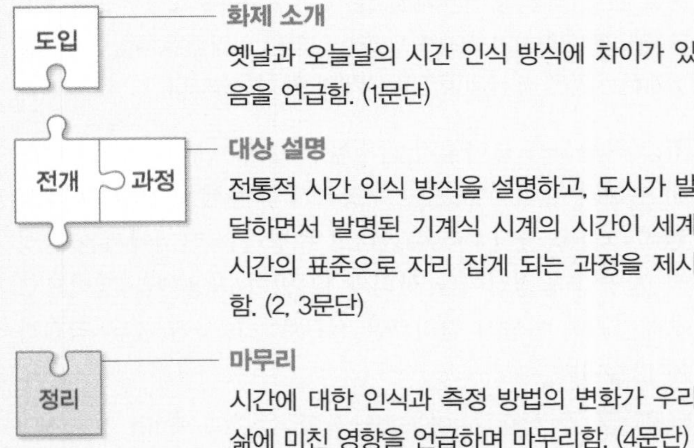

화제 소개
옛날과 오늘날의 시간 인식 방식에 차이가 있음을 언급함. (1문단)

대상 설명
전통적 시간 인식 방식을 설명하고, 도시가 발달하면서 발명된 기계식 시계의 시간이 세계 시간의 표준으로 자리 잡게 되는 과정을 제시함. (2, 3문단)

마무리
시간에 대한 인식과 측정 방법의 변화가 우리 삶에 미친 영향을 언급하며 마무리함. (4문단)

0 이 글은 기계식 시계의 발명이 전통적 시간 인식에서 근대적 시간 관념으로 변화하게 한 계기가 되었고, 기계식 시계로 측정한 시간이 세계 시간 표준으로 자리 잡게 된 것이 우리 삶에 다양한 영향을 미치게 되었음을 언급하고 있습니다. 따라서 발표 자료의 제목으로는 이러한 핵심 내용을 압축한 '기계식 시계의 발명과 시간에 대한 인식의 변화'로 하는 것이 가장 적절합니다.

출제 의도 발표 자료의 제목은 발표의 핵심 내용을 압축하여 전달하는 것이므로 글의 핵심을 잘 파악하고 있는지를 확인하는 문제와 같습니다.

1 글쓴이는 이 글에서 시간을 인식하는 방법이 변화한 계기가 기계식 시계의 발명이라는 것을 밝힌 다음, 기계식 시계로 측정한 근대적 시간 관념이 우리 삶에 다양한 영향을 미치게 되었음을 설명하는 방식으로 논지를 전개하고 있습니다. 즉 대상을 인식하는 방식이 변하게 된 계기와 그로 인한 영향을 밝히고 있습니다.

오답 피하기 ① 시간이나 기계식 시계에 대한 문제점은 언급되어 있지 않습니다.
② 시간을 인식하는 방법에 대해 대립하는 주장들은 언급되어 있지 않습니다.
③ 시간을 인식하는 방법이 변화해 온 과정을 보여 주고 있을 뿐, 다양한 주장들의 장점을 모아 새로운 주장을 도출하는 내용은 제시되어 있지 않습니다.
⑤ 시간을 인식하는 방법이 농경 사회에서 도시로 발전하는 과정에서 어떠한 변화로 이어졌는지 언급되어 있을 뿐, 앞으로 어떻게 발전하게 될 것인지에 대한 전망은 드러나 있지 않습니다.

2 ㉠ '이끄는'의 기본형인 '이끌다'의 사전적 의미는 '사람, 단체, 사물, 현상 따위를 인도하여 어떤 방향으로 나가게 하다.'입니다. 문맥상으로 ㉠은 무질서에서 질서로 옮겨 가도록 유도한다는 의미를 내포하고 있습니다. '유도(誘導)하다'는 '사람이나 물건을 목적한 장소나 방향으로 이끌다.'의 의미이므로 ㉠과 바꿔 쓰기에 가장 적절합니다.

오답 피하기 ① '유발하다'는 '어떤 것이 다른 일을 일어나게 하다.'라는 뜻입니다.
③ '유인하다'는 '주의나 흥미를 일으켜 꾀어내다.'라는 뜻입니다.
④ '인용하다'는 '남의 말이나 글을 자신의 말이나 글 속에 끌어 쓰다.'라는 뜻입니다.
⑤ '도입하다'는 '기술, 방법, 물자 따위를 끌어 들이다.'라는 뜻입니다.

3 「농가월령가」는 한 해를 1월부터 12월까지로 나누어 농가에서 해야 할 일, 철마다 알아야 할 풍속과 지켜야 할 범절들

을 수록한 시가라고 했으므로, 전통적인 시간 인식과 측정 방법을 따랐을 것임을 짐작할 수 있습니다. 이 글의 2문단에서 농경 사회에서는 해시계를 사용하였다고 하였고, 해시계의 숫자판은 계절에 따라 낮을 각각 다른 길이의 시간 간격으로 나누어 계절에 따라 달라지는 일출과 일몰 사이의 간격을 고려해 제작된 것이라고 하였습니다. 따라서 〈보기〉의 「농가월령가」에 나타난 시간 관념에 대해 계절에 따라 달라지는 일출과 일몰 사이의 간격에 대한 이해가 부족했던 것 같다는 '학생 4'의 말은 적절하지 않습니다.

오답 피하기 ① 〈보기〉에서 「농가월령가」는 1월부터 12월까지 농가에서 해야 할 일, 철마다 알아야 할 풍속과 지켜야 할 범절들을 노래한 시가라고 하였으므로, 계절에 따른 축적된 경험을 바탕으로 농사일에 필요한 시간을 인식했다는 이해는 적절합니다.
② 기계식 시계의 발명은 도시의 출현과 관계가 깊고, 농경 사회에서는 「농가월령가」에 소개된 전통적인 방식을 오랫동안 유지했을 것이므로 '학생 2'의 이해는 적절합니다.
③ 일 년을 삼백육십 일로 나누고, 동지 · 하지 · 춘분 · 추분에 의해 네 계절을 구분했다고 한 〈보기〉의 내용으로 보아 선조들이 시간을 비교적 세밀하게 인식하고 있었음을 알 수 있습니다.
⑤ 수천 년 동안 이어온 시간을 인식하는 전통의 문화적 기술은 자연의 순환과 관계가 있습니다. 또한 〈보기〉에서 북극성을 기준으로 일월성신의 순환에 따라 일 년을 24절기로 나누고 달마다 두 절기씩 배치했다는 내용이 언급된 것으로 보아 '학생 5'의 이해는 적절합니다.

생각읽기 6 언어란 무엇인가

0 ②　1 ③　2 ②　3 ⑤　4 ②

Q 인간이 언어를 사용하지 않고는 사회생활을 하기 어려운 이유는 무엇인가요?

인간은 언어를 통해 의사소통하며 사회 안에서 인간관계를 유지하고, 사회생활 속에서 각자 맡은 바 일을 추진해 나갈 수 있기 때문입니다.

이 글은 인간과 언어의 관계가 매우 밀접함을 언급한 후, 언어의 자의성, 기호성, 사회성, 역사성, 창조성을 설명하고 있습니다. 그리고 언어는 인간관계와 사회생활을 원활하게 하는 중요한 수단이자 인간의 삶을 풍요롭게 하는 촉매임을 강조하면서 글을 마무리하고 있습니다.

■ **문단으로 생각읽기**

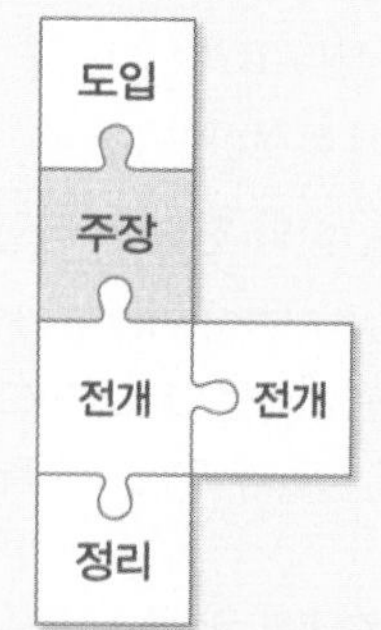

[도입 – 주장 – 전개 – 전개 – 정리]의 생각 구조

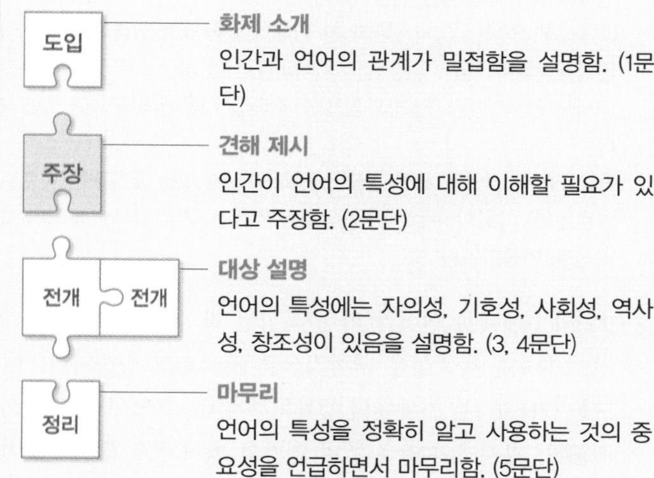

0 이 글은 인간과 언어의 관계가 매우 밀접하다는 것을 보여 주는 권위자의 말을 (가)에서 제시하면서 독자의 관심을 유도한 뒤에, 언어의 특성을 정확하게 이해할 필요가 있음을 (나)에서 언급하고 있습니다. 이어서 언어의 특성을 (다)와 (라)에서 대등하게 연결하여 설명하고 있으며, 마지막으로 (마)에서 언어의 특성을 정확히 알고 사용하는 것의 중요성을 언급하면서 마무리하고 있습니다. 따라서 구조도로 가장 적절한 것은 ②입니다.

출제 의도 글의 구조도를 떠올리게 하는 문제는 글을 읽으면서 글의 전체적인 구조를 제대로 파악하며 내용을 이해하고 있는지를 확인하기 위한 문제입니다.

1 (나)에서 언어를 구사하는 인간은 언어를 사용하지 않고는 하루도 사회생활을 영위할 수 없을 정도로 인간과 언어의 관계가 매우 밀접하다고 했습니다. 그런데 인간은 언어를 구사하지 않고도 사회생활을 할 수 있다고 본 것은 이 글의 내용과 상충되므로 ③의 진술은 적절하지 않습니다.

오답 피하기 ① (가)에서 인간이 언어를 본격적으로 사용하게 된 것은 지금으로부터 약 10만 년 전으로 추정되며, 인간이 언어를 구사할 수 있다는 점이 다른 동물과 구별되는 특징이라고 언급하고 있습니다.

② (나)의 마지막 부분에서 언어는 일종의 기호 체계로 유연하면서도 복잡한 것이라고 하였고, (다)의 마지막 부분에서 언어가 표현과 전달의 도구라는 점을 언급하고 있습니다.

④ (라)에 언어는 의사소통의 한 형태로 습득되고 학습되는 것으로 인간은 기존에 알고 있는 언어 지식과 규칙을 바탕으로 언어를 무한히 생산할 수 있는 '언어의 창조성'에 대한 내용이 언급되어 있습니다.

⑤ (다)에서 언어는 사회 구성원 간의 약속에 의해 공유되는 것으로 다른 언어 사회의 구성원이 공유하는 것과는 구별된다는 '언어의 사회성'을 언급하였습니다.

2 (다)와 (라)에서 언어가 가진 특성인 자의성, 기호성, 사회성, 역사성, 창조성을 병렬적으로 제시하고 있습니다(ㄱ). 또한 (가)에서는 스웨덴의 생물학자 린네, 독일의 철학자 하이데거, 카시러의 말을 빌려 인간과 언어가 밀접한 관계가 있다는 견해를 뒷받침한 것을 확인할 수 있습니다(ㄷ).

오답 피하기 ㄴ. 언어의 속성에 대한 내용은 (다)와 (라)에 제시되어 있는데, 여기서는 각 속성이 무엇인지 그 개념을 설명하고 있을 뿐 구체적인 수치나 통계 자료는 활용하지 않았습니다. 그리고 구체적 수치는 (가)에 나타나기는 하나, 이 글에서 통계 자료는 사용하지 않았습니다.

ㄹ. 이 글에서는 언어와 인간이 밀접한 관계를 맺고 있으며, 언어가 다양한 특성을 가지고 있음을 설명하고 있을 뿐, 이에 대한 반론이나 재반박을 하는 내용은 제시되지 않았습니다.

3 〈보기〉에서 닭의 울음소리가 각 나라마다 다른 것은 언어 사회에 따라서 그것을 나타내는 언어 습관이나 표현 방식이 다르기 때문이라고 했습니다. 이는 의미를 언어로 표현하기 위해 임의의 형식을 만들어 쓰는 언어의 특성인 '자의성' 때문이라고 할 수 있습니다. 그런데 닭의 울음소리에 대한 표현 방식이 원래 모두 같았는지에 대해서는 이 글과 〈보기〉의 내용만으로는 확인하기 어렵습니다. 다만 언어의 자의성을 고려할 때 닭의 울음소리에 대한 표현 방식은 본래부터 나라마다 다르게 만들어졌을 것으로 볼 수 있습니다.

오답 피하기 ① 닭의 울음소리가 나라마다 다르게 표현되는 것은 언어 기호와 내용 사이의 관계가 필연적이지 않기 때문이며, 이는 언어의 '자의성' 때문이라고 할 수 있습니다.

② 〈보기〉의 자료는 동물의 소리를 모방해서 만든 의성어를 예로 들어, 언어와 대상 사이에 직접적인 관계가 있는 것은 아니라는 언어의 '자의성'을 설명한 것이므로 '학생 2'의 말은 적절합니다.

③ 언어 사회에 따라서 그것을 나타내는 언어 습관이나 표현 방식이 다르다는 것은 언어의 '사회성'과 '자의성'에 대해 설명한 것이므로 '학생 3'의 말은 적절합니다.

④ 대상의 의미를 파악하고 다시 그것을 전달하기 위해 임의로 언어를 만들어 쓰는 것은 언어의 '자의성'에 해당하므로 '학생 4'의 말은 적절합니다.

4 ⓑ'영위(營爲)'의 사전적 의미는 '일을 계획하여 꾸려 나감.'이고, '규칙이나 명령 · 법령 따위를 지키도록 통제함.'의 사전적 의미를 지닌 단어는 '단속(團束)'입니다.

생각의 구조화 MIND MAP

생각읽기1 ⓜ	생각읽기2 ⓜ	생각읽기3 ⓛ
생각읽기4 ⓒ	생각읽기5 ⓖ	생각읽기6 ⓡ
1 사후적	2 미니멀리즘	3 진리
4 복잡성	5 시간	6 자의성

생각읽기 1 우리 문화 속 상상의 동물

본문 192~195쪽

0 ③ 1 ⑤ 2 ② 3 ③ 4 ④

Q 사람들이 상상의 동물을 만들어 낸 이유는 무엇인가요?

사람들은 자신들의 염원을 담아내고 인간의 한계성을 극복하고자 하는 마음에서 상상의 동물들을 만들어 냈습니다.

이 글은 인간의 상상력으로 만들어 낸 다양한 상상의 동물들을 우리나라 초기 역사부터 조선 시대를 거쳐 19세기까지 시간의 흐름에 따라 살펴보고, 사람들이 이러한 상상의 동물을 만들어 내는 이유를 서술하고 있습니다.

■ **문단으로 생각읽기**

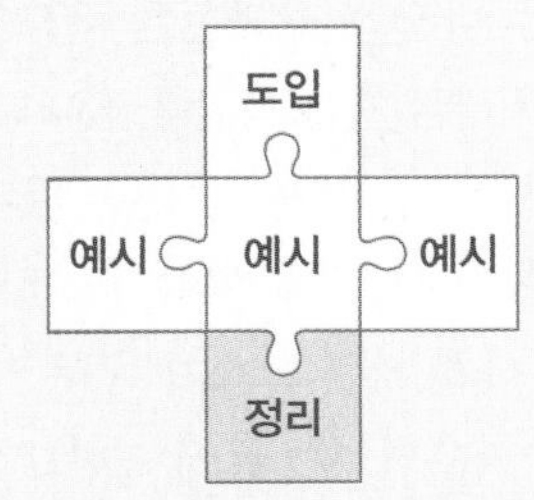

[도입 – 예시 – 예시 – 예시 – 정리]의 생각 구조

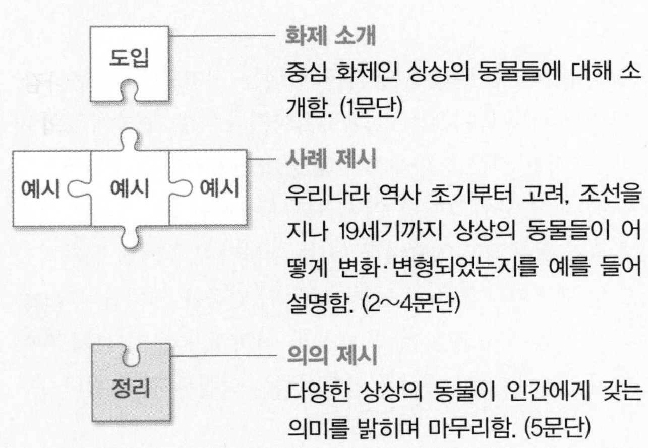

0 이 글은 (가)에서 중심 화제를 제시하고, (나), (다), (라)에서 시간의 흐름에 따른 화제의 사례를 들고 있으며, (마)에서 상상의 동물이 생겨난 이유와 상상의 동물이 가진 의의를 정리하고 있습니다.

출제 의도 글의 구조를 묻는 문제는 글의 전체적인 구조를 파악하여 글의 흐름을 제대로 이해하고 있어야 합니다.

1 (라)에 따르면 힌두교와 불교의 신화적 동물들이 중국을 거쳐 우리나라로 전래되면서 변형되었음을 확인할 수 있으므로 ⑤의 내용은 적절하지 않습니다.

2 〈보기〉에 따르면 지도자들은 신과 신성한 동물 같은 초월적 권위에 기대어 자신의 국가 건립을 정당화하고 백성들에게 지도자로서 인정받으려 했음을 알 수 있습니다. 따라서 우리나라 건국 신화나 왕들의 탄생 설화 속에서 상상의 동물은 지도자들의 국가 건립을 정당화하는 데 도움을 주는 역할을 하였음을 알 수 있습니다.

3 상상 속의 동물들이 인간에게 어떤 의미가 있는지는 (마)에서 확인할 수 있습니다. 따라서 이 글을 읽고 아쉬운 점이나 더 알고 싶은 내용으로 보기 어렵습니다.

오답 피하기 ① (라)에서 수미단에 상상의 동물이 새겨져 있음을 언급하였지만, 그 동물이 무엇인지를 밝히지 않았으므로 더 알고 싶은 내용에 해당합니다.
② 상상의 동물에 대한 우리나라의 사례만 제시하고 있으므로, 다른 나라의 예를 더 알고 싶어 할 수 있습니다.
④ 같은 상상의 동물이라도 시대나 지역에 따라 다르다고 하였을 뿐, 구체적인 사례는 제시하지 않았으므로 예를 추가한다면 내용 이해에 도움이 될 수 있습니다.
⑤ 상상의 동물이 유교 문화와 관련되어 있다고만 하였을 뿐, 어떻게 관련되는지, 어떤 시대적 상황과 관련되는지 등을 밝히지 않았으므로 이와 같은 내용에 대해 궁금해할 수 있습니다.

4 〈보기〉에 제시된 예들을 종합해 보면, 상상의 동물인 용의 상징적 의미가 지역이나 문명에 따라 달랐다는 것을 알 수 있습니다. (다)에서 '같은 상상의 동물이라 해도 시대나 지역에 따라서 그 상징적 의미가 달라지고 이에 따라 표현 방법도 달라진다'라고 서술하고 있는데, 〈보기〉는 이를 뒷받침하는 자료로 활용할 수 있습니다.

생각읽기 **2**

영화적 재현과 만화적 재현

0 ④	1 ②, ③	2 ③	3 ②	4 ④

Q 영화와 만화를 구별 짓는 요소로는 어떤 것들이 있나요?

움직임의 유무, 이미지의 성격, 현실과 맺는 관계 등이 영화와 만화를 구별 짓는 요소로 볼 수 있습니다.

이 글은 만화와 영화의 차이점에 대해 설명하고 있습니다. 만화는 정지된 이미지이고, 영화는 움직이는 이미지라는 점에서 큰 차이가 있습니다. 그리고 영화와 만화는 그 이미지의 성격도 대조적인데, 영화가 촬영된 이미지라면 만화는 서명된 이미지라고 할 수 있습니다. 마지막으로 영화의 이미지는 현실의 개입이 필연적이지만, 만화의 이미지는 외부적 현실의 개입이라는 외적 제약을 받지 않는다는 점에서도 차이가 있습니다.

문단으로 생각읽기

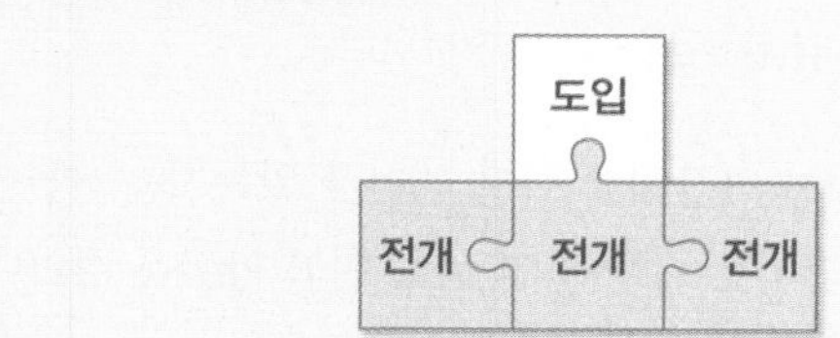

[도입 – 전개 – 전개 – 전개]의 생각 구조

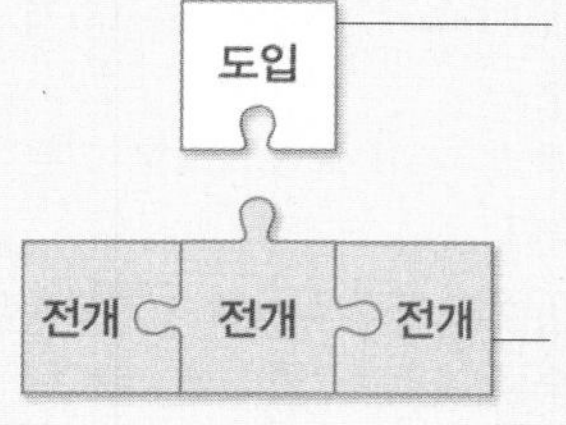

화제 소개 및 설명
영화적 재현과 만화적 재현을 언급하고 이들의 차이점 중 하나인 움직임의 유무에 대해 설명함. (1문단)

대상 설명
영화와 만화를 구별하는 요소 중 하나인 이미지의 성격에 대해 설명하고, 영화와 만화가 현실과 맺는 관계의 차이점에 대해 설명함. (2~4문단)

0 이 글에서는 움직임의 유무, 이미지의 성격, 현실과 맺는 관계 등에 따른 만화와 영화의 차이점에 대해 설명하고 있습니다.

출제 의도 글의 주제를 묻는 문제는 글을 읽고 글의 중심 화제와 핵심 내용을 제대로 파악하고 있어야 합니다.

1 3문단을 보면 빛이 렌즈를 통과하여 필름에 착상되는 사진적 원리에 따라 생산되는 것은 영화 이미지입니다(②). 또한 4문단을 보면 실제 대상과 이미지가 인과 관계로 맺어져 있어 본질적으로 사물에 대한 사실적인 기록이 되는 것은 영화 이미지입니다(③).

2 〈보기〉의 칸 [4]에 나오는 효과선은 속도감을 암시하면서 독자들의 상상력을 부추기는 역할을 합니다. 하지만 효과선을 지운다고 하더라도 인물의 발쪽에 '다다다'라는 글자의 크기가 점점 커지는 모양으로 제시되고 있기 때문에, 인물의 움직임을 상상하게 하는 요소가 모두 사라지는 것은 아닙니다. 효과선을 지우면 속도감에 대한 효과는 줄어들겠지만, '다다다'로 인해 속도감을 드러내는 요소는 여전히 존재하는 것입니다.

3 영화 이미지는 촬영을 통해 구현되는 것이므로, 이는 수작업에 의해 만들어지는 만화의 이미지와 다를 수밖에 없습니다. 하지만 최근 영화에서는 촬영한 이미지들을 컴퓨터상에서 합성하거나 그래픽 이미지를 활용하는 등 디지털 특수 효과가 활용되고 있습니다. 이는 영화가 만화처럼 실재하지 않는 대상이나 장소도 만들어 낼 수 있음을 의미합니다. 즉 디지털 특수 효과는 실제 대상과 이미지가 인과 관계로 이어져 있던 영화의 특성을 약화시키는 역할을 하게 됩니다.

4 〈보기〉를 통해 파악할 수 있는 조건은 합성어인 한 단어를 구성하고 있는 각각의 단어가 원래 서로 담고 담길 수 없는 관계를 이루고 있다는 것입니다. '주머니'는 '돈 따위를 넣으려고 헝겊으로 만들어 끈을 꿰어 허리에 차게 된 물건'이라는 의미이므로, 이 안에는 돈과 같이 형태를 지닌 사물이 들어가게 됩니다. 그러나 '꾀'는 형태가 없는 추상적인 것으로 주머니에 담을 수 있는 것이 아닙니다. 따라서 ⓐ와 같은 방식으로 이루어졌다고 할 수 있습니다.

생각읽기 **3**

무지개, 자연 현상과 상상력의 발현

0 상상, 어원 **1** ③, ④ **2** ① **3** ④

Q '무지개'는 어떤 단어들의 결합으로 이루어진 단어인가요?
'믈[水]'과 '지게[門]'의 결합으로 이루어진 단어입니다.

이 글은 사람들이 무지개 현상을 보고 어떤 상상을 했었는지에 대해 설명한 글입니다. 예부터 사람들은 무지개 끝이 닿는 곳에 보물이 묻혀 있다는 상상을 하거나, 무지개가 하늘과 땅을 연결하는 대상이라고 상상하고는 했습니다. 이러한 상상은 무지개라는 단어의 어원에도 반영되어 있음을 설명하고 있습니다.

■ 문단으로 생각읽기

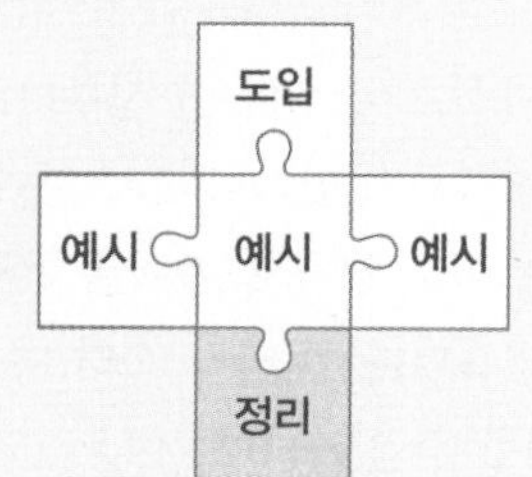

[도입 – 예시 – 예시 – 예시 – 정리]의 생각 구조

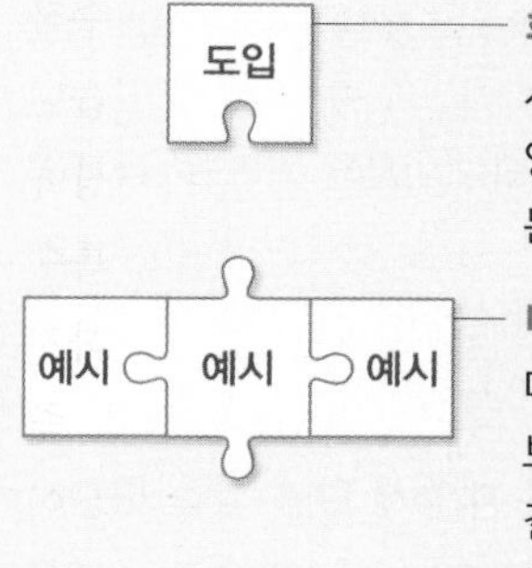

화제 소개
사람들이 신비로운 무지개 현상에 다양한 상상들을 담아냈음을 언급함. (1문단)

대상 설명
다양한 나라의 예시를 들어 무지개를 보물이 묻혀 있는 곳, 하늘과 땅을 연결하는 대상으로 생각하는 상상을 설명하고, 그 상상이 무지개의 어원에도 반영되어 있음을 덧붙여 소개함. (2~4문단)

마무리
무지개에 대한 다양한 상상을 요약하여 정리함. (5문단)

0 학교 신문에서는 무지개에 대한 상상 두 가지와 무지개의 어원을 중심으로 이 글의 내용을 요약하고 있습니다. 즉 사람들이 무지개 현상이 보물이 있는 곳을 가리킨다는 상상, 하늘과 땅을 연결해 준다는 상상을 요약하고, 이들 상상과 관련하여 무지개라는 단어의 어원을 설명하고 있습니다.

출제 의도 글의 제목을 정할 때에는 글의 핵심 화제가 반드시 담겨 있어야 합니다.

1 2문단을 보면 아일랜드에서는 무지개 끝에 가면 금시계를 얻을 수 있다는 이야기가 있다고 했지만, 실제로 무지개 끝을 찾아가서 발견했는지는 알 수 없습니다(③). 또한 5문단을 보면, 현대에는 '지게'가 한자어 '문(門)'에 밀려 잘 쓰이지 않지만, 후기 중세 국어는 물론이고 근대 국어에서 아주 왕성하게 쓰였다고 하였습니다(④).

2 ㄱ. 고대 그리스, 북유럽 신화, 티베트, 우리나라 등 다양한 나라의 사례를 통해 사람들이 무지개 현상을 보고 어떤 상상을 했었는지 설명하고 있습니다.
ㄴ. 마지막 문단의 '다시 생각해 보면 무지개는 사람들의 희망이 담겨 있는 대상은 아니었을까?'를 통해 확인할 수 있습니다.

오답 피하기 ㄷ. 시대적 흐름에 따른 대상의 변천 과정은 나타나지 않았습니다. 무지개에 대한 사람들의 상상을 두 가지(보물을 찾을 수 있다는 상상, 하늘과 땅을 연결하는 대상으로 바라보는 상상)로 나눠 설명하고, 그중 하늘과 땅을 연결하는 대상으로 바라보는 상상에 대한 사례들을 좀 더 구체적으로 나열하여 설명하고 있습니다.
ㄹ. 무지개 현상이 나타나는 원인을 과학적 측면에서 설명하고 있고, 사람들이 무지개에 다양한 상상을 담아내는 이유를 무지개가 아름답고 신비로워 희망을 담아내기 때문이라고 설명하고 있습니다. 하지만 무지개 현상의 원인을 다양한 측면에서 심층적으로 분석하고 있는 것은 아닙니다.

3 ⓐ는 자연 현상에 대한 사람들의 상상이 이름을 짓는 데 반영된 것입니다. ㄹ 또한 은하수 현상을 보고 '용이 사는 시내'라고 생각한 사람들의 상상이 은하수의 이름을 붙이는 데 반영된 것으로 볼 수 있습니다.

오답 피하기 ㄱ. 대상의 특징인 울음소리가 이름 붙이는 데 반영된 것입니다.
ㄴ. 역사적 일화가 반영되어 생긴 단어의 사례입니다.
ㄷ. 대상의 특징과 위치가 이름 붙이는 데 반영된 것입니다.

생각읽기

4 어느 억만장자의 화성 이주 프로젝트

0 ②	1 ①	2 ③	3 ⑤	4 ④

Q 엘론 머스크가 다른 행성으로의 이주 계획을 세운 이유는 무엇인가요?

지구 온난화, 환경 오염, 인구의 포화 등 문제가 심각해져 인류가 생존에 위협을 받게 될 것이라 예상했기 때문입니다.

이 글은 엘론 머스크가 계획하고 실행에 옮기고 있는 화성 이주 계획에 관한 글입니다. 엘론 머스크는 자신의 꿈을 실현하기 위해 우주 로켓 발사를 시도하였고, 화성 이주 계획이 실현될 때까지 지구의 환경을 보호하기 위해 전기 자동차와 태양광 에너지 기업을 설립하였습니다. 최근에도 인류의 미래를 위한 이주 계획을 계속 실행하고 있습니다.

■ 문단으로 생각읽기

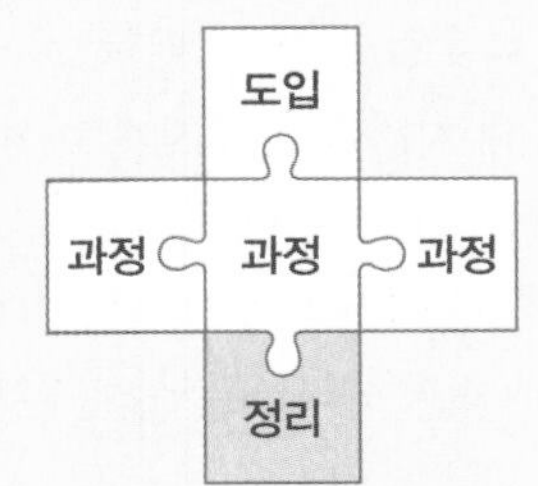

[도입 – 과정 – 과정 – 과정 – 정리]의 생각 구조

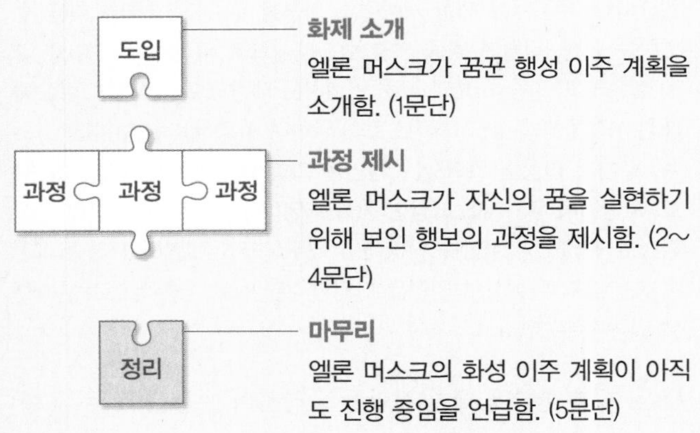

화제 소개
엘론 머스크가 꿈꾼 행성 이주 계획을 소개함. (1문단)

과정 제시
엘론 머스크가 자신의 꿈을 실현하기 위해 보인 행보의 과정을 제시함. (2~4문단)

마무리
엘론 머스크의 화성 이주 계획이 아직도 진행 중임을 언급함. (5문단)

0 (나)에서 머스크가 무인 우주 로켓 '팰컨 1'의 이름을 어디에서 따온 것인가에 대한 내용이 언급되어 있지만 핵심 내용은 엘론 머스크가 다른 행성으로 이주할 준비를 하기 위해 가장 먼저 실행에 옮긴 '스페이스X'의 우주 로켓 '팰컨 1' 발사와 그 실패의 반복에 대한 것입니다.

출제 의도 문단의 핵심 내용을 파악해야 글 전체의 핵심 내용도 제대로 파악할 수 있습니다.

1 이 글의 중심 내용은 엘론 머스크의 화성 이주 계획과 실행 과정입니다. 이 글에서는 엘론 머스크가 화성 이주 계획을 성공시키기 위해 어떠한 계획으로 스페이스X, 테슬라, 솔라시티 등의 기업을 창업하고 구체적으로 어떤 행보를 보였는지를 서술하고 있습니다.

2 이 글에서 엘론 머스크가 20여 년 전부터 다른 행성으로의 이주를 꿈꾸었음을 알 수 있습니다. 그런데 그가 왜 수많은 행성 중에 화성을 이주 장소로 정했는지에 대해서는 이 글에서 확인할 수 없습니다. 따라서 ③의 내용을 더 알아보고 싶은 것으로 제시할 수 있습니다.

오답 피하기 ① (다)에서 '팰컨 1'의 발사 실패 후 주변 사람들이 그를 비웃었음을 알 수 있습니다.
② (가)에서 엘론 머스크는 지금으로부터 약 20년 전부터 다른 행성으로의 이주를 꿈꾸었음을 알 수 있습니다.
④ (마)에서 화성 이주 계획에 필요한 핵심 기술이 로켓 재사용과 자율 착륙 로켓 기술임을 알 수 있습니다.
⑤ (라)에서 엘론 머스크가 '팰컨 1'의 발사 실패 이후에도 멈추지 않고 사업을 계속한 이유를 알 수 있습니다.

3 〈보기〉의 마요르는 외계 행성, 즉 태양계 밖에 있는 행성으로의 이주 역시 부정적으로 생각하였습니다. 마요르는 다른 행성으로의 이주보다 현재의 지구를 아끼고 가꾸어 살 만한 곳으로 만드는 것을 더 중요하게 생각하였습니다. 따라서 ⑤의 내용은 적절하지 않습니다.

4 ⓓ '반영구적'은 '거의 영구에 가까운. 또는 그런 것'의 의미를 지닌 단어입니다. '아주 짧은 동안에 있는. 또는 그런 것'은 '순간적'이라는 단어의 의미입니다.

생각읽기 5

인류의 미래와 인공 지능(AI)

본문 208~211쪽

0 ③	1 ②, ⑤	2 ①	3 ①	4 ③

Q '앨런 튜링'이 에니그마를 푸는 기계를 설계하면서 예언한 것은 무엇인가요?

앨런 튜링은 에니그마를 푸는 기계를 설계하면서 인공 지능의 출현을 예언하였습니다.

이 글은 인공 지능이 일상화되어 가고 있는 현대 사회에서, 앞으로 인간은 어떤 삶을 살아나가야 하는지 묻고 있습니다. '인간적'이라는 단어와 '기계적'이라는 단어의 의미마저 바뀌어 가는 세상 속에서 인간은 인간으로서의 본질에 대해 고민해야 함을 강조하고 있습니다.

문단으로 생각읽기

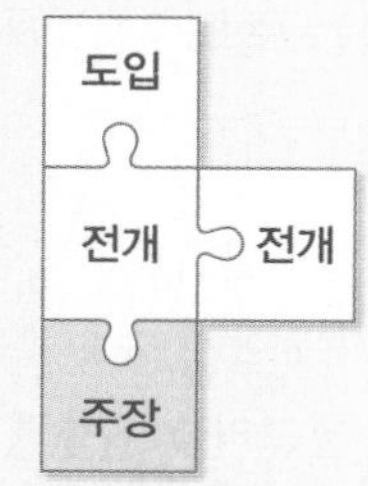

[도입 – 전개 – 전개 – 주장]의 생각 구조

도입 — **화제 소개**
현대 사회가 인공 지능이 일상화되어 가고 있음을 이야기하며 화제를 제시함. (1문단)

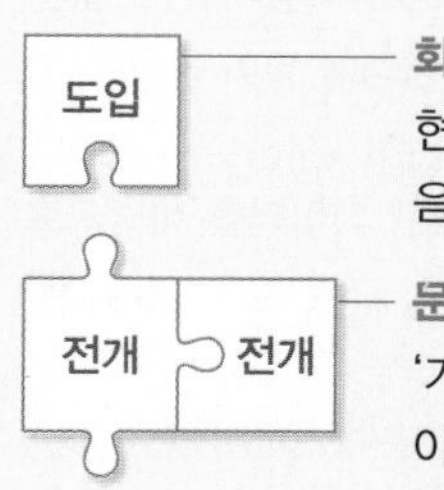

문제 제기
'기계적'이라는 단어의 의미를 제시한 후 인간이 지능을 갖춘 기계와는 다른 인간임을 어떻게 증명할 것인가에 대한 문제를 제기하고, 인공 지능과 함께하는 미래의 삶의 모습을 예시를 통해 제시함. (2, 3문단)

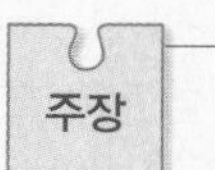

견해 제시
인간은 인간으로서의 본질에 대해 고민하고 인간적으로 살아가야 함을 강조함. (4문단)

원리로 생각읽기

독해연습 1 1 ⓒ 2 '반드시'는 긍정 표현인 '~해야 한다'와 호응하는 말이다. 뒤에 부정 표현이 올 때는 '절대로'를 사용한다.

독해연습 2 1 철저한 2 생동감

0 이 글은 인공 지능에 대한 언급을 시작으로 인공 지능 시대에 '그렇다면 어떻게 인간임을 증명할까? 무엇이 인간인가?'에 대한 고민을 해야 한다는 내용을 전개하고 있습니다. 이처럼 이 글은 인공 지능이 일상화되어 가고 있는 현대 사회에서, 앞으로 인간은 인간의 본질에 대해 더욱 고민해 나가야 함을 주장하는 글입니다.

출제 의도 글쓴이가 궁극적으로 말하고자 하는 바가 바로 글의 핵심 주제입니다. 글쓴이가 독자에게 정말로 전달하고 싶어 하는 말이 무엇인지 파악해야 합니다.

1 이 글은 인공 지능에 대해 언급하고 있으나, 그것이 발전해 온 과정을 제시하지는 않았습니다(②). 그리고 인공 지능 시대에 인간의 본질에 대한 고민이 필요함을 강조하였을 뿐, 인간을 인간답게 만드는 요인에 대해서는 언급하지 않았습니다(⑤).

오답 피하기 ① 4문단에서 기계는 이미 인간보다 더 지능이 발달하고 뛰어나므로 인간은 기계와는 다른 인간의 본질에 대해 끊임없이 묻고 고민해야 함을 이야기하고 있습니다.
③ 3문단에서 알 수 있는 내용입니다.
④ 2문단과 4문단에서 인간은 끊임없이 인간 본질에 대해 물어야 함을 이야기하고 있습니다.

2 ㄱ. 2문단에서 '기계적'이라는 용어의 일반적 개념을 밝히면서 내용을 전개하고 있습니다.
ㄴ. '우리는 어떻게 인간임을 증명할까?', '무엇이 인간인가?', '그렇다면 미래의 삶은 어떨까?' 등과 같은 질문을 던지며 독자의 관심을 유도하고 있습니다.

3 4문단에서 보듯, 인공 지능은 이미 인간보다 지능이 뛰어남을 이야기하며 인간은 기계와는 다른 인간다움에 대해 고민해야 한다고 주장하고 있습니다. 〈보기〉 또한 기계에 가르칠 수 없는 인간 고유의 특성인 결핍과 고통에서 오는 유연성과 창의성에 대해 주목하고 인간의 길에 대해 고민해야 함을 이야기하고 있습니다. 따라서 ①의 '인공 지능보다 지능을 더 발달시킬 수 있는 방법을 찾아야겠어.'라는 반응은 적절하지 않습니다.

4 ⓒ '그런데'는 화제를 앞의 내용과 관련시키면서 다른 방향으로 이끌어 나갈 때 쓰는 접속어입니다.

생각읽기 6

미래의 의학 기술

0 ⑤	1 ②	2 데이터, 질환	3 ③

Q 인간의 데이터를 추적하기 위한 필수 요소로는 무엇이 있을까요?

인간의 데이터를 추적하기 위해서는 데이터를 수집할 바이오센서와 데이터를 처리할 알고리즘이 있어야 합니다.

이 글은 미래의 의학에 대한 글입니다. 디지털 시대 기술은 인간을 디지털화하여 인간의 삶의 유지와 관련된 거의 모든 것들을 모니터할 수 있게 합니다. 데이터를 수집할 바이오센서와 그 데이터를 처리할 알고리즘만 있다면 어떤 데이터라도 추적하여 의학에 많은 발전을 가져오게 할 것입니다.

■ 문단으로 생각읽기

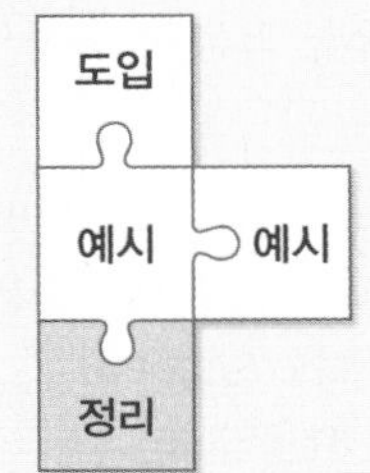

[도입 – 예시 – 예시 – 정리]의 생각 구조

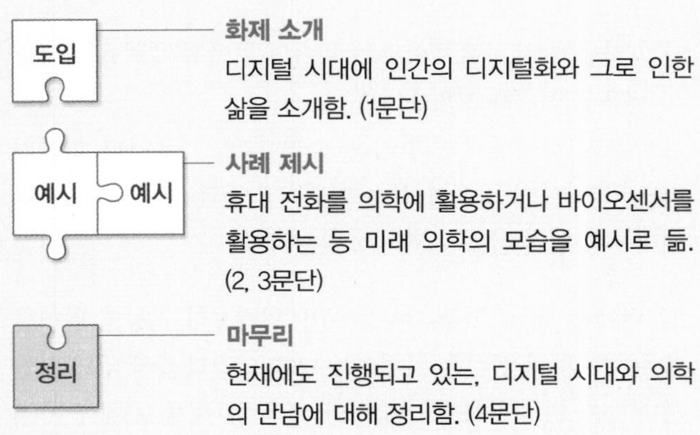

0 이 글에서는 디지털 시대를 맞아 의학 분야에 나타날 미래의 모습을 중심 화제로 다루고 있습니다. 인간의 디지털화가 가져올 의학의 미래 모습, 의학이 어떤 모습으로 발전할 수 있을지에 관한 글입니다.

출제 의도 글을 읽고 글 전체 내용을 압축하여 표현할 수 있는지를 묻기 위한 문제입니다.

1 3문단의 '아마 멀지 않은 미래에는 나노 센서의 형태로 혈관 속으로 들어갈 수도 있을 것이다.'를 통해 ②와 같이 바이오센서가 나노 센서의 형태로 혈관 속으로 들어가는 것은 현재에는 아직 일어나지 않은 일임을 알 수 있습니다.

2 〈보기〉에 따르면 현대 의학은 ㉠과 같은 슈퍼컴퓨터를 이용하여 방대한 데이터를 분석할 수 있고, 이를 통해 환자의 정확한 질환을 진단하는 데 도움을 받고 있음을 알 수 있습니다.

3 (나)에서 B씨는 유방암이 발생하기도 전에 미리 유전자 분석 결과에 따라 예방 차원에서 수술했음을 알 수 있습니다. 따라서 바이오센서와 알고리즘을 통해 통증의 원인을 초기에 알아낸 사례에 해당하지 않습니다.

오답 피하기 ① (가)에서 A씨가 통증을 느낀 후 어금니를 빼어도 통증이 사라지지 않자, 정밀 검사를 받고 정확한 병명을 알아 치료를 받게 되었습니다.
② 바이오센서가 있었다면 A씨에 대해 수집한 데이터를 바탕으로 문제의 원인을 더 일찍 발견했을 수 있으므로, 그럴 경우 어금니를 뺄 필요가 없었을 것입니다.
④ (나)는 유방암과 관련된 기존의 데이터를 분석하여 유방암 발생 확률을 예측하고 수술을 통해 발생 확률을 5% 이하로 줄인 경우입니다.
⑤ (가)는 데이터에 기초한 것이 아니라 통증이 있어 병원을 찾아가 검사를 받은 것이라면, (나)는 데이터 자료에 근거하여 유방 절제술을 한 것입니다. 디지털 시대에는 다양한 데이터를 기초로 하여 치료를 하게 되므로 치료의 패러다임이 (가)에서 (나)로 변화될 것이라고 추론할 수 있습니다.

생각의 구조화 MIND MAP

생각읽기1 ㉡	생각읽기2 ㉢	생각읽기3 ㉡
생각읽기4 ㉤	생각읽기5 ㉠	생각읽기6 ㉣
1 동물	2 만화, 영화	3 무지개
4 화성	5 기계적, 인간적	6 알고리즘

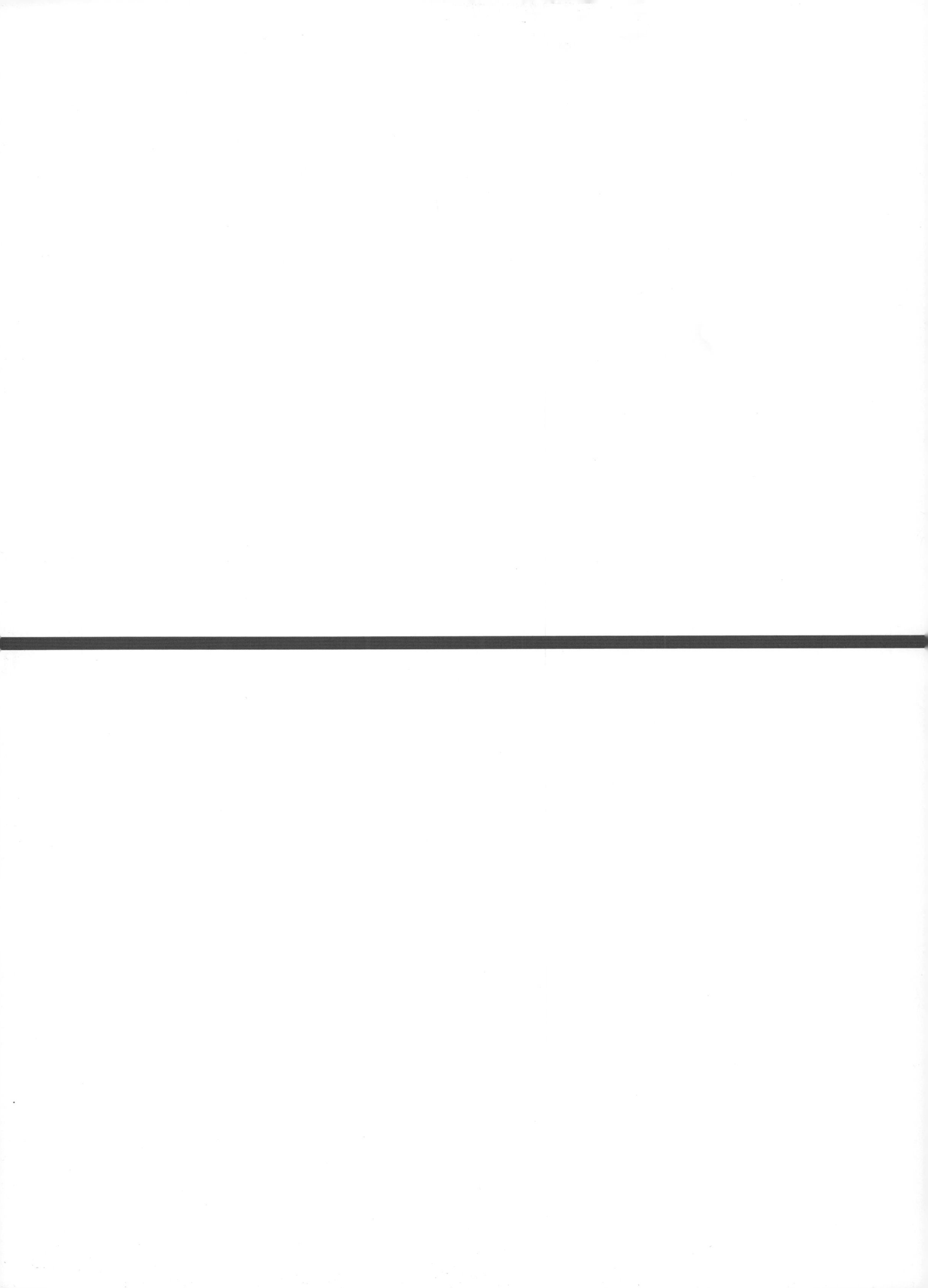

기초에서 심화까지

단단한 수학 자신감의 완성!

디딤돌 중학 수학

중학 수학은 '무엇을 풀까?' 보다 '어떻게 풀까?'가 중요합니다.
디딤돌 중학 수학으로 개념을 이해하면 새로운 문제도 '이렇게 풀면 되겠네.'
응용, 심화, 유형에 흔들리지 않는 수학 자신감이 생깁니다.